Lisa See est née à Paris, mais a grandi à Los Angeles, passant beaucoup de temps dans le quartier chinois. Correspondante pour le *Publishers Weekly* pendant treize ans, elle est journaliste indépendante. Ses articles sont parus dans *Vogue, Self* et *More* ainsi que dans de nombreux magazines de critiques littéraires.

L'Organisation des Femmes Chinoises Américaines l'a nommée en 2001 Femme de l'Année et a été récompensée du *Chinese American Museum's History Makers Award* en 2003.

Elle est également l'auteur de *La Mort Scarabée* (Calmann-Lévy, 1998), nommé aux *Edgar Awards*, *The Interior, Dragon Bones*, et de *On Gold Mountain*, mémoires unanimement saluées par la critique. Après *Fleur de Neige,* succès dans le monde entier et également paru aux Éditions J'ai lu, *Le Pavillon des pivoines* est son deuxième roman.

Le pavillon des pivoines

Du même auteur
aux Éditions J'ai lu

FLEUR DE NEIGE

N° 8311

Lisa

SEE

Le pavillon des pivoines

ROMAN

Traduit de l'américain
par Pierre Ménard

Titre original
PEONY IN LOVE
Éditeur original : Random House, an imprint of the Random House
Publishing Group, a division of Random House, Inc.

À Bob Loomis,
pour célébrer ses cinquante ans
chez Random House.

La dynastie des Ming s'effondra en 1644 sous les assauts des Mandchous, qui instaurèrent la dynastie des Qing. Pendant près de trente ans, le pays fut la proie de troubles incessants. Beaucoup de femmes furent obligées de quitter leur foyer, tandis que d'autres l'abandonnaient volontairement. Des milliers d'entre elles – littéralement – se tournèrent vers la littérature et devinrent des poètes renommés. La prolifération des jeunes filles « en mal d'amour » n'était pas étrangère à ce phénomène. Les œuvres d'une vingtaine d'entre elles ont survécu et sont parvenues jusqu'à nous.

J'ai suivi dans ces pages le système de datation traditionnel chinois. L'empereur Kangxi a régné de 1662 à 1722. L'opéra de Tang Xianzu, *Le Pavillon des Pivoines*, a été représenté pour la première fois en 1598 et publié la même année. Chen Tong (Pivoine, dans le roman) est née autour de 1649, Tan Ze de 1656 et Qian Yi de 1671. En 1694, le *Commentaire des trois épouses* a été le premier ouvrage de ce genre écrit et publié par des femmes, où que ce soit dans le monde.

« L'origine de l'amour est inconnue, ce qui ne l'empêche pas de développer ses racines en profondeur. Il peut provoquer la mort, aussi bien que la renaissance. L'amour n'est pas à son plus haut si celui qui l'éprouve est incapable de lui sacrifier son existence, ou s'il n'est pas en mesure de ramener un mort à la vie. Et l'amour qui apparaît en rêve est-il nécessairement irréel ? Car les amoureux qui rêvent ne manquent pas, en ce monde. Il n'y a que pour ceux dont l'amour trouve son accomplissement sur l'oreiller et qui ne l'éprouvent qu'à leurs heures de loisir, que le phénomène est d'ordre purement physique. »

Tang Xianzu,
préface au *Pavillon des Pivoines* (1598).

Première partie

DANS LE JARDIN

La Chevauchée céleste

Deux jours avant mon seizième anniversaire, je m'éveillai de si bonne heure que ma servante dormait encore au pied de mon lit. J'aurais dû réprimander Branche de Saule, mais je ne le fis pas : je préférais profiter de ces instants de solitude et savourer l'excitation qui était la mienne. J'allais assister le soir même à une représentation du *Pavillon des Pivoines*, donnée dans notre propriété. J'adorais cet opéra et j'avais réussi à me procurer onze des treize éditions imprimées de la pièce. Il m'arrivait souvent de rester allongée pour lire l'histoire de la jeune Liniang et de l'amoureux de ses rêves, suivant le fil de leurs aventures jusqu'au dénouement final. Trois soirs durant, qui devaient culminer avec le Double Sept – la fête des amoureux, qui tombe le septième jour du septième mois et coïncide avec mon anniversaire – j'allais contempler de mes propres yeux cet opéra, normalement interdit aux femmes et *a fortiori* aux jeunes filles. Mon père avait invité d'autres familles à l'occasion de ces festivités. De nombreux concours et des banquets avaient été organisés. Ces journées allaient être extraordinaires.

Branche de Saule se redressa, encore ensommeillée, et se frotta les yeux. Lorsqu'elle s'aperçut que je la regardais, elle se hâta de se lever et de me présenter ses vœux. J'étais toujours émoustillée à l'idée de ce qui m'attendait, aussi fis-je preuve d'une exigence particulière lorsque Branche de Saule m'aida à faire ma toilette, à enfiler une tunique de soie bleu lavande, puis à me brosser les cheveux. Je voulais présenter une apparence irréprochable. Et me comporter de manière irréprochable.

Une jeune fille qui s'apprête à fêter son seizième anniversaire est forcément consciente de sa beauté. En me regardant dans le miroir, cette évidence m'étreignit. Mes cheveux étaient noirs et soyeux. Lorsque Branche de Saule les coiffait, je sentais les ondes déclenchées par ses coups de peigne se répercuter dans le bas de mon dos. Mes yeux avaient la forme des feuilles de bambou. Mes sourcils évoquaient deux traits de pinceau, calligraphiés avec grâce. Mes joues avaient l'éclat rose et pâle des pétales de pivoine. Mon père et ma mère aimaient commenter ce dernier détail, en soulignant combien mon prénom s'était avéré approprié : ils m'avaient en effet appelée Pivoine. Je consacrais beaucoup d'efforts, comme seule une jeune fille en est capable, à honorer la délicatesse de ce prénom. Mes lèvres étaient douces et pleines, ma taille fine et mes seins prêts à recevoir les caresses d'un époux. Je ne dirais pas que j'étais vaniteuse. J'étais tout bonnement une adolescente de quinze ans, comme il y en a tant : consciente de sa beauté, mais dotée d'assez de jugeote pour savoir qu'il s'agit là d'un état transitoire.

Mes parents m'adoraient et avaient eu soin de me donner une éducation supérieure. Je menais une existence évanescente et raffinée, composant des bouquets de fleurs, soignant mon apparence et chantant pour distraire ma famille. Mes privilèges étaient tels que même ma servante avait les pieds bandés. Quand j'étais petite, je croyais que les banquets et les festivités qui avaient lieu à l'occasion du

Double Sept étaient organisés spécialement pour moi. Personne ne m'avait détrompée, parce que j'étais une enfant aimée – et extrêmement gâtée. *Heureuse*, m'avouais-je ce jour-là en poussant un soupir. Ce devait être mon dernier anniversaire au sein de ma famille, avant mon mariage : je comptais bien en profiter et ne pas en perdre une miette.

Je quittai ma chambre, dans l'aile du bâtiment réservée aux jeunes filles non mariées, et me dirigeai vers le hall des ancêtres afin de faire des offrandes à ma grand-mère. J'avais passé tellement de temps à me préparer que je me contentai d'une rapide révérence : je ne voulais pas être en retard pour le repas du matin. Mes pieds bandés ne me permettaient pas de marcher aussi vite que je l'aurais voulu, mais en apercevant mes parents assis côte à côte, dans un kiosque qui surplombait le jardin, je ralentis l'allure. Si maman était en retard, je pouvais me permettre de l'être moi aussi.

— Les jeunes filles qui ne sont pas encore mariées ne doivent pas paraître en public, entendis-je protester ma mère. La restriction s'applique également à mes belles-sœurs. Tu sais que je n'encourage guère les sorties et les promenades. Aussi, inviter des étrangers à ce spectacle…

Elle laissa sa réplique en suspens. J'aurais dû presser le pas, mais cet opéra représentait tant pour moi que je décidai de rester, en me dissimulant derrière les branches d'un buisson de glycines.

— La soirée n'aura rien de *public*, répondit mon père. En aucun cas il ne s'agira d'un de ces banquets où les femmes se déshonorent en s'affichant en compagnie des hommes. Vous serez toutes cachées derrière des paravents.

— N'empêche qu'il y aura des étrangers dans nos murs. Ils pourront entrevoir nos chaussons sous l'interstice des paravents, percevoir l'odeur de nos poudres et le parfum de nos cheveux. Sans compter qu'entre tous les opéras, tu as choisi celui dont aucune jeune fille ne devrait être autorisée à connaître l'intrigue amoureuse.

Ma mère était extrêmement traditionaliste, dans ses croyances comme dans son mode de vie. Au cours des désordres sociaux qui avaient suivi le Cataclysme, lorsque la dynastie des Ming s'était effondrée et que les envahisseurs mandchous avaient pris le pouvoir, de nombreuses femmes de la haute société en avaient profité pour quitter leurs pavillons et voyager à travers le pays, au fil des canaux et des fleuves, prenant des notes et publiant ensuite le récit de leurs observations. Maman était résolument hostile à ce genre de comportement. Elle était loyaliste et soutenait toujours l'empereur Ming, qui avait été renversé. Mais pour le reste, elle respectait scrupuleusement les règles de la tradition. Alors que beaucoup de femmes dans le delta du Yangzi Jiang proposaient une nouvelle lecture des Quatre Vertus – la valeur, le maintien, le langage et le travail –, ma mère me tançait sans arrêt, afin que je n'oublie pas leur signification initiale. « En toute circonstance, retiens ta langue, me disait-elle. Mais si tu dois parler, attends le moment opportun. Et aie soin de n'offenser personne. »

Ma mère s'enflammait aisément sur de pareils sujets, parce qu'elle était gouvernée par le *qing* – c'est-à-dire par tout ce qui relève du sentiment, de la passion et de l'amour. Ces forces qui lient et régissent l'univers proviennent du cœur, siège de la conscience. Mon père de son côté, étant gouverné par le *li* – la raison froide et la maîtrise des émotions –, comprenait mal ses réticences à recevoir des étrangers.

— Tu ne protestes pas quand j'accueille les membres de mon cercle poétique, dit-il.

— Mais ma fille et mes nièces n'assistent pas à vos réunions ! rétorqua maman. Et pourquoi as-tu invité d'autres familles ?

— Tu le sais parfaitement, répliqua-t-il sèchement, perdant tout à coup patience. J'ai besoin ces temps-ci du soutien de l'Intendant Tan. Cesse de discuter avec moi sur ce point !

D'où j'étais, je ne voyais pas leurs visages, mais j'imaginais que maman avait pâli devant cette soudaine sévérité. Elle ne répondit pas.

Maman avait la charge du monde domestique et portait en permanence, dans les replis de sa tunique, un trousseau de clefs et de verrous métalliques en forme de poissons, au cas où elle aurait besoin de châtier une concubine, de resserrer des pièces de soie livrées par l'un de nos ateliers – voire de barricader le garde-manger ou la pièce où nos domestiques pouvaient mettre leurs affaires en gage, s'ils se trouvaient à court d'argent. Le fait qu'elle n'ait jamais fait un usage inconsidéré de ces verrous lui avait valu le respect et la gratitude de toutes celles qui partageaient les appartements des femmes. Mais lorsqu'elle était contrariée, comme c'était présentement le cas, elle ne pouvait s'empêcher de manipuler son trousseau avec nervosité.

La colère de papa se dissipa et il reprit, sur le ton conciliant dont il usait généralement avec ma mère :

— Nul n'apercevra notre fille ou nos nièces. La bienséance sera respectée. Il s'agit d'une occasion particulière. Je dois faire assaut d'amabilité dans l'intérêt de mes affaires. Aujourd'hui c'est nous qui ouvrons nos portes, d'autres pourraient s'ouvrir pour nous à l'avenir.

— Tu dois agir au mieux des intérêts de ta famille, concéda maman.

J'en profitai pour m'éclipser. Je n'avais pas saisi l'ensemble de leurs reparties, mais cela m'était égal. Ce qui m'importait, c'était que la représentation ait bien lieu dans notre propriété : mes cousines et moi-même allions être les premières jeunes filles de Hangzhou à assister à cet opéra. Nous n'allions évidemment pas nous afficher en plein air, en compagnie des hommes. Nous resterions assises derrière des paravents, comme mon père venait de le dire, afin que nul ne nous voie.

Lorsque maman pénétra dans le pavillon du Printemps, pour le repas du matin, elle avait retrouvé son sang-froid.

— Les jeunes filles bien élevées évitent de manger trop vite, lança-t-elle en passant près de la table que nous partagions, mes cousines et moi. Lorsque vous irez vous établir chez vos maris respectifs, vos belles-mères n'apprécieront guère que vous vous jetiez sur la nourriture comme des carpes dans un bassin. Cela dit, il faut tout de même que nous soyons prêtes lorsque nos invités arriveront.

Nous mangeâmes donc aussi rapidement que le permettait la bienséance.

Dès que les servantes eurent débarrassé la table, je m'approchai de ma mère.

— Puis-je me rendre jusqu'au portail ? lui demandai-je, dans l'espoir de voir arriver les invités.

— Oui, le jour de ton mariage, me répondit-elle avec un grand sourire, comme chaque fois que je lui posais une question idiote.

J'attendis patiemment, sachant que les palanquins franchissaient à présent le seuil de notre propriété et se dirigeaient vers le pavillon d'accueil, où nos visiteurs mettraient pied à terre et boiraient le thé, avant de pénétrer dans la partie principale de notre demeure. De là, les hommes rejoindraient le pavillon de la Fertile Élégance, où mon père les accueillerait. Les femmes se rendraient quant à elles dans nos appartements, situés sur l'arrière de la propriété, à l'écart du regard des hommes.

Je finis par entendre les voix chantantes des femmes qui approchaient. Lorsque les deux sœurs de ma mère et leurs filles arrivèrent, j'eus soin d'adopter une attitude de stricte révérence, dans mes gestes comme dans mon comportement. Deux autres sœurs de mes tantes se présentèrent ensuite, suivies par plusieurs femmes qui étaient les épouses des amis de mon père. La plus importante d'entre elles était madame Tan : son mari était l'homme auquel mon père avait fait allusion, lors de sa discussion avec ma mère, et que les Mandchous venaient de nommer au poste d'Intendant supérieur des Rites impériaux. Elle était aussi grande que maigre et sa fille cadette, Tan Ze, jetait autour d'elle des regards envieux. Je me sentis gagnée par une brusque jalousie : jamais je n'avais mis les pieds en dehors du domaine familial. L'Intendant Tan autorisait-il souvent sa fille à franchir ainsi le seuil de sa demeure ?

Il y eut des étreintes, des embrassades et des échanges de cadeaux : figues fraîches, jarres d'alcool de riz de Shaoxing, thé aux fleurs de jasmin. Les femmes montrèrent leurs appartements à leurs invitées. Celles-ci défirent leur paquetage et ôtèrent leurs vêtements de voyage pour passer des tenues d'intérieur – ce qui occasionna de nouvelles étreintes, quelques larmes et de nombreux fous rires. Puis nous rejoignîmes le pavillon de L'Éclosion des Lotus, le plus vaste de ceux qui étaient situés dans les appartements des femmes, et dont le plafond élevé, dessinant la queue d'un poisson, était soutenu par des colonnades laquées de noir. Les fenêtres et les portes sculptées donnaient d'un côté sur un jardin privé, et de l'autre sur un bassin où flottaient des lotus. Un petit paravent et un vase se dressaient sur un autel, au centre de la pièce. Associés, les mots qui désignent le *vase* et l'*écran* évoquent la *sécurité*. Et c'était bien cette impression que nous ressentions toutes, jeunes et moins jeunes, en prenant place sur nos sièges.

Une fois installée – mes pieds bandés effleuraient à peine la surface froide des dalles –, je regardai autour de moi, en me félicitant de ne pas avoir négligé mon apparence, car les autres jeunes filles et l'ensemble des femmes avaient revêtu leurs plus beaux atours, taillés dans des soies luxueuses rehaussées de broderies représentant les fleurs de la saison. Si je me comparais aux autres, je devais reconnaître que ma cousine Lotus brillait d'une beauté exceptionnelle, comme c'était toujours le cas : mais honnêtement, nous étions toutes resplendissantes – et impatientes d'assister aux festivités qui nous attendaient. Même ma cousine Fleur de Genêt, pourtant un peu grassouillette, paraissait plus jolie qu'à l'ordinaire.

Les servantes disposèrent de petites assiettes garnies de douceurs et de mets sucrés, puis ma mère annonça un concours de broderie, la première des réjouissances qu'elle avait conçues pour ces trois jours de fête. Nous disposâmes nos travaux sur la table et ma mère vint les examiner, cherchant les points les plus adroits et les motifs les plus élaborés. Lorsqu'elle arriva à ma hauteur, elle s'exprima sans détour, comme l'exigeait sa position.

— Ma fille a fait des progrès en couture, dit-elle. Elle a même essayé de broder des chrysanthèmes. (Elle marqua une pause avant d'ajouter à mon intention...) Il s'agit bien de chrysanthèmes, n'est-ce pas ?

Lorsque j'eus acquiescé, elle m'embrassa sur le front en me disant : « Tu as fait du bon travail. » Mais tout le monde avait compris que je ne gagnerais pas le concours de broderie, pas plus aujourd'hui que la fois suivante.

À la fin de l'après-midi – entre le thé, les concours et la soirée qui se profilait – nous ne tenions plus en place. Maman parcourait la pièce des yeux, observant les petites filles qui gigotaient, leurs mères qui leur faisaient les gros yeux, ma quatrième tante dont le pied battait la mesure et Fleur de Genêt qui n'arrêtait pas de tirer sur le col de sa tunique, qui l'étranglait un peu. Lorsque son regard se posa sur moi, je croisai les mains sur mes cuisses et m'immobilisai, même si au fond de moi j'avais envie de sauter en l'air et de pousser de grands cris, pour manifester mon impatience.

Maman se racla la gorge. Quelques femmes se tournèrent vers elle, mais pour l'essentiel le brouhaha et l'agitation continuèrent. Elle répéta son manège en pianotant sur la table, puis entama d'une voix mélodieuse :

— Un beau jour, les sept filles du dieu de la Cuisine se baignaient dans un étang lorsqu'un bouvier et son buffle les aperçurent, surgissant à l'improviste.

Sitôt que retentirent les premiers mots du conte préféré de toutes les jeunes filles, le calme retomba dans la pièce. J'acquiesçai discrètement à l'intention de ma mère, la félicitant de la sorte d'avoir choisi cette histoire pour détendre l'atmosphère, et nous l'écoutâmes raconter comment l'impudent bouvier déroba les vêtements de la Tisserande, la plus jolie des sept filles, l'obligeant du même coup à se languir nue dans l'étang.

— Tandis que la fraîcheur de la nuit s'étendait sur la forêt, poursuivit maman, elle n'eut pas d'autre choix que de se rendre dans le plus simple appareil jusqu'à la maison du bouvier, afin de récupérer ses vêtements. La Tisserande savait que le seul moyen de sauver sa réputation était d'épouser le bouvier et se résolut donc à cette union. Mais qu'arriva-t-il ensuite, à votre avis ?

— Ils tombèrent amoureux !

C'était Tan Ze, la fille de madame Tan, qui était intervenue de la sorte, de sa voix suraiguë.

C'était en effet la partie la plus inattendue de l'histoire, car nul ne pouvait imaginer qu'une immortelle puisse aimer un homme ordinaire, alors que même ici, dans le monde des mortels, les époux rencontrent rarement l'amour au sein des mariages qu'on arrange pour eux.

— Ils eurent beaucoup d'enfants, poursuivit Ze. Et ils vécurent heureux.

— Jusqu'à ce que… ? demanda ma mère en regardant les autres fillettes, afin que l'une d'entre elles lui réponde.

— Jusqu'à ce que les dieux et les déesses en aient assez de cette situation, rétorqua à nouveau Ze, ignorant les efforts pourtant visibles de ma mère. Ils regrettaient l'absence de la Tisserande, qui taillait jusqu'alors leurs vêtements dans la soie des nuages, et voulaient qu'elle revienne vivre parmi eux.

Ma mère fronça les sourcils. Cette petite Tan Ze ne savait vraiment pas se tenir ! Elle devait avoir neuf ans. Je regardai ses pieds, en me souvenant qu'elle avait marché sans aide tout à l'heure. Ses deux années de bandage étaient désormais derrière elle. Peut-être son enthousiasme venait-il du fait qu'elle se sentait à nouveau libre de marcher. Mais quelles manières, tout de même !

— Continuez, lança Ze. Racontez-nous la suite.

Maman se raidit, mais reprit son récit comme si les Quatre Vertus ne venaient pas d'être une nouvelle fois bafouées.

— La Reine du Ciel ramena la Tisserande et le bouvier dans l'Empire céleste. Puis, à l'aide d'une épingle à cheveux, elle étira la Voie lactée entre eux, afin de les séparer : de la sorte, la Tisserande ne serait pas distraite et la Reine du Ciel aurait à nouveau de superbes habits. Mais le jour du Double Sept, la déesse autorisait toutes les pies de la terre à se rassembler et à former de leurs ailes un pont céleste, afin que les deux amoureux puissent être réunis. Dans trois jours, si vous êtes encore éveillées entre minuit et les premières heures de l'aube – à condition de vous trouver au pied d'un arbre, à la lueur du clair de lune –, vous entendrez pleurer les deux amoureux, au moment où ils doivent se quitter.

C'était une image romantique – et qui n'était pas sans nous émouvoir – mais aucune d'entre nous ne prendrait le risque de se retrouver seule sous un arbre au beau milieu de la nuit, même dans l'enceinte de cette propriété. En ce qui me concerne, en tout cas, cela ne fit nullement retomber mon excitation croissante avant la représentation du *Pavillon des Pivoines*. Combien de temps allait-il encore falloir attendre ?

Lorsque l'heure du dîner arriva, nous regagnâmes le pavillon du Printemps. Les femmes s'étaient rassemblées par petits groupes – les sœurs d'un côté, les cousines de l'autre – mais madame Tan et sa fille, ne faisant pas partie de notre famille, étaient ici des étrangères. D'autorité, Ze vint s'asseoir à mes côtés, prenant place à la table des jeunes filles qui devaient prochainement se marier, alors qu'elle n'était encore qu'une enfant. Je savais que maman apprécierait que je m'occupe un peu d'elle, mais je regrettai aussitôt sa présence.

— Mon père m'achète tout ce que je lui demande, chantonna-t-elle à mon intention – et à la cantonade – pour signifier à l'assemblée que sa famille était plus riche que la nôtre.

Nous avions à peine fini de manger que retentit à l'extérieur le roulement des tambours et des cymbales nous convoquant au jardin. Je tenais à manifester le plus extrême raffinement et me mis lentement en route, mais je fus tout de même la première à quitter la pièce... Les lanternes scintillaient tandis que j'empruntais la galerie qui longeait le bassin central et dépassais le pavillon de la Félicité Éternelle. Je franchis une double porte où étaient représentés, d'un côté, des orchidées et des bosquets de bambou ; de l'autre, des arbustes aux branches artistiquement taillées. Tandis que la musique s'amplifiait, je me forçai à ralentir l'allure. Il fallait que je sois prudente, sachant que des hommes étrangers à notre famille se trouvaient ce soir dans nos murs. Si jamais l'un d'entre eux m'apercevait, je serais blâmée et jugée frivole. Mais faire preuve de prudence et de retenue exigeait plus de maîtrise de soi que je ne l'aurais cru. La représentation allait bientôt commencer et je ne voulais pas en rater un seul instant.

J'atteignis l'endroit qui avait été réservé aux femmes et m'assis sur un coussin, près du paravent, de manière à pouvoir jeter un coup d'œil à travers l'interstice des panneaux. La vue était plutôt limitée, mais je n'en espérais pas tant. Le reste des femmes et des jeunes filles arrivèrent et prirent place sur les autres coussins disposés derrière moi. J'étais tellement excitée que je ne sourcillai même pas lorsque Tan Ze vint s'asseoir à mes côtés.

Pendant des semaines, mon père – qui avait monté lui-même le spectacle – s'était isolé avec les comédiens dans un pavillon situé à l'écart, au fond de la propriété. Il avait engagé une troupe de théâtre ambulante composée de huit membres, exclusivement masculins – ce qui avait contrarié ma mère, parce que ces individus appartenaient à la classe inférieure et la plus indigne de la société. Il avait également poussé certains de nos domestiques – y compris Branche de Saule – à jouer dans la pièce, où ils tenaient de petits rôles.

« Rendez-vous compte : votre opéra comporte cinquante-cinq scènes et quatre cent trois arias ! » s'était un jour exclamée Branche de Saule, comme si je ne le savais pas. Il aurait fallu plus de vingt heures pour représenter la pièce dans son intégralité. Mais en dépit de mes questions répétées, elle avait refusé de me dire quelles scènes avaient été coupées.

« Votre père veut vous faire la surprise », me disait-elle en savourant l'opportunité qui s'offrait ainsi à elle de me désobéir. Tandis que les répétitions se multipliaient, exigeant de plus en plus de temps, un certain désordre s'était sournoisement instauré dans l'ensemble de la maisonnée : ici c'était un oncle qui ne trouvait personne pour lui remplir sa pipe, ailleurs une tante qui avait demandé de l'eau chaude pour son bain et l'attendait en vain. J'avais moi-même pâti de ces inconvénients, car Branche de Saule était très prise ces derniers temps : on lui avait confié le rôle de Saveur de Printemps, la servante de l'héroïne.

La musique commença. Le récitant s'avança sur la scène et présenta un rapide résumé de la pièce, insistant sur le fait que Liu Mengmei et Du Liniang avaient dû attendre trois réincarnations avant que leur amour puisse enfin se réaliser. Nous découvrîmes ensuite le jeune héros, un lettré pauvre qui devait quitter la demeure familiale pour aller passer les examens impériaux. Son nom de famille, Liu, signifiait *saule*. Il évoquait un rêve qu'il venait de faire, au cours duquel il avait aperçu une belle jeune fille, à l'ombre d'un prunier. Lorsqu'il s'était réveillé, il avait décidé de prendre le surnom de Mengmei, qui signifie Rêve de Prunier. Avec son feuillage luxuriant et ses fruits charnus, cet arbre évoque la puissance de la nature : aussi ce nom s'associait-il dans mon esprit au tempérament passionné de Mengmei. J'écoutais avec attention, mais mon cœur avait toujours penché du côté de Liniang et j'attendais son arrivée avec une impatience croissante.

Elle apparut lors de la scène intitulée « L'admonestation de la fille ». Elle portait une robe de soie dorée, brodée de rouge. De sa coiffure émergeaient des boules de soie duveteuse, ainsi que des fleurs et des papillons brodés de perles, qui s'agitaient dès qu'elle bougeait.

— *Nous chérissons notre fille comme une perle,* chantait madame Du à son mari, avant de lancer à sa fille : *Tu ne comptes tout de même pas rester dans l'ignorance ?*

Le préfet Du, le père de Liniang, ajoutait à son tour :

— *Aucune jeune fille vertueuse ne saurait se passer d'une bonne éducation. Sache interrompre tes travaux de broderie et lire les livres qui couvrent tes étagères.*

Mais ces recommandations ne suffisaient pas à modifier le comportement de Liniang. Aussi Saveur de Printemps et elle se voyaient-elles confiées à un austère professeur. Les leçons étaient fastidieuses, il s'agissait surtout d'apprendre par cœur des règles que je ne connaissais que trop : *Il est convenable pour une jeune fille de se laver les mains au premier chant du coq, de se rincer la bouche, de se peigner et de se coiffer avant d'aller présenter ses respects à sa mère et à son père.*

J'entendais ces recommandations tous les jours, parmi beaucoup d'autres : Ne montre pas tes dents quand tu souris, marche avec lenteur et à pas réguliers, garde toujours un regard pur, montre-toi respectueuse envers tes tantes, sers-toi des ciseaux pour couper les fils qui pendent de tes robes…

La pauvre Saveur de Printemps ne supportait pas ces leçons et implorait à un moment donné le professeur de la laisser sortir, pour aller faire pipi. Les hommes se mirent à rire, de l'autre côté du paravent, lorsque Branche de Saule, pliée en deux, poussa de petits cris en faisant mine de se retenir, les mains entre les cuisses. Cela me gênait de la voir se comporter ainsi, mais elle ne faisait qu'obéir aux instructions de mon père (ce qui me choquait tout autant, car je ne voyais pas comment il pouvait avoir connaissance de détails aussi intimes).

Un peu embarrassée, je détournai les yeux et mon regard tomba sur l'assemblée des hommes. Je les voyais de dos, pour la plupart, mais certains étaient installés dans les coins de la salle et j'apercevais leurs profils. Même si j'étais une jeune fille vertueuse, je ne pus m'empêcher de les *regarder*... C'était un signe de désobéissance, mais j'avais vécu quinze ans sans commettre à ce jour un seul acte que ma famille puisse qualifier de contraire au comportement filial.

Mon regard s'arrêta sur un homme assez jeune qui venait de tourner la tête pour échanger un mot avec son voisin. Ses pommettes étaient hautes, il avait de grands yeux pleins de douceur et des cheveux aussi noirs que l'ébène. Il était vêtu d'une longue tunique bleu nuit, sobrement coupée. Le sommet de son crâne était rasé, en signe de déférence pour l'empereur mandchou, et sa longue natte retombait nonchalamment sur son épaule. Il porta la main à ses lèvres pour faire un aparté et je déduisis bien des choses de ce simple geste : de la douceur, du raffinement – et un amour certain de la poésie. Le jeune homme sourit, révélant une dentition parfaite et d'une blancheur éclatante. Ses yeux pétillaient de malice. Il avait l'élégance d'un chat : souple, racé, intelligent, d'une grande retenue et d'une propreté sans faille. Sa beauté était stupéfiante. Lorsqu'il reporta son attention sur la pièce, je m'aperçus que je retenais mon souffle. J'expirai lentement et me forçai à me concentrer, tandis que Saveur de Printemps – après s'être soulagée – réapparaissait sur la scène, évoquant le jardin dont elle venait de faire la découverte.

Lorsque je lisais ce passage de la pièce, j'éprouvais toujours une grande compassion à l'égard de Liniang, qui menait une existence tellement confinée qu'elle ignorait même que sa famille possédait un jardin. Elle avait passé toute sa vie entre quatre murs, sans jamais mettre le nez dehors. Saveur de Printemps, jouant la tentatrice, encourageait sa maîtresse à aller voir les parterres de fleurs, les saules et les pavillons. La curiosité de Liniang était éveillée, mais elle était assez maligne pour le cacher à sa servante.

Le calme fut brusquement rompu par l'éclat d'une fanfare, annonçant la scène de la « Poussée de la charrue ». Le préfet Du se rendait à la campagne pour exhorter les paysans, les bouviers et les jeunes filles chargées des champs de mûriers ou de la cueillette du thé à travailler d'arrache-pied au cours de la saison prochaine. Des acrobates sautaient en l'air, des clowns vidaient des flasques de vin, des hommes en costumes chamarrés arpentaient le jardin, juchés sur des échasses, tandis que nos propres servantes interprétaient des danses et des chants de la campagne. C'était une scène gouvernée par le *li*, empreinte de tout ce qui caractérisait à mes yeux le monde extérieur des hommes : des gestes violents, des expressions exagérées, soulignés par la musique dissonante des gongs, des tambours et des claquettes. Je fermai les yeux pour chasser cette cacophonie et retrouver la quiétude intérieure qui était la mienne lorsque je lisais la pièce. Mon cœur s'apaisa. Quand je rouvris les yeux, j'aperçus encore à travers l'interstice du paravent l'homme que j'avais remarqué précédemment. Il avait les yeux clos. Se pouvait-il qu'il ait éprouvé le même sentiment que moi ?

Quelqu'un me tira soudain par la manche. Je regardai à ma droite et aperçus le petit visage émacié de Tan Ze, qui me dévisageait avec intensité.

— C'est ce garçon que tu regardes ? me chuchota-t-elle.

Je battis des paupières et tentai de retrouver mon calme en inspirant profondément, plusieurs fois de suite.

— Moi aussi je le regardais, m'avoua-t-elle en se comportant avec une assurance étonnante pour son âge. Tu dois déjà être promise. Mais mon père n'a pas encore arrangé mon mariage, ajouta-t-elle en levant vers moi ses yeux malicieux. Il dit qu'avec le désordre qui règne dans le pays, il vaut mieux ne pas régler ces questions trop à l'avance : qui peut savoir quelles familles s'élèveront ou tomberont au contraire en disgrâce. Mon père dit qu'il n'y a rien de pire pour une fille que d'épouser un homme de condition médiocre.

N'y a-t-il donc pas moyen de faire taire cette pipelette ? me demandai-je sans aménité.

Ze se retourna et scruta à nouveau la fente du paravent.

— Je vais demander à mon père de se renseigner sur la famille de ce jeune homme, dit-elle.

Comme si on allait lui demander son avis, concernant son mariage ! J'ignore comment un tel sentiment avait pu naître aussi vite en moi, mais j'étais jalouse de cette gamine et furieuse qu'elle songe à mettre le grappin sur cet homme. Je ne pouvais évidemment pas nourrir le moindre espoir à son sujet : comme Ze venait de le rappeler, j'étais déjà promise. Mais au fil de ces trois soirées, pendant le cours de l'opéra, j'avais envie de me laisser aller à des rêveries romantiques et d'imaginer que ma vie, comme celle de Liniang, puisse connaître un heureux dénouement et un amour comblé.

Je chassai Ze de mes pensées et me replongeai dans l'atmosphère de l'opéra, pour la scène du « Rêve interrompu ». Liniang s'aventurait enfin dans son… ou devrais-je dire dans *notre* jardin : moment charmant où elle découvrait pour la première fois le monde extérieur. Elle se lamentait, regrettant que la beauté des fleurs soit enfermée dans un lieu que nul ne pouvait visiter. Mais elle voyait aussi ce jardin comme une image de sa propre existence : en pleine floraison et cependant négligée… Je comprenais ce qu'elle éprouvait. Les émotions qui étaient les siennes m'agitaient tout autant, chaque fois que je lisais la scène.

Liniang regagnait sa chambre, se changeait et enfilait une tunique où étaient brodées des pivoines, avant de s'asseoir devant son miroir, s'interrogeant sur le caractère éphémère de sa beauté comme je l'avais fait le matin même. *Plaignez celle dont la beauté est une fleur éclatante, mais dont la vie n'excède pas celle de la feuille sur sa branche*, chantait-elle, exprimant le trouble que peuvent inspirer la splendeur du printemps et sa nature transitoire. *Je comprends enfin ce que les poètes ont écrit. Au printemps l'élan des passions, à l'automne celui des regrets. Ah, apercevrai-je jamais un homme ? Comment l'amour me trouvera-t-il ? Où confier mes vrais désirs ?*

Épuisée par ce flux d'émotions, elle sombrait dans le sommeil. En rêve, elle se rendait jusqu'au pavillon des Pivoines, où l'esprit de Liu Mengmei lui apparaissait, vêtu d'une tunique brodée et portant une branche de saule dont il effleurait doucement son épaule. Ils échangeaient des paroles aimables et il lui demandait de composer un poème sur le saule. Puis ils dansaient ensemble. Liniang était si gracieuse dans ses mouvements qu'on avait l'impression d'assister à la mort délicate et lente d'un ver à soie.

Mengmei l'emmenait ensuite dans la grotte rocheuse de notre jardin. Les deux héros étant désormais hors de vue, je n'entendais plus que le chant séducteur de Mengmei : *Ouvre ton col, défais le nœud de ta ceinture, cache tes yeux derrière ta manche : peut-être en mordras-tu l'étoffe…*

Seule dans mon lit, j'avais vainement tenté de me représenter la scène qui se déroulait dans la grotte du pavillon des Pivoines. Mais j'en étais bien incapable et devais m'en remettre à l'apparition de l'Esprit de la Fleur, qui décrivait l'action : *Ah, la force mâle se redresse et bondit...* Mais je n'étais guère plus avancée. N'étant pas encore mariée, j'avais bien entendu parler du jeu des nuages et de la pluie, mais nul ne m'avait expliqué en quoi il consistait.

Une fois la chose consommée, une pluie de pétales de pivoines descendait sur le rocher, tandis que Liniang chantait le bonheur que son lettré et elle avaient trouvé.

Quand Liniang s'éveillait de son rêve, elle comprenait qu'elle venait de rencontrer le véritable amour. Sur les ordres de madame Du, Saveur de Printemps encourageait sa jeune maîtresse à manger. Mais comment l'aurait-elle pu ? Il n'y avait dans ces trois repas quotidiens ni marque d'amour, ni promesse d'avenir. Liniang repoussait sa servante et se rendait à nouveau au jardin, pour prolonger son rêve. Elle voyait le sol tapissé de pétales. Les branches d'aubépine accrochaient sa tunique et l'attiraient à elles, afin qu'elle reste dans le jardin. Des souvenirs de son rêve lui revenaient : *Contre la roche désolée il a posé mon corps exsangue...* Elle se souvenait de la manière dont il l'avait étendue, puis dont elle avait étalé les pans de sa tunique, avant leur douce union, afin de *cacher le visage de la terre pour qu'elle n'ait pas à affronter les regards du Ciel.*

Elle s'attardait au pied d'un prunier aux branches chargées de fruits. Mais il ne s'agissait pas d'un arbre ordinaire : il incarnait le mystérieux amant, symbole de vie et de procréation, que Liniang avait rencontré dans son rêve. *Ce serait une chance et un grand honneur pour moi d'être étendue ici à ses côtés, lorsque ma mort viendra*, chantait Liniang.

Ma mère m'avait appris à ne jamais montrer mes sentiments. Mais quand je lisais *Le Pavillon des Pivoines*, j'éprouvais bel et bien les affres de l'amour, qu'elles proviennent de la tristesse ou de la joie. Aujourd'hui, le fait de voir l'histoire se dérouler devant moi, d'imaginer ce qui s'était passé dans notre grotte entre Liniang et le lettré – et de contempler pour la première fois un jeune homme étranger à notre famille – avait soulevé trop d'émotions en moi. Il fallait que je m'absente quelques instants. J'étais en proie à la même agitation que Liniang.

Je me levai lentement et me frayai un chemin au milieu des coussins. Tandis que je m'engageais dans l'une des allées du jardin, les paroles de Liniang éveillèrent en moi un étrange désir. J'essayai de calmer mes esprits en laissant mon regard s'imprégner du charme de la végétation environnante. Il n'y avait pas de fleurs dans la partie principale de notre jardin : la verdure y régnait, afin de créer un sentiment de paix et de tranquillité – comme un thé dont on garde longtemps la saveur dans la bouche. Je franchis le pont qui traversait en zigzag un petit parterre de lis et pénétrai dans le pavillon de la Chevauchée céleste, qui avait été conçu pour que la brise puisse y souffler, lors des chaudes soirées d'été. Je m'assis et tentai de retrouver mon calme, comme les lieux étaient censés m'y aider. Je pensais profiter de cet opéra sans en perdre une miette, mais je ne m'attendais pas à ce que le spectacle me bouleverse à ce point.

La musique parvenait jusqu'à moi et j'entendais le chant de madame Du, qui se plaignait de l'indolence de sa fille. Elle ne s'en était pas encore aperçue, mais celle-ci était amoureuse. Je fermai les yeux, pris une profonde inspiration et laissai cette révélation s'installer en moi.

Je perçus tout à coup le bruissement inquiétant d'un autre souffle, en écho au mien. Je rouvris les yeux et distinguai devant moi le jeune homme que j'avais aperçu à travers l'interstice du paravent.

Un petit cri de surprise s'échappa de mes lèvres, avant que j'aie pu me ressaisir. Je me retrouvais seule avec un homme qui ne faisait pas partie de ma famille : pire, qui était même un parfait étranger !

— Je suis désolé, dit-il en joignant les mains et en s'inclinant à plusieurs reprises, pour s'excuser.

Mon cœur s'était mis à battre très fort, de peur ou d'excitation – ou simplement à cause du caractère extravagant de la situation. Cet homme devait être l'un des amis de mon père. Je devais me montrer aimable à son égard, tout en maintenant une certaine distance entre nous.

— C'est moi la fautive, dis-je. Je n'aurais pas dû quitter la représentation.

— Moi non plus, répondit-il.

Il fit un pas en avant et je reculai d'autant, instinctivement.

— Mais l'amour de ces deux... (Il s'interrompit, hochant la tête.) Songez à ce que cela doit être, de rencontrer le véritable amour.

— Je l'ai imaginé bien des fois.

Je regrettai aussitôt d'avoir prononcé ces paroles. Ce n'était pas une façon de s'adresser à un homme, *a fortiori* s'agissant d'un étranger ! Je le savais, et pourtant les mots m'avaient échappé. Je portai la main à mes lèvres, espérant retenir de la sorte d'autres pensées secrètes.

— Moi aussi, répondit-il en s'avançant encore d'un pas. Mais la rencontre de Liniang et de Mengmei a lieu au cours d'un rêve : c'est ainsi qu'ils tombent amoureux.

— Vous ne connaissez peut-être pas la fin de la pièce, dis-je. Ils se retrouvent, il est vrai, mais Liniang ne peut rejoindre Mengmei qu'après être devenue un fantôme.

— Je connais l'histoire, mais je ne suis pas d'accord. Le lettré doit surmonter la frayeur que lui inspire son spectre.

— Frayeur qui intervient après qu'elle l'a séduit.

Comment avais-je pu dire une chose pareille ?

— Il faut que vous me pardonniez, repris-je. Je ne suis qu'une jeune fille ignorante et je dois assister à la suite de la représentation.

— Non, attendez ! S'il vous plaît, ne partez pas encore…

Je regardai dans l'obscurité, en direction de la scène. Toute ma vie, j'avais rêvé de voir cet opéra. J'entendais Liniang qui chantait : *Je tremble sous ma robe légère, n'ayant que mes regrets pour résister à la froidure matinale devant les larmes rouges des pétales, oscillant sur leurs branches*. Dévorée d'amour, elle était devenue si frêle et si menue – elle n'avait quasiment plus que la peau sur les os – qu'elle décidait un jour de peindre son portrait sur un carré de soie : si elle quittait ce monde, on se souviendrait d'elle telle qu'elle avait été dans son rêve, belle de son désir inassouvi. Ce geste était un symptôme tangible du mal d'amour qui la rongeait, car il anticipait et précipitait la mort de Liniang. Du bout de son pinceau, elle ajoutait une branche de prunier – représentant l'amoureux de son rêve – à la main de la jeune fille qu'elle avait peinte, dans l'espoir qu'il la reconnaisse si jamais il découvrait un jour ce portrait. Elle y inscrivait enfin un poème où elle exprimait son désir d'épouser un homme du nom de Liu.

Comment pouvais-je accepter sans broncher de manquer une partie du spectacle ? À cause d'un homme, de surcroît ! Si j'avais réfléchi un instant, j'aurais compris pourquoi certains prétendaient que *Le Pavillon des Pivoines* poussait les jeunes femmes à se conduire de manière inconsidérée.

Le jeune homme dut sentir mon hésitation, car il reprit :

— Je ne parlerai à personne de notre rencontre. Restez donc, je vous en prie. Je serais curieux de savoir ce qu'une femme peut penser de cet opéra.

Une femme ? La situation empirait. Je m'avançai pour le contourner, en ayant soin qu'aucun pan de mes vêtements n'effleure les siens. Au moment où je le dépassais, il poursuivit :

— L'auteur a voulu susciter en nous les sentiments féminins qui relèvent du *qing*. Je *ressens* cette histoire, mais j'ignore si ce que j'éprouve correspond à la vérité.

Nous n'étions séparés que de quelques centimètres. Je me retournai et le dévisageai : ses traits étaient encore plus distingués que je ne l'avais cru. À la lueur incertaine de la lune – qui allait bientôt atteindre son premier quartier – j'entrevis ses lèvres pleines, la courbe de ses pommettes, la douceur de son regard.

— Je...

Je fus incapable de poursuivre, car son regard s'était posé sur moi. Je m'éclaircis la gorge et repris :

— Comment une jeune fille qui vit recluse, membre d'une noble famille...

— Une jeune fille telle que vous...

— ... pourrait-elle choisir son mari ? Cela me serait impossible, comme cela l'aurait été pour elle.

— Pensez-vous mieux comprendre Liniang que celui qui l'a inventée ?

— Je suis une jeune fille, du même âge qu'elle. Je respecte mon devoir filial et je suivrai la destinée que mon père a choisie pour moi. Mais toutes les jeunes filles nourrissent certains rêves, même si leurs destins sont scellés.

— Vous avez donc le même genre de rêves que Liniang ? demanda-t-il.

— Je ne fais pas partie de ces filles vouées aux plaisirs, qui vivent dans des bateaux aux couleurs criardes sur les berges du lac, si c'est cela que vous voulez savoir.

Comment avais-je pu émettre de pareils propos ? Décidément, je parlais beaucoup trop. Je me sentis brusquement très gênée et baissai les yeux. Dans leurs chaussons, mes pieds bandés paraissaient minuscules, à côté de ses chaussures brodées. Je sentais son regard posé sur moi et j'aurais voulu relever les yeux, mais je ne le pouvais pas. Je détournai la tête et quittai le pavillon sans ajouter un mot.

D'une voix douce, le jeune homme lança dans mon dos :

— Pouvons-nous nous revoir demain ? (Question qui fut aussitôt suivie d'une affirmation plus péremptoire.) Venez me retrouver ici demain soir. Au même endroit.

Je ne répondis pas. Pas plus que je ne regardai derrière moi. Je me dirigeai au contraire sans m'arrêter vers la partie principale du jardin et me frayai une nouvelle fois un chemin au milieu des femmes assises sur leurs coussins, avant de reprendre ma place au premier rang, face au paravent. Je jetai un coup d'œil à la ronde, en espérant que nul n'avait remarqué mon absence, puis je m'assis afin de suivre le reste de la représentation. Mais j'avais du mal à me concentrer. Lorsque j'aperçus le jeune homme qui regagnait lui aussi son siège, je fermai aussitôt les yeux. Je ne pouvais pas me permettre de le regarder. Assise ainsi, les yeux clos, je laissai la musique et le chant m'envahir.

Liniang se mourait d'amour. Un devin avait été appelé et lui avait prescrit des charmes qui s'avérèrent inefficaces. Lorsque arriva la fête de la Lune d'Automne, Liniang était très affaiblie et une étrange langueur s'était emparée d'elle. Son corps appréhendait la froideur de l'automne. La pluie battait aux fenêtres et les oies traversaient un ciel mélancolique. Sa mère venait la trouver : Liniang lui disait qu'elle regrettait beaucoup de ne pouvoir servir ses parents jusqu'au terme de leurs jours. Elle voulait faire une courbette en signe de respect, mais perdait connaissance. Sachant qu'elle allait mourir, elle implorait sa famille de l'enterrer dans leur jardin, au pied du prunier. Elle demandait en secret à Saveur de Printemps de cacher son portrait dans la grotte où son amant et elle avaient consommé leur amour.

Je pensais au jeune homme que j'avais rencontré. Il ne m'avait pas touchée – ni même effleurée – mais de retour ici, assise à l'abri du paravent aux côtés des autres femmes, je devais reconnaître que je le regrettais. Sur scène, Liniang était en train de mourir. Les pleureuses s'étaient réunies pour psalmodier leurs plaintes, tandis que ses parents se lamentaient. Et puis, brusquement, un messager arrivait, chargé d'une lettre de l'Empereur. Je n'aimais pas beaucoup cette partie de l'histoire. Le préfet Du venait d'être promu. Il s'ensuivait un certain nombre de festivités, donnant lieu sur scène à un long spectacle qui venait magnifiquement conclure la soirée. Mais je me demandais comment les parents Du pouvaient oublier si facilement leur peine, s'ils avaient aimé leur fille autant qu'ils le prétendaient. Son père omettait même d'inscrire le texte de sa tablette ancestrale, ce qui allait lui valoir bien des ennuis dans l'au-delà.

Plus tard, étendue dans mon lit, le désir que je ressentais était si profond que je parvenais à peine à respirer.

La cage de laque et de bambou

Je pensai beaucoup à ma grand-mère, le lendemain matin. J'étais tiraillée entre l'envie de retrouver mon bel inconnu le soir même et les préceptes qu'on m'avait inculqués depuis ma plus tendre enfance, concernant la manière dont je devais me comporter. Je m'habillai et me rendis dans le hall des ancêtres. En cours de route, je fus frappée par le décor qui m'environnait et que j'avais l'impression de découvrir pour la première fois. La propriété de la famille Chen était entourée d'un haut mur d'enceinte et comportait de vastes cours agrémentées de pavillons, disséminés avec art jusqu'aux berges du lac. L'aspect sauvage et fruste de nos jardins de rocailles évoquait pour moi la force et l'endurance de la vie. Derrière nos bosquets de bambous, élégamment disposés, je voyais de vastes forêts ; en contemplant nos étangs et nos cours d'eau artificiels, la puissance et l'étendue des fleuves. Je dépassai le pavillon des Beautés réunies, une pagode élevée où se retrouvaient les jeunes filles de notre maisonnée pour épier les invités dans le jardin, sans se faire remarquer. Du sommet de cet édifice, j'avais pu entendre la rumeur du monde extérieur – les trilles d'une flûte sur une barque qui traversait le lac et qu'on halait vers la berge avant qu'elle ne franchisse le mur d'enceinte et ne pénètre à l'intérieur de notre propriété. J'avais même perçu des voix humaines : l'appel d'un marchand qui vendait des ustensiles de cuisine, une querelle entre des bateliers, le rire léger des femmes sur un bateau de plaisir. Mais si leur écho était parvenu jusqu'à moi, je n'avais pas vu ceux ou celles qui les émettaient.

Je pénétrai dans le hall où nous conservions les tablettes de nos ancêtres : des plaquettes de bois suspendues aux murs, où les noms des divers membres de notre famille étaient inscrits en caractères dorés. C'était ici que se trouvaient mes grands-parents, mes grands-oncles et mes grands-tantes, sans parler des innombrables cousins et cousines qui étaient nés, avaient vécu ou terminé leurs jours dans la propriété de la famille Chen. À leur mort, chacune de ces âmes s'était scindée pour aller occuper ses trois nouveaux foyers : la tombe, l'au-delà et sa tablette ancestrale. En les contemplant, je pouvais non seulement remonter l'arbre généalogique de notre famille sur plus de neuf générations, mais demander aux êtres dont l'âme résidait dans ces tablettes de me venir en aide.

J'allumai de l'encens, m'agenouillai sur un coussin et levai les yeux vers les deux grands portraits dont les rouleaux étaient disposés sur le mur, au-dessus de l'autel. À gauche figurait mon grand-père, un lettré impérial qui avait procuré la dignité, l'aisance et la richesse à notre famille. Sur cette peinture, il était représenté en costume de mandarin, assis sur un fauteuil, un éventail ouvert à la main. Son visage était sévère, sa peau sillonnée de rides causées par la sagesse et les soucis. J'avais quatre ans lorsqu'il était mort et mon souvenir était celui d'un homme qui préférait le silence à ma compagnie et se montrait peu tolérant, aussi bien envers ma mère qu'à l'égard des autres femmes de la maisonnée.

À droite de l'autel, sur un autre long rouleau, figurait le portrait de la mère de mon père. Elle aussi affichait une expression sévère. Sa mémoire était grandement honorée, non seulement dans notre famille mais dans l'ensemble de la région, parce qu'elle était morte en martyre pendant le grand Cataclysme. Au cours des années qui avaient précédé son sacrifice, mon grand-père occupait à Yangzhou le poste de ministre des Travaux publics. Ma grand-mère avait donc quitté la propriété familiale, ici à Hangzhou, et l'avait rejoint au terme de longs jours de voyage en barque et en palanquin. Incapables de soupçonner la catastrophe qui se préparait, mes parents étaient allés leur rendre visite à Yangzhou. Peu après leur arrivée, les pillards mandchous avaient envahi le pays.

Chaque fois que j'interrogeais ma mère à propos de cette période, elle me répondait : « Tu n'as pas besoin de la connaître. » Un jour – je devais avoir cinq ans – j'avais eu l'impudence de lui demander si elle avait vu mourir grand-mère Chen. Maman m'avait donné une gifle d'une telle violence que j'étais tombée par terre. « Ne me reparle plus jamais de ça ! » m'avait-elle lancé. Jamais elle ne m'avait refrappée par la suite, même pendant mon bandage, et je ne l'avais plus interrogée au sujet de ma grand-mère.

D'autres personnes, toutefois, évoquaient presque quotidiennement son souvenir. Le statut le plus élevé que puisse atteindre une femme dans cette existence est celui d'une veuve ayant fait vœu de chasteté et refusant de se remarier, dût-elle mourir pour cela. Mais ma grand-mère avait eu un destin plus extraordinaire : elle avait préféré se donner la mort plutôt que de tomber aux mains de l'armée mandchoue. Il s'agissait là d'un exemple de chasteté confucéenne d'une telle noblesse qu'une fois leur dynastie établie, sous le nom des Qing, les

Mandchous l'avaient érigé en modèle : ma grand-mère était vénérée à travers de nombreux contes, ainsi que des ouvrages destinés aux femmes espérant elles aussi atteindre la perfection et promouvoir les idéaux universels de loyauté et de piété filiale. Les Mandchous étaient toujours nos ennemis, mais ils se servaient de ma grand-mère – et d'autres femmes qui s'étaient sacrifiées comme elle durant la catastrophe – pour gagner notre respect et ramener l'obéissance et l'ordre dans les appartements des femmes.

Je déposai plusieurs pêches blanches en guise d'offrande sur son autel.

— Dois-je aller le rejoindre ou non ? murmurai-je en espérant qu'elle me guiderait. Aide-moi, grand-mère, aide-moi...

Je m'inclinai et heurtai le sol du front en signe d'obéissance, puis relevai les yeux vers son portrait afin qu'elle puisse juger de ma sincérité. Je m'inclinai une nouvelle fois puis je me relevai, lissai ma tunique et quittai la pièce, laissant flotter derrière moi, dans les volutes d'encens, les vœux que je destinais à ma grand-mère. Mais j'hésitais toujours quant à la conduite à suivre.

Branche de Saule m'attendait sur le seuil.

— Votre mère se plaint que vous êtes en retard pour le repas du matin, dit-elle. Prenez mon bras, petite demoiselle, je vais vous conduire jusqu'au pavillon du Printemps.

C'était elle la servante, mais c'était moi qui lui obéissais...

À cette heure, les couloirs et les galeries grouillaient de monde. La propriété de la famille Chen abritait au bas mot neuf cent quarante personnes : deux cent dix membres à part entière de notre famille, trois cent trente concubines et leur progéniture – exclusivement féminine – les quatre cents autres se répartissant entre les cuisiniers, les jardiniers, les nourrices, les *amah*[1] et la troupe des servantes. Notre maisonnée étant aussi nombreuse, tout y était organisé de manière que chacun puisse se tenir à la place qui lui revenait. Ce matin par exemple, comme les autres matins, les dix concubines de notre maison – et leurs vingt-trois filles – mangeaient dans la salle qui leur était réservée. Trois de mes cousines, parvenues à un stade critique de leur bandage, étaient confinées dans leur chambre. Les autres femmes avaient pris place comme à l'ordinaire dans le pavillon du Printemps, en fonction de leur rang. En tant qu'épouse du fils aîné, ma mère occupait la place d'honneur. Elle était assise à une table en compagnie de ses quatre belles-sœurs. Cinq petites cousines étaient installées à une autre table, aux côtés de leurs *amah*, tandis que j'en partageais une autre avec trois cousines de mon âge. Nos invitées étaient également réparties en fonction de leur âge et de leur position. Dans un coin de la salle, les nourrices et les *amah* s'occupaient des nouveau-nés et des fillettes âgées de moins de cinq ans.

Je traversai la pièce en ayant soin de marcher lentement, mon corps ondulant comme un lis agité par la brise. Lorsque je m'assis, mes cousines feignirent de ne pas s'apercevoir de ma présence et m'ignorèrent délibérément. D'ordinaire, cela m'était bien égal. J'allais bientôt me marier et d'ici cinq mois je n'aurais plus à supporter leur présence. Mais après la rencontre que j'avais faite, au pavillon de la Chevauchée céleste, je n'étais plus aussi certaine du sort qui m'attendait.

Mon père et le père de mon futur mari étaient des amis d'enfance. Lorsqu'ils s'étaient mariés, ils avaient fait le vœu que leurs deux familles s'uniraient

---

1. Domestique chinoise, dans les appartements des femmes. (*N.d.T.*)

par la suite, à travers leurs enfants. La famille Wu avait déjà deux fils avant que je ne me décide à naître : il s'avéra que mes Huit Caractères correspondaient à ceux du cadet. Mes parents étaient enchantés, mais j'étais loin de partager leur enthousiasme, surtout à présent. Je n'avais jamais rencontré Wu Ren. J'ignorais s'il avait deux ou dix ans de plus que moi. Peut-être s'agissait-il d'un nabot gras et cruel, au visage rongé par la petite vérole : mes parents se seraient bien gardés de me l'annoncer... Mon destin était d'épouser un étranger et cette union n'allait pas nécessairement se révéler heureuse.

— Je vois que notre demoiselle Jade affiche aujourd'hui la couleur qui sied à son surnom, lança Fleur de Genêt, la fille du second frère de mon père.

Elle portait comme nous toutes un nom de fleur, mais nous évitions de nous en servir : elle avait eu la malchance de naître un jour où l'étoile du Genêt brillait intensément dans le ciel, ce qui signifiait qu'elle apporterait l'infortune dans la famille au sein de laquelle elle se marierait. Ma deuxième tante avait le cœur tendre et Fleur de Genêt avait déjà la rondeur et les formes d'une femme adulte. Ses propres tantes – y compris ma mère – essayaient de l'empêcher de trop manger, en espérant qu'une fois mariée sa mauvaise étoile cesserait de planer sur notre maisonnée.

— Je ne pense pas que cette couleur irait à ton teint, lui répondit Lotus, la fille aînée de ma troisième tante. Et je suis sûre que tes paroles ont peiné notre demoiselle Jade.

Je tâchai de faire bonne figure, mais leurs reparties m'avaient blessée. Mon père prétendait toujours que j'étais placée sous le signe du jade et mon futur mari sous celui de l'or, ce qui signifiait que les deux familles étaient de statut et de richesse équivalents. Je ne l'aurais pas dû, mais je songeai soudain au jeune homme que j'avais rencontré la veille, en me demandant s'il aurait trouvé grâce aux yeux de mon père.

— Du reste, poursuivit Lotus, j'ai entendu dire que l'or du promis est quelque peu terni. N'est-ce pas exact, Pivoine ?

Chaque fois qu'elle faisait ce genre d'insinuation, je devais impérativement répliquer. Le contraire aurait été une marque de faiblesse. Je chassai provisoirement l'inconnu de mes pensées.

— Si mon futur époux était né dans un autre contexte, dis-je, il serait devenu un mandarin impérial, comme son père. Mais ces temps-ci, ce genre de carrière n'est guère recommandable. Pourtant, papa dit que Ren manifeste une précocité évidente, depuis sa plus tendre enfance. Je suis sûre qu'il fera un excellent mari, ajoutai-je en faisant mon possible pour paraître convaincue.

— Espérons que notre cousine aura un mari puissant, dit Fleur de Genêt en se tournant vers Lotus. Son beau-père est mort et ce Wu n'est que le fils cadet, ce qui signifie que sa belle-mère aura un grand pouvoir sur elle.

Cette dernière remarque était vraiment inspirée par la méchanceté.

— Le père de mon mari est mort durant le Cataclysme, m'élevai-je. Ma belle-mère a toujours été depuis lors une veuve honorable.

J'attendis la flèche suivante, puisque mes cousines semblaient décidément bien renseignées. La famille Wu avait-elle connu des jours difficiles, après la mort de son patriarche ? Mon père avait réuni à mon intention une dot appréciable, constituée de champs, d'ateliers de tissage, de bétail, ainsi que d'une quantité d'argent, de denrées, de vivres et de pièces de soie bien supérieure à la moyenne. Mais un mariage trop bien doté est rarement destiné au bonheur : dans ce cas-là ce sont souvent les épouses qui portent la culotte, donnant libre cours à leur cruauté, leur fiel et leur jalousie, tandis que leurs maris sont victimes d'incessants persiflages. Était-ce l'avenir que mon père envisageait pour moi ? Pourquoi n'étais-je pas destinée à tomber amoureuse, comme Liniang ?

— Évite de clamer à tout vent la perfection de votre union, alors que chacun sait ici qu'il en va autrement, conclut Fleur de Genêt d'un air suffisant.

Je poussai un soupir.

— Je t'en prie, prends un autre *ha kao,* dis-je en lui tendant le plat.

Fleur de Genêt jeta un coup d'œil vers la table où nos mères étaient assises. Du bout de ses baguettes, elle saisit un ravioli à la vapeur et l'engloutit aussitôt. Mes deux autres cousines me lancèrent un regard assassin, mais cela m'était bien égal. Elles brodaient ensemble, mangeaient ensemble et médisaient ensemble dans mon dos. Il m'était difficile de répondre à leurs attaques, aussi insignifiantes soient-elles. J'étais connue pour mon comportement bizarre et pour faire étalage de mes peignes, de mes bijoux et de mes plus beaux atours. J'avais une attitude immature, mais c'était uniquement pour me protéger de moi-même et des sentiments qui m'agitaient. Je ne comprenais pas que nous étions prisonnières, mes cousines et moi, comme ces grillons porte-bonheur qu'on enferme dans des cages de laque et de bambou.

Je n'ouvris pas la bouche pendant le reste du repas, tandis que les autres me tenaient ostensiblement à l'écart. Quant à moi, je me croyais immunisée contre leurs mauvaises pensées : mais bien sûr, ce n'était pas le cas, et toutes mes imperfections ne tardèrent pas à m'apparaître, dans leur cruelle évidence. D'une certaine façon, j'avais dû être pour mes parents une source de déception plus grande [illegible] que Fleur de Genêt pour les siens. J'étais née [illegible] du septième mois, quatre ans après le Cata-[illegible]me, pendant les quatre semaines consacrées aux Fantômes errants – période qui n'a rien de très propice. J'étais une fille, ce qui était une calamité pour n'importe quelle lignée mais plus encore pour la nôtre, qui avait subi de lourdes pertes durant ces tragiques événements. En tant que frère aîné, mon père était censé engendrer un fils qui lui succéderait un jour à la tête de notre famille, accomplirait les rites dans le hall des ancêtres et ferait des offrandes aux membres de notre lignée disparus de longue date, afin qu'ils continuent de nous apporter la fortune et la félicité. Au lieu de ça, il devait se contenter d'une fille unique, aussi empotée qu'inutile. Peut-être mes cousines avaient-elles raison : il avait dû m'unir à quelqu'un d'insignifiant, ne serait-ce que pour me punir.

De l'autre côté de la table, je vis Fleur de Genêt murmurer quelque chose à l'oreille de Lotus. Elles me dévisagèrent, en dissimulant mal un sourire affecté. Mes doutes s'évaporèrent sur-le-champ et je remerciai intérieurement mes cousines. Je possédais un secret d'une telle importance qu'elles auraient été dévorées par les affres de la jalousie si elles en avaient eu connaissance.

Après le repas du matin, nous rejoignîmes le pavillon de L'Éclosion des Lotus, où ma mère annonça un concours de cithare réservé aux jeunes filles qui n'étaient pas encore mariées. Lorsque mon tour arriva, je pris place devant l'assemblée sur le dais surélevé, comme les autres avant moi. Mais je jouais très mal et mes doigts glissaient sur les cordes tandis que je pensais au jeune homme que j'avais rencontré la veille. Dès que j'eus achevé ma médiocre prestation, ma mère me libéra et me suggéra d'aller prendre l'air dans le jardin.

Ah, pouvoir enfin quitter les appartements des femmes ! Je me hâtai le long des couloirs, en me dirigeant vers la bibliothèque de mon père. Comme c'était le cas depuis neuf générations dans la famille Chen, papa avait le statut de *jinshi*, le grade le plus élevé des mandarins impériaux. Il avait été Vice Intendant de la Soie sous les Ming, mais depuis leur chute et le chaos qui s'était ensuivi – réticent de surcroît à l'idée de servir le nouvel empereur – il s'était retiré dans ses foyers, se livrant aux activités propres à un homme de son rang : écrire de la poésie, jouer aux échecs, boire du thé, brûler de l'encens ou, comme aujourd'hui, organiser des représentations d'opéra. À bien des égards, et à l'image de nombreux hommes de son temps, il avait adopté la philosophie d'ordinaire réservée aux femmes, c'est-à-dire tournée vers le monde intérieur. Rien ne le rendait plus heureux que de dérouler une peinture, environné de nuages d'encens, ou que de boire du thé en jouant aux échecs avec sa concubine préférée.

Si papa était resté fidèle aux Ming, il n'échappait pas aux lois de la société. Il avait refusé d'entrer dans le nouveau gouvernement, mais il avait bien dû se raser le crâne et se laisser pousser une natte, pour montrer sa soumission à l'empereur des Qing. Il expliquait ainsi sa capitulation : « Les hommes ne mènent pas la même vie que les femmes. Nous sortons dans le monde, où chacun peut nous voir. Il fallait bien que je me plie aux désirs des Mandchous, sinon je risquais la décapitation. Si j'avais été exécuté, comment notre famille aurait-elle survécu ? Que serait-il advenu de notre demeure, de nos terres et des gens qui travaillent pour nous ? Nous avons déjà subi suffisamment de malheurs. »

Je pénétrai dans la bibliothèque de mon père. Un domestique se tenait à côté de la porte, prêt à répondre à ses exigences. Sur les murs, à gauche comme à droite, figuraient des « peintures de marbre » – des plaques de marbre dont le motif naturel suggérait des paysages cachés, des montagnes enveloppées de brume, dressées devant un ciel obscur. Malgré les fenêtres ouvertes, on sentait planer dans la pièce les effluves des quatre joyaux du lettré : le papier, l'encre, les pinceaux et l'odeur profondément terrestre de la pierre qui sert à délayer l'encre. Neuf générations de mandarins s'étaient succédé dans ces murs. Les livres imprimés s'empilaient de toutes parts : sur le bureau, par terre, sur les étagères... Mon père avait ajouté son empreinte à cette collection en amassant des centaines d'ouvrages composés par des femmes sous la dynastie des Ming, ainsi qu'un bon millier de volumes également écrits par des femmes depuis le Cataclysme. Il disait que de nos jours le talent allait se nicher dans les endroits les plus inattendus.

Ce matin, papa n'était pas assis à son bureau. Il était allongé sur un lit en bois au sommier en rotin et regardait la brume qui s'élevait du lac. Sous son lit j'aperçus deux plateaux identiques, supportant chacun un gros bloc de glace. Sensible à la chaleur, il demandait à ses domestiques d'aller puiser dans nos réserves de glace – stockées dans les profondeurs du sol – afin que son lit reste frais. Au-dessus de lui, un distique affiché au mur proclamait :

Ne pas se soucier de la gloire. Demeurer modeste.
Ainsi les autres vous jugeront-ils singulier.

— Pivoine... dit-il avec un geste de la main en m'apercevant. Viens donc t'asseoir près de moi.

Je traversai la pièce en longeant les fenêtres afin d'apercevoir le lac, l'île de la Solitude et le paysage au-delà. Il m'était interdit de découvrir le monde situé à l'extérieur de nos enceintes, mais aujourd'hui mon père m'y autorisait tacitement. J'allai m'asseoir sur l'une des chaises placées devant son bureau, à l'intention des visiteurs venus lui demander une faveur.

— Tu viens me voir pour échapper une fois encore à tes leçons ? me demanda-t-il.

Au fil des années, ma famille m'avait confiée à d'excellents professeurs – exclusivement des femmes, cela va sans dire – mais depuis que j'avais quatre ans, mon père acceptait que je vienne m'asseoir sur ses genoux et il m'avait lui-même appris à lire, puis à développer mon esprit critique – m'expliquant notamment que la vie imite l'art. À travers la lecture, me disait-il, j'allais pénétrer dans des univers différents du mien. En écrivant au fil du pinceau, j'exercerais mon intelligence et mon imagination. Je le considérais comme mon meilleur maître.

— Je n'avais pas de leçons aujourd'hui, lui rappelai-je timidement.

Avait-il oublié que c'était demain mon anniversaire ? Généralement, on ne célèbre pas cette date avant que les gens atteignent l'âge de cinquante ans, mais n'avait-il pas monté cet opéra à mon intention ? Parce qu'il m'aimait et que j'étais précieuse à ses yeux ?

— Bien sûr, bien sûr, dit-il avec un sourire indulgent. Puis, sur un ton plus sérieux : Il y avait trop de cancans dans les appartements des femmes ?

Je secouai la tête.

— Alors, tu es venue me dire que tu avais remporté l'un des concours organisés par ta mère ?

— Papa...

Je poussai un soupir résigné. Il savait que je ne brillais guère dans ce genre d'activités.

— Tu es si grande maintenant que je ne peux plus te taquiner, dit-il en se frappant la cuisse et en éclatant de rire. Quand je pense que tu auras seize ans demain... Tu l'avais peut-être oublié ?

Je lui souris en retour.

— Tu m'as fait le plus beau des cadeaux, dis-je.

Il pencha la tête d'un air interrogateur. Décidément, il ne pouvait pas s'empêcher de me taquiner... J'entrai bien sûr dans son jeu.

— J'en déduis donc que tu as monté cet opéra à l'intention de quelqu'un d'autre, dis-je.

Papa avait toujours encouragé mon impertinence, au fil des années. Mais aujourd'hui, il se contenta de me dire : « Oui, oui, oui », comme s'il ne trouvait pas de repartie.

— C'est cela même, ajouta-t-il.

Il se redressa et se leva de son lit. Une fois debout, il lui fallut un moment pour ajuster ses habits, taillés sur le modèle des cavaliers mandchous : un pantalon et une tunique étroite, boutonnée au ras du cou.

— Mais j'ai un autre cadeau pour toi, reprit-il. Et qui, je crois, te fera encore plus plaisir.

Il se dirigea vers une armoire en bois de camphre, l'ouvrit et en sortit un paquet enveloppé dans de la soie pourpre brodée de fleurs de saule. Lorsqu'il me le tendit, je devinai que c'était un livre : peut-être était-ce l'édition du *Pavillon des Pivoines* que le grand écrivain Tang Xianzu avait publiée lui-même... Je dépliai lentement la soie : il s'agissait en effet d'une édition de l'opéra que je ne possédais pas, mais pas de celle que j'avais espérée. Je n'en serrai pas moins le volume contre moi, consciente de sa rareté. Sans le soutien de mon père, je n'aurais jamais été en mesure d'assouvir ma passion.

— Papa... Tu es trop bon avec moi.

— Ouvre-le, me pressa-t-il.

J'adorais les livres. J'aimais les soupeser entre mes mains, sentir l'odeur de l'encre, le contact du papier de riz...

— Ne plie pas les coins pour marquer tes pages, me rappela mon père. Ne gratte pas les caractères avec tes ongles. N'humecte pas tes doigts avant de tourner les pages. Et ne te sers jamais d'un livre comme oreiller.

Combien de fois n'avait-il pas formulé ces recommandations ?

— Je suivrai tes conseils, lui promis-je.

Mes yeux tombèrent sur les phrases d'ouverture, prononcées par le récitant. La veille, j'avais entendu l'acteur incarnant ce rôle évoquer les trois réincarnations qu'avaient dû connaître Liniang et Mengmei avant d'être enfin réunis, au pavillon des Pivoines. Je tendis le volume à mon père, en lui montrant le passage, et demandai :

— D'où provient cette histoire, papa ? Tang Xianzu l'a-t-il forgée de toutes pièces ou l'a-t-il empruntée à un autre récit ?

Mon père sourit, heureux comme à son habitude de me voir manifester une telle curiosité.

— Regarde sur la troisième étagère de ce meuble, me dit-il. Prends le plus ancien de ces volumes et tu y trouveras la réponse.

Je déposai mon nouvel exemplaire du *Pavillon des Pivoines* et fis ce qu'il me demandait. Je rapportai l'ouvrage en question, m'assis au bord du lit et le feuilletai jusqu'à ce que je tombe sur le passage où figurait l'histoire originale de ces trois réincarnations. Apparemment, sous la dynastie des Tang, une jeune fille était tombée amoureuse d'un moine. Il leur avait fallu à chacun trois existences successives pour atteindre les circonstances idéales et vivre un amour parfait. Je considérai la question : l'amour pouvait-il être assez fort pour survivre à la mort – non seulement une fois, mais à trois reprises ?

Je repris à nouveau *Le Pavillon des Pivoines* et tournai lentement les pages. Je voulais revivre à travers Mengmei ma rencontre avec mon inconnu, la veille au soir. Je tombai enfin sur le passage où le héros entrait en scène :

J'ai hérité du parfum des classiques. Perçant le mur en quête de lumière, nouant mes cheveux à la poutre pour ne pas m'endormir, j'arrache à la nature ma suprématie dans les lettres…

— Quel passage lis-tu ? me demanda mon père.

J'étais prise sur le fait ! Je sentis le rouge me monter aux joues.

— Je… je…

— Il y a certains détails dans l'histoire qu'une jeune fille de ton âge ne peut pas comprendre. Tu devrais en parler à ta mère.

Je rougis encore davantage.

— Il ne s'agit pas de ça ! protestai-je.

Je lui lus le passage en question, qui semblait en lui-même parfaitement innocent.

— Ah, tu veux savoir à quoi cela fait référence ? me demanda-t-il.

Comme j'acquiesçais, il se leva, se dirigea vers une autre étagère et en sortit un volume qu'il déposa sur le lit.

— C'est un recueil d'anecdotes rapportant les faits et gestes des lettrés illustres, me dit-il. Veux-tu que je t'aide ?

— Je peux me débrouiller toute seule, papa.

— Je sais que tu en es capable, dit-il en me tendant l'ouvrage.

Consciente que mon père me regardait, je feuilletai le livre jusqu'à ce que je tombe sur une notice consacrée à Kuang Heng, un lettré si pauvre qu'il ne pouvait pas s'acheter l'huile nécessaire à sa lampe et qui avait fait un trou dans son mur afin de profiter de la lumière de son voisin.

— Quelques pages plus loin, m'indiqua papa, tu trouveras l'histoire de Sun Jing, qui avait attaché ses cheveux à une poutre parce qu'il craignait de s'endormir en préparant les concours.

J'opinai en silence, en me demandant si le jeune homme que j'avais rencontré était aussi appliqué que ces lettrés de l'Antiquité.

— Si tu avais été un garçon, poursuivit papa, tu aurais fait un remarquable mandarin impérial – le plus brillant peut-être que notre lignée ait jamais engendré.

C'était supposé être un compliment et je le pris comme tel, mais je sentis un soupçon de regret dans sa voix. Je n'étais pas un fils et ne le serai jamais.

— Puisque tu es là, se hâta-t-il d'ajouter, sans doute conscient de sa maladresse, autant me donner un coup de main.

Nous allâmes nous asseoir à son bureau. Il disposa avec soin ses vêtements autour de lui, puis rejeta sa natte en arrière, de manière à ce qu'elle tombe droit dans son dos. Il passa la main sur le sommet rasé de son crâne – qui, comme ses vêtements de style mandchou, lui rappelait le choix qu'il avait dû faire pour protéger notre famille – et ouvrit un tiroir dont il sortit plusieurs rouleaux de pièces d'argent.

Il posa ensuite un boulier sur le bureau et me dit :

— Je dois envoyer des fonds à la campagne. Aide-moi à les compter.

Nous possédions plusieurs milliers de *mou* de terres où étaient plantés des mûriers. Dans la région de Gudang, non loin d'ici, des villages entiers dépendaient de notre famille pour leur survie. Papa se souciait toujours du sort des gens qui entretenaient les arbres, recueillaient les feuilles, nourrissaient et élevaient les vers à soie, retiraient la bourre des cocons – ainsi bien sûr que de ceux qui filaient et tissaient la soie. Il m'expliqua quelles sommes étaient requises à chaque étape de la production et je commençai à répartir l'argent en fonction de ses indications.

— Tu n'as pas l'air dans ton assiette aujourd'hui, me dit-il au bout d'un moment. Qu'est-ce qui te tracasse ?

Je ne pouvais pas lui parler du jeune homme que j'avais rencontré, ni de mes interrogations au sujet de nos éventuelles retrouvailles le soir même, dans le pavillon de la Chevauchée céleste. Mais si papa pouvait m'aider à comprendre ce qui était arrivé à ma grand-mère – et le choix qu'elle avait dû faire – peut-être cela m'aiderait-il à prendre ma décision.

— Je pensais à grand-mère Chen, lui dis-je. A-t-elle vraiment fait preuve d'un grand courage ? N'a-t-elle pas connu le doute, à certains moments ?

— Nous avons déjà étudié ces événements historiques...

— Oui, mais sans aborder la personnalité de grand-mère. Comment était-elle ?

Mon père me connaissait. Et contrairement à la plupart des filles, moi aussi je le connaissais bien. Au fil du temps, j'avais appris à déchiffrer certaines de ses expressions : la manière dont il haussait les sourcils pour manifester sa surprise lorsque je l'interrogeais sur telle ou telle poétesse, la grimace qu'il faisait lorsque je répondais de manière erronée à l'une de ses questions, l'air songeur qu'il prenait en se grattant le menton lorsque je lui demandais une précision qu'il ignorait sur *Le Pavillon des Pivoines*. Il me considérait pour l'instant comme s'il était en train d'estimer ma valeur.

— Les Mandchous ont vu tomber nos villes l'une après l'autre devant eux, dit-il enfin. Mais ils savaient qu'en arrivant dans le delta du Yangzi Jiang, ils allaient se heurter à une importante résistance loyaliste. Ils auraient pu choisir Hangzhou, où nous habitons, mais résolurent finalement d'attaquer Yangzhou, où mon père occupait alors les fonctions de ministre, et d'en faire un exemple pour l'ensemble de la région.

J'avais déjà entendu bien des fois cette histoire et me demandais s'il allait me révéler quelque chose que j'ignorais encore.

— Les généraux mandchous, qui avaient jusqu'alors tenu fermement leurs troupes, déclarèrent aux soldats qu'ils pouvaient faire ce que bon leur semblait et s'emparer de tout ce qu'ils voulaient – qu'il s'agisse des femmes, de l'argent, de la soie, du bétail ou des objets précieux – à titre de récompense pour leurs loyaux services.

Mon père s'interrompit et me dévisagea.

— Tu comprends ce que cela signifie, concernant les femmes ?

Honnêtement, je n'en avais pas la moindre idée. Mais je n'en acquiesçai pas moins.

— Cinq jours durant, reprit-il, la ville fut mise à feu et à sang. Des temples, des pavillons et d'innombrables demeures furent réduits en cendres. Des milliers d'hommes et de femmes périrent à cette occasion.

— Tu n'avais pas peur ?

— Tout le monde avait peur. Mais ma mère nous avait enseigné le courage. Et il fallait en effet en avoir, tu peux me croire...

Il me considéra à nouveau, se demandant sans doute s'il devait poursuivre ou non. Il conclut visiblement par la négative car il saisit un nouveau rouleau de pièces et nous reprîmes nos comptes. Sans relever les yeux, il précisa :

— Tu comprends à présent pourquoi je préfère consacrer mon temps aux belles choses – qu'il s'agisse de lire de la poésie, de faire de la calligraphie ou d'écouter des opéras.

Mais il ne m'avait rien révélé de nouveau au sujet de grand-mère ! Ni dit quoi que ce soit susceptible de m'aider à comprendre les sentiments qui m'agitaient ou à savoir ce que je devais faire ce soir.

— Papa... dis-je timidement.

— Oui ? répondit-il sans relever les yeux.

— J'ai repensé à cet opéra et à l'amour qui ronge Liniang. Crois-tu que cela pourrait arriver dans la vie réelle ? dis-je en me jetant à l'eau.

— Absolument, répondit-il. Tu as entendu parler de Xiaoqing, je suppose ?

Bien sûr que j'avais entendu parler d'elle. Parmi les jeunes femmes célèbres pour avoir été en proie au « mal d'amour », elle était la plus connue.

— Elle est morte très jeune, avançai-je. Était-ce à cause de sa beauté ?

— À bien des égards, elle te ressemblait, répondit papa. La vie l'avait dotée d'autant d'élégance que de grâce. Mais ses parents, qui faisaient partie de la haute société, perdirent un jour toute leur fortune. Sa mère se vit contrainte de donner des leçons, ce qui permit à Xiaoqing de recevoir une excellente éducation. Peut-être même trop bonne...

— Comment pourrait-on être trop bien éduqué ? demandai-je en me souvenant combien mon père avait été heureux de me voir manifester un tel intérêt à l'égard de ses livres.

— Lorsqu'elle était encore petite, Xiaoqing était allée voir une nonne. En une seule séance, elle avait appris par cœur le *Sutra du Cœur*, qu'elle récitait sans omettre un seul caractère. Mais à cette occasion, la nonne avait entrevu que la fillette n'avait pas un destin favorable. Si elle s'abstenait de lire, elle pourrait atteindre l'âge de trente ans. Dans le cas contraire...

— Mais comment a-t-elle pu mourir d'amour ?

— Lorsqu'elle atteignit l'âge de seize ans, un homme de Hangzhou l'acheta pour en faire sa concubine et l'installa dans une demeure isolée, afin de lui épargner la jalousie de sa première épouse. Précisément dans ces parages, ajouta-t-il en désignant à travers la fenêtre l'île de la Solitude. Xiaoqing y menait une existence retirée. Son seul réconfort consistait à lire *Le Pavillon des Pivoines*. Tout comme toi, elle relisait sans cesse cet opéra. Elle finit par en être obsédée, envahie par un mal d'amour qui la rongea peu à peu. De plus en plus affaiblie, elle composait des poèmes où elle se comparait à Liniang. Elle avait à peine dix-sept ans quand elle mourut.

Nous parlions parfois de Xiaoqing, mes cousines et moi. Et nous avions échafaudé diverses théories à son sujet, car nous nous demandions ce que signifiait l'expression « être sur terre pour la délectation des hommes ». Mais tandis que papa parlait, je m'aperçus que la fragilité et le destin funeste de Xiaoqing exerçaient sur lui une évidente fascination. Il n'était pas le premier à être ainsi captivé par l'existence tragique de la jeune femme. De nombreux hommes lui avaient dédié des poèmes et une vingtaine de pièces de théâtre lui avaient été consacrées. Il y avait dans le destin et la mort de Xiaoqing quelque chose qui attirait et captivait apparemment les hommes. Mon bel inconnu partageait-il ce sentiment ?

— Je pense souvent aux derniers jours de Xiaoqing, ajouta papa d'une voix rêveuse. Pour toute nourriture, elle se contentait de boire chaque jour un verre de jus de poire. Tu te rends compte ?

Je commençais à me sentir mal à l'aise. C'était mon père et il m'était désagréable d'imaginer qu'il puisse nourrir des sentiments de même nature que ceux que j'avais éprouvés la veille. J'avais toujours pensé que ma mère et lui n'avaient que des rapports distants et qu'il n'éprouvait aucun plaisir auprès de ses concubines.

— Tout comme Liniang, Xiaoqing voulut laisser avant sa mort un portrait d'elle, poursuivit-il sans remarquer mon malaise. L'artiste dut s'y prendre à trois reprises avant d'arriver à ses fins. Le sort de Xiaoqing était de plus en plus pathétique au fil des jours, mais elle se souvint jusqu'au bout que la beauté faisait partie de ses devoirs. Chaque matin, elle se coiffait et enfilait ses plus beaux atours. Elle mourut droite dans son lit, empreinte d'une telle perfection que ceux qui étaient venus la voir la croyaient encore en vie. Mais la cruelle épouse de l'homme qui l'avait achetée brûla ensuite tous ses poèmes et l'ensemble de ses portraits, à l'exception d'un seul.

Papa porta ses regards sur l'île de la Solitude, à travers la fenêtre. Ses yeux étaient brouillés et emplis de... pitié ? d'envie ? ou de désir ?

Rompant le lourd silence qui s'était installé, je rétorquai :

— Mais tout n'a pas été perdu, papa. Avant de mourir, Xiaoqing avait enveloppé quelques bijoux dans du papier et les avait donnés à la fille de sa servante. Lorsque celle-ci ouvrit le paquet, elle découvrit onze poèmes, rédigés sur les feuilles qui avaient servi d'emballage.

— S'il te plaît, Pivoine, récite-m'en un.

Mon père ne m'avait pas aidée à comprendre les sentiments que j'éprouvais, mais son attitude jetait une certaine lueur sur les pensées romantiques que mon inconnu nourrissait peut-être, en se demandant si j'allais venir le retrouver ce soir. Je pris une profonde inspiration et commençai :

— *La pluie qui vient frapper à la fenêtre exsangue ne m'est plus supportable...*

— Veux-tu bien te taire !

C'était ma mère qui avait lancé cette injonction. Elle ne venait jamais dans cette pièce et son apparition était aussi surprenante qu'inattendue. Depuis combien de temps nous écoutait-elle ? Elle se tourna vers mon père :

— Tu parles de Xiaoqing à ta fille, en sachant fort bien qu'elle n'a pas été la seule à mourir après avoir lu *Le Pavillon des Pivoines*.

— Les histoires du passé sont là pour nous apprendre à vivre, répondit mon père, surmontant l'étonnement qu'il avait dû ressentir en découvrant la présence de ma mère.

— Tu estimes vraiment que notre fille peut tirer profit de l'histoire de Xiaoqing ? rétorqua maman d'un ton accusateur. Pivoine est née dans l'une des plus nobles familles de Hangzhou. Cette pauvre concubine était une moins que rien, achetée comme une vulgaire marchandise. Notre fille est pure. L'autre était une...

— Je suis parfaitement au courant du métier qu'exerçait Xiaoqing, l'interrompit mon père, il est inutile de me le rappeler. Je songeais plus précisément aux leçons qu'on peut tirer de l'opéra dont elle s'est inspirée. J'imagine que tu ne vois pas de mal à ça.

— Pas de mal ? Insinuerais-tu que le destin de notre fille doit ressembler à celui de Du Liniang ?

Je jetai un rapide coup d'œil au domestique qui se tenait près de l'entrée. Il ne s'écoulerait sans doute guère de temps avant qu'il n'aille raconter la scène à l'un de ses collègues - pour s'en gausser, bien sûr - et que la nouvelle se répande dans toute la maisonnée.

— Je pense en effet que Pivoine peut tirer profit de cette histoire, répondit mon père avec calme. Liniang est belle, son cœur est pur, sa vision clairvoyante, sa volonté aussi ferme que juste.

— Vraiment ! s'exclama maman. Cette fille était aveuglée par l'amour ! Combien de jeunes filles devront mourir à cause de cette histoire avant que tu en comprennes les dangers ?

Le soir, quand nous estimions que nul ne pouvait nous entendre, nous parlions souvent entre nous de ces malheureuses, mes cousines et moi. Notamment de Yu Niang, qui s'était entichée de la pièce à l'âge de treize ans et était morte à dix-sept, le livre à son chevet. Effondré à l'annonce de cette nouvelle, le grand Tang Xianzu avait composé plusieurs poèmes à sa mémoire. Mais de plus en plus de jeunes filles, après avoir lu l'histoire, succombaient au même mal d'amour que Liniang : elles dépérissaient et se laissaient mourir, dans l'espoir de trouver dans l'au-delà l'amour véritable qui les ramènerait à la vie.

— Notre fille est un phénix, rétorqua mon père. Je compte lui faire épouser un dragon, pas un corbeau.

Cette réponse ne satisfit pas ma mère. Lorsqu'elle était heureuse, elle aurait fait naître des fleurs dans des cristaux de glace. Mais lorsqu'elle était triste ou en colère – comme c'était présentement le cas – elle pouvait transformer de simples nuages en nuées d'insectes vengeurs.

— Une fille trop bien éduquée a déjà un pied dans la tombe, répliqua-t-elle. Le talent n'est pas un don que nous puissions souhaiter à Pivoine. Comment penses-tu que toutes ces lectures finiront ? Dans la félicité nuptiale – ou dans la déception, la consomption, la mort ?

— Je te l'ai déjà dit : ce ne sont pas des mots qui tueront notre fille.

Maman et papa semblaient avoir oublié ma présence dans la pièce et je ne faisais pas un geste, pour éviter de la leur rappeler. La veille encore, je les avais entendus débattre à ce sujet. Pourtant, il était rare que je voie mes parents ensemble. Lorsque cela arrivait, c'était à l'occasion des fêtes ou des cérémonies rituelles qui avaient lieu dans le hall des ancêtres, où chaque mot et le moindre geste étaient codifiés à l'avance. Je me demandai à présent s'ils se comportaient ainsi en permanence.

— Comment apprendra-t-elle à être une épouse et une mère digne de ce nom si elle vient sans arrêt dans cette pièce ? demanda maman.

— Et pourquoi ne le ferait-elle pas ? rétorqua papa. (À ma grande surprise, et à la visible réprobation de ma mère, il venait de citer une réplique du préfet Du à propos de sa fille.) Une jeune femme doit avoir une certaine connaissance des lettres, de manière à pouvoir soutenir la conversation de son époux, une fois mariée. Et l'un des premiers devoirs de Pivoine consistera à faire respecter la morale, tu en es d'accord ? Tu devrais te réjouir qu'elle se soucie si peu de sa toilette et ne passe pas son temps à se maquiller. Attendu sa grâce naturelle, nous devons nous souvenir que ce n'est pas l'attrait de son visage qui la caractérise. Sa beauté n'est que le reflet de la vertu et des qualités qui sont en elle. Un jour, elle apportera la paix et le réconfort à son mari, en lui faisant la lecture. Mais avant tout, nous élevons notre fille pour qu'elle soit une bonne mère – ni plus, ni moins. Son rôle sera d'apprendre à ses filles à composer des poèmes et à perfectionner leurs talents féminins. Et par-dessus tout, elle guidera notre petit-fils dans ses études, jusqu'à ce qu'il soit en âge de quitter l'appartement des femmes. Lorsqu'il aura passé ses examens, elle connaîtra son jour de gloire. C'est alors seulement qu'elle brillera et que ses qualités seront reconnues.

Ma mère pouvait difficilement contester ce dernier point. Elle se contenta d'acquiescer, en ajoutant :

— Assure-toi simplement que ses lectures ne l'amènent pas à franchir certaines bornes. Tu ne souhaites assurément pas qu'elle devienne insoumise ou rebelle. Et si tu as envie de raconter des histoires du passé à notre fille, pourquoi ne lui parles-tu pas des dieux et des déesses ?

Comme mon père ne réagissait pas, maman posa tout à coup les yeux sur moi.

— Tu comptes la garder encore longtemps auprès de toi ? demanda-t-elle à mon père.

— Nous avons presque terminé.

Ma mère s'éclipsa, aussi discrètement qu'elle était apparue. De mon point de vue, mon père était sorti vainqueur de cette discussion. En tout cas, il n'en paraissait pas spécialement affecté. Il reporta quelques chiffres dans son livre de comptes et posa son pinceau, avant de se lever et de regagner la fenêtre, pour contempler l'île de la Solitude.

Un domestique arriva, s'inclina devant lui et lui tendit une lettre cachetée, portant le sceau rouge officiel. Mon père la soupesa d'un air songeur, comme s'il en connaissait déjà le contenu. Voyant qu'il ne souhaitait pas l'ouvrir en ma présence, je me levai, le remerciai encore pour cette édition du *Pavillon des Pivoines* et quittai la bibliothèque.

Désir

Il faisait aussi chaud ce soir-là que la veille. Dans les appartements des femmes, nous eûmes droit à un banquet où l'on servit notamment des haricots qui avaient séché au soleil, puis qu'on avait fait cuire à la vapeur avec des écorces de mandarine. Il y avait aussi des crabes rouges du septième mois, de la taille d'un œuf, qu'on ne trouvait dans les cours d'eau de la région qu'à cette époque de l'année. On avait ajouté certains ingrédients dans les plats des femmes mariées pour accroître leur fécondité, tandis que d'autres au contraire avaient été évités, pour celles qui attendaient déjà un enfant : la chair du lapin, qui risquait de donner un bec-de-lièvre au futur bébé, ainsi que celle de l'agneau, censée engendrer de graves maladies. Quant à moi, je n'avais pas faim : mon esprit était déjà tourné vers le pavillon de la Chevauchée céleste.

Lorsque les tambours et les cymbales nous appelèrent au jardin, je restai en arrière, échangeant quelques mots aimables avec mes tantes, ainsi qu'avec les concubines et les épouses des invités de mon père. Comme je m'étais jointe au dernier des groupes qui quittaient nos appartements, seuls les coussins du dernier rang restaient libres lorsque je rejoignis la partie de la salle réservée aux femmes. J'allai en occuper un et regardai autour de moi, pour m'assurer que j'avais bien calculé mon coup. En tant qu'hôtesse, ma mère était assise au milieu du groupe. Ce soir, en dehors de moi, toutes les jeunes filles qui devaient prochainement se marier s'étaient regroupées du même côté. Tan Ze se trouvait quant à elle reléguée avec les fillettes de son âge – soit de son propre chef, soit parce que ma mère l'avait exigé.

Une fois encore, mon père avait sélectionné les meilleurs passages pour la représentation de ce soir, qui reprenait le fil de l'histoire trois ans après la mort de Du Liniang, alors que le lettré Liu Mengmei était tombé malade au cours du long voyage qu'il accomplissait pour aller passer les examens impériaux. Il trouvait refuge auprès de l'ancien précepteur de Liniang et s'abritait sous l'autel édifié pour elle, près du prunier. Dès que la musique commença, je savais que nous avions rejoint Liniang dans l'au-delà, au moment où elle s'apprêtait à passer devant le Juge des Enfers. Ne voyant pas la scène, d'où j'étais placée, je ne pouvais qu'imaginer les traits effrayants de ce personnage, qui comparait la réincarnation des âmes au jaillissement des étincelles éparpillées dans la nuit, au-dessus d'un feu de camp. Ces âmes pouvaient rejoindre l'un des quarante-huit mille destins qui les attendaient dans le royaume de la forme et de l'informe, aussi bien que l'un des deux cent quarante-deux niveaux des Enfers. Liniang implorait le Juge, lui expliquant qu'une terrible erreur avait été commise, qu'elle était trop jeune pour se retrouver ici, qu'elle ne s'était pas mariée – pas plus qu'elle n'avait bu de vin – mais que c'était le désir qui lui avait ôté la vie, après s'être emparé d'elle.

« *Depuis quand les gens meurent-ils à cause d'un rêve ?* » lançait le Juge. Sa voix s'insinuait en moi, tandis qu'il demandait des explications à l'Esprit de la Fleur, qui avait provoqué le désir amoureux et la mort de Liniang. Puis, après avoir vérifié ce qu'il en était dans le grand Registre des Mariages, il avait constaté que Liniang aurait effectivement dû épouser Mengmei. Le texte de sa tablette n'ayant pas été inscrit sur l'autel des ancêtres, il l'autorisa à errer de par le monde sous la forme d'un spectre, à la recherche du mari qui lui avait été destiné. Après quoi, il confia à l'Esprit de la Fleur le soin de préserver le corps de Liniang de la putréfaction. Celle-ci retourna donc dans le monde terrestre, en qualité de fantôme, et s'installa aux abords de sa tombe, au pied du prunier. Lorsque la vieille nonne chargée de l'entretien venait y faire des offrandes, Liniang était si heureuse qu'elle lâchait sur elle une pluie de pétales de prunier, imprégnés de ses plus douces pensées.

Lorsque Mengmei se réveillait, sous l'abri de l'autel, il errait un moment à travers le jardin. Presque par hasard – mais il s'agissait bien sûr d'un tour du destin – il découvrait l'étui où Liniang avait placé le rouleau de son autoportrait. Il croyait tout d'abord qu'il s'agissait d'une peinture représentant la déesse Guanyin, emmenait le rouleau dans sa chambre et faisait brûler de l'encens devant l'image qu'il prenait pour celle de la déesse, contemplant avec délectation ses lèvres en forme de bouton de rose et ses sourcils où semblait s'incarner le désir amoureux. Mais plus il la regardait et plus il avait la conviction que la femme représentée sur cette peinture ne pouvait être de nature divine : Guanyin aurait dû flotter dans l'air, alors qu'on distinguait de petits pieds bandés qui dépassaient de la tunique, aussi délicats que des lis. Il apercevait finalement le poème qui avait été inscrit sur la soie et comprenait alors qu'il s'agissait de l'autoportrait d'une mortelle.

En le lisant, il se reconnaissait sous les traits de Liu – le saule. La jeune fille tenait également à la main une branche de prunier, comme si elle étreignait Mengmei – dont le surnom signifiait Rêve de Prunier. Il lui écrivait un poème en réponse, demandant à la jeune fille de quitter sa peinture et de venir le rejoindre.

Le silence s'était installé dans le groupe des femmes qui attendaient derrière le paravent, suspendant leur souffle, tandis que le fantôme de Liniang émergeait des ténèbres et de sa tombe végétale pour venir charmer et séduire son lettré.

J'attendis qu'elle soit allée frapper à la fenêtre de Mengmei et que celui-ci lui ait demandé qui elle était, avant de me lever et de m'éclipser discrètement. Mes sentiments reflétaient ceux de Liniang, qui tournait autour de son amoureux, l'implorant et l'envoûtant par son chant : « *Je suis une fleur que tu as fait éclore dans la noirceur de la nuit*, l'entendais-je psalmodier. *Ce corps qui vaut mille pièces d'or, je te l'offre sans hésiter.* » Je n'étais pas encore mariée, mais je comprenais son désir. Mengmei cédait à ses avances. Il ne cessait de demander son nom à Liniang, mais elle refusait de le lui dire : il lui était plus facile de faire don de son corps que de révéler son identité.

Je ralentis l'allure en arrivant devant le pont en zigzag qui rejoignait le pavillon de la Chevauchée céleste. Je me représentais mes pieds en forme de lis, cachés sous les pans flottants de ma tunique. Je lissai la soie de ma robe et vérifiai du bout des doigts que mes peignes et mes épingles étaient correctement placés dans mes cheveux. Durant un court instant, je plaquai mes deux mains sur ma poitrine, en essayant de refréner les battements désordonnés et anxieux de mon cœur. Je devais me souvenir de mon statut social et de ma condition. J'étais la fille unique d'une famille qui envoyait des mandarins du plus haut rang à la cour impériale, depuis neuf générations. Je devais bientôt me marier. J'avais les pieds bandés. S'il survenait quoi que ce soit d'imprévu, je serais dans l'incapacité de courir, contrairement à une jeune fille normale – ou de m'envoler sur un nuage flottant, comme Liniang en aurait eu la possibilité. Si je me faisais prendre, mes fiançailles seraient rompues. Une fille ne pouvait rien faire de pire que de devenir une source de disgrâce et de honte pour sa propre famille en se comportant de la sorte. Mais j'étais aussi stupide qu'aveugle et mon esprit était dominé par le désir.

Je fermai les yeux et pressai mes poings contre mes paupières, cherchant à raviver en moi l'image de ma mère. S'il m'était resté une once de raison, j'aurais compris quelle déception j'allais lui infliger ; si j'avais eu un soupçon de jugeote, j'aurais entrevu sa colère et son indignation. Au lieu de ça, je me représentai la beauté, la dignité et la grâce de sa silhouette. Autour de moi s'étendaient ma demeure, mon jardin, ma nuit, ma lune, ma vie...

Une fois franchi le pont, je pénétrai dans le pavillon de la Chevauchée céleste, où l'inconnu m'attendait. Au début, nous n'échangeâmes pas un mot. Peut-être était-il surpris de voir que j'étais venue : après tout, cela ne plaidait pas vraiment en ma faveur. Peut-être avait-il peur qu'on nous surprenne. Ou peut-être se grisait-il de ma présence comme je me grisais de la sienne, la laissant s'insinuer en moi par tous les pores de ma peau.

Ce fut lui qui rompit le silence :

— Le portrait ne représente pas seulement Liniang, dit-il d'un ton cérémonieux, comme pour nous empêcher de commettre l'un et l'autre un acte irréparable. Il contient aussi la clef du destin de Mengmei – à travers cette branche de prunier qu'elle tient à la main et adresse à celui qu'elle désigne sous le nom de Saule dans son poème. Ainsi peut-il reconnaître sa future épouse sur cette frêle pièce de soie.

Cette déclaration ne ressemblait guère au discours romantique auquel je m'étais attendue, mais j'étais une fille et je m'engageai sur la voie qu'il m'indiquait.

— J'aime les fleurs de prunier, répondis-je. Elles se reproduisent sans cesse. Êtes-vous resté assez longtemps pour voir la scène où Liniang dissémine des pétales sur l'autel, au pied du prunier ?

Le voyant acquiescer, je poursuivis :

— Les pétales éparpillés par le fantôme de Liniang sont-ils très différents de ceux que le vent balaie jusqu'ici ?

Il ne répondit pas à ma question. Au contraire, il déclara d'une voix rauque :

— Allons regarder la lune ensemble.

J'invoquai intérieurement le courage de Liniang et franchis les quelques pas qui me séparaient de lui, de l'autre côté du pavillon. Demain la lune aurait atteint son premier quartier, aussi l'astre ne dessinait-il qu'un mince croissant suspendu dans le ciel. Une brise soudaine s'éleva du lac, amenant un peu de fraîcheur sur mes joues enfiévrées. Échappées de mes cheveux, des mèches effleuraient mon visage, déclenchant des frissons à travers tout mon corps.

— Avez-vous froid ? s'enquit-il en se plaçant derrière moi et en posant ses mains sur mes épaules.

J'avais envie de me retourner, de le regarder dans les yeux et... Et quoi ? Liniang avait séduit son lettré, mais j'ignorais comment.

Ses mains retombèrent. Je me sentais sur le point de défaillir. La seule chose qui m'empêchait de perdre connaissance – ou de prendre la fuite – c'était la chaleur qui émanait de son corps, tellement nous étions proches l'un de l'autre. Et je ne fis pas un geste pour m'écarter de lui.

Quelques dizaines de mètres plus loin, la représentation se poursuivait. Mengmei et Liniang chantaient toujours. Jour après jour, il lui demandait son nom, qu'elle refusait obstinément de lui donner. Il s'enquérait : « *Comment se fait-il que vos pas soient si légers ?* » Et Liniang admettait que ses pieds ne laissaient en effet aucune empreinte sur le sol. Un soir, finalement, le fantôme de la malheureuse arrivait, tremblante et apeurée, parce qu'elle avait décidé de lui révéler son identité et sa triste condition.

Dans le pavillon de la Chevauchée céleste, deux inconnus se retrouvaient paralysés, trop effrayés pour faire le moindre geste, pour prononcer un mot ou pour prendre la fuite. Je sentais sur ma nuque le souffle du jeune homme.

À l'autre bout du jardin, Mengmei chantait : « *Êtes-vous engagée ?* »

Avant même que j'entende la réponse de Liniang, une voix me murmura à l'oreille :

— Et vous, êtes-vous engagée ?

— Je le suis depuis ma tendre enfance.

Je reconnaissais à peine ma voix, car j'entendais surtout mon sang qui battait violemment à mes tempes.

Le jeune homme soupira derrière moi.

— Une épouse m'est également destinée.

— Dans ce cas, peut-être devrions-nous mettre un terme à cette rencontre.

— Je puis vous souhaiter bonne nuit, répondit-il. Mais le désirez-vous vraiment ?

Sur scène, Liniang confiait ses inquiétudes à son lettré : maintenant qu'ils avaient pratiqué ensemble le jeu des nuages et de la pluie, n'allait-il pas vouloir faire d'elle une concubine, plutôt qu'une épouse en titre ? En entendant cela, une soudaine indignation s'empara de moi. Je n'étais pas la seule à mal me comporter, en la circonstance. Je me tournai et dévisageai l'inconnu.

— C'est donc à cela que doit s'attendre votre épouse ? lançai-je. À ce que vous alliez retrouver des étrangères dans la nuit ?

Le jeune homme sourit d'un air innocent, mais je songeai à la manière dont il s'était éclipsé pour rejoindre ce pavillon, alors qu'il aurait dû assister à cet opéra aux côtés de mon père, de mes oncles, de l'Intendant Tan et des autres invités.

— « Même si les hommes et les femmes diffèrent, ils se ressemblent dès qu'il s'agit d'amour et de désir », reprit-il en citant un vieil adage populaire. Je ne cherche pas seulement une compagne pour les affaires domestiques, ajouta-t-il après un moment, mais aussi pour la chambre nuptiale.

— Vous êtes déjà en quête de concubines, avant même votre mariage ? lançai-je d'une voix acerbe.

Étant donné que les mariages étaient arrangés d'avance – ni le mari ni la femme n'ayant son mot à dire –, les concubines étaient la hantise de toutes les épouses en titre. Les maris étaient amoureux de leurs concubines. Celles-ci avaient choisi leur condition, n'avaient aucune responsabilité et jouissaient de la compagnie de leurs égales ; alors que le mariage, outre qu'il était une affaire de devoir, était d'abord destiné à engendrer des fils – lesquels, en temps voulu, seraient susceptibles d'accomplir les rites devant l'autel des ancêtres.

— Si vous étiez mon épouse, dit-il, je n'aurais nullement besoin de concubines.

Je baissai les yeux, étrangement flattée par cette déclaration.

D'aucuns prétendront que cette scène est absurde. D'autres que les choses n'auraient jamais pu se dérouler ainsi. D'autres encore que tout ceci était le fruit de mon imagination – une imagination tellement débridée qu'elle devait nourrir mes écrits enfiévrés et provoquer ma triste fin. Certains diront même que si tout s'était passé comme je vous le raconte, je méritais un sort *encore pire* que la mort – ce qui, de fait, s'avéra être le cas. Mais sur le moment, j'étais tout simplement heureuse.

— Je crois que nous étions destinés à nous rencontrer, dit-il. J'ignorais que vous viendriez ici hier soir – et ce fut pourtant le cas. Nous ne pouvons lutter contre le destin : nous devons au contraire accepter l'étrange opportunité qu'il nous offre.

Je rougis jusqu'aux oreilles et détournai les yeux.

Pendant ce temps, la représentation se poursuivait dans notre jardin. Je connaissais si bien la pièce que, même absorbée par ce qui était en train de se passer entre l'inconnu et moi, une partie de mon esprit continuait à suivre le fil de l'histoire. J'entendis Liniang qui avouait enfin la vérité et reconnaissait n'être qu'un fantôme, prise entre la vie et l'au-delà. Les cris terrifiés que poussait Mengmei à l'énoncé de cette révélation résonnèrent jusque dans le pavillon de la Chevauchée céleste. Je frissonnai à nouveau.

Le jeune inconnu s'éclaircit la gorge.

— Il me semble que vous connaissez fort bien cet opéra, dit-il.

— Je ne suis qu'une femme et mes pensées n'ont aucune importance, dis-je en feignant la modestie, ce qui était un peu ridicule étant donné les circonstances.

Il me dévisagea d'un air scrutateur.

— Vous êtes belle, ce qui est agréable. Mais c'est ce qui est à l'intérieur de vous que j'aimerais connaître.

Sans me toucher, il avait tendu la main et pointait le doigt en direction de mon cœur, siège de la conscience, qui s'embrasa aussitôt. Nous étions aussi téméraires qu'insouciants, mais si la séduction verbale de Liniang et les gestes tout aussi suggestifs de son lettré se terminaient par leur étreinte effective, j'étais quant à moi une jeune fille de chair et de sang, qui ne pouvait succomber ni s'abandonner de la sorte sans en payer sévèrement le prix.

Sur scène, Mengmei avait surmonté la frayeur que lui inspirait le fantôme de Liniang : il lui déclarait son amour et acceptait de l'épouser. Il traçait sur la tablette ancestrale le signe que le père de Liniang avait oublié d'inscrire, trop absorbé par la promotion qu'il venait d'obtenir. Mengmei ouvrait ensuite la tombe et retirait le jade funéraire qui avait été placé dans la bouche de Liniang. Sitôt ce geste accompli, la jeune fille se remettait à respirer l'air des vivants.

— Je dois m'en aller, dis-je.

— Viendrez-vous me retrouver demain ?

— C'est impossible, dis-je. Mon absence serait remarquée.

C'était déjà un miracle que personne ne se soit soucié de ce qui m'arrivait, aujourd'hui comme hier. Il aurait été insensé de tenter le sort une troisième fois.

— Retrouvez-moi demain, mais pas à cet endroit, reprit-il comme si je ne venais pas de refuser sa proposition. N'existe-t-il pas un lieu plus isolé, dans ce jardin ?

— Il y a le pavillon de la Contemplation lunaire, sur la berge du lac, lui répondis-je.

Je savais où il se trouvait, mais je n'y avais jamais pénétré. Je n'avais même pas le droit de m'y rendre avec mon père.

— Il est à l'autre bout du jardin, assez loin de notre demeure.

— Dans ce cas, je vous attendrai là-bas.

J'avais envie et je redoutais à la fois qu'il me touche.

— Vous viendrez me rejoindre, insista-t-il.

Il me fallut un grand effort de volonté pour faire demi-tour et m'éloigner. J'avais conscience que son regard était posé sur moi tandis que je traversais dans l'autre sens le pont en zigzag.

Aucune jeune fille – pas même cette petite délurée de Tan Ze – ne pouvait décider de son propre chef de rencontrer ainsi un parfait étranger sans s'exposer à de graves représailles. Cet opéra me fascinait, mais Liniang n'était pas un être de chair et de sang, dont les actes risquaient d'avoir de terribles conséquences.

Langueur printanière en été

Toutes les jeunes filles rêvent à leur mariage. Nous redoutons bien sûr que notre futur époux nous témoigne de la froideur, qu'il fasse preuve d'indifférence ou de légèreté, mais nous imaginons d'abord un événement merveilleux, empreint de bonheur et de joie. Comment ne pas s'inventer un monde imaginaire, quand la réalité s'avère si pénible à supporter ? Ainsi, en écoutant le rossignol chanter dans les ténèbres et en pensant à la cérémonie qui m'attendait, je me représentais mon mari au moment où il m'accueillerait dans sa demeure, ainsi que les gestes qui devaient aboutir l'un après l'autre à notre union – à ceci près qu'au lieu d'un homme sans visage, je voyais à présent mon bel inconnu.

J'imaginais l'arrivée des derniers cadeaux destinés à la jeune mariée que je serais. Je soupesais l'éclat et le poids des épingles à cheveux, des broches, des boucles d'oreilles, des bagues, des bracelets et autres bijoux. Je pensais aux soieries de Suzhou, rivalisant avec celles qui sortaient des ateliers paternels. Je voyais débarquer le cochon qui viendrait s'ajouter au bétail que mon père devait recevoir en échange de mon départ : après qu'il l'aurait fait abattre, j'emballerais la tête et la queue de l'animal et les renverrais à la famille Wu, en signe de respect. Je songeais aux présents dont mon père accompagnerait cet envoi : des brindilles d'armoise (destinées à chasser le mauvais sort avant mon arrivée), des grenades (symboles de fertilité), des jujubes (parce que le caractère qui les désigne rappelle l'expression « *avoir rapidement des enfants* ») et sept variétés de grains (parce que l'idéogramme du grain est le même que celui de la descendance).

J'essayais de me représenter l'aspect du palanquin qui viendrait me chercher, ainsi que ma première rencontre avec ma belle-mère – l'instant notamment où elle me tendrait le traité confidentiel où j'allais apprendre ce qu'il convenait de faire pour se livrer au jeu des nuages et de la pluie. J'imaginais ma première nuit, dans les bras de mon inconnu, et je conjurais le sort pour que nos années de vie commune ne soient pas entravées par les soucis financiers ou les charges officielles. Nous profiterions ainsi de chaque jour et de chaque nuit, échangeant périodiquement un sourire, une remarque, un regard, un baiser... Pensées sereines, rêves sans heurts...

Lorsque le matin arriva – marquant à la fois mon anniversaire et la fête du Double Sept – je n'avais pas le moindre appétit. Mon esprit était entièrement occupé par le souvenir des mots que l'inconnu m'avait murmurés à l'oreille et par le contact de son souffle sur ma joue. Je compris alors, avec une joie intense, que j'étais en proie au mal d'amour.

Aujourd'hui, je ne voulais faire que ce dont j'avais envie – depuis l'instant où j'allais me lever jusqu'à celui où j'allais le retrouver, dans le pavillon de la Contemplation lunaire. Je demandai à Branche de Saule d'ôter mes bandages : après avoir posé ma cheville droite dans le creux de sa main, je la regardai dénouer lentement la longue bande de tissu, comme si j'avais été hypnotisée. Elle me fit ensuite prendre un bain de pieds parfumé aux feuilles de pamplemousse, afin d'assouplir la chair et de faciliter le bandage. Puis elle nettoya les peaux mortes et se servit d'une poudre extraite d'une racine de chèvrefeuille pour ôter le cal qui s'était formé par endroits. Elle aspergea de l'alun sur mes orteils, pour prévenir tout risque d'infection, et recouvrit le tout d'une fine couche de poudre parfumée.

Mes pieds bandés étaient d'une extrême beauté et j'en tirais une grande fierté. D'ordinaire, je ne prêtais qu'une attention distraite aux soins de Branche de Saule, m'assurant surtout que les replis du sillon avaient été nettoyés et le cal correctement ôté, ainsi que les infimes fragments d'os qui pouvaient subsister. Il fallait enfin que mes ongles soient coupés le plus court possible. Aujourd'hui, je savourai la manière dont ma peau réagissait à la tiédeur de l'eau, puis à la fraîcheur de l'air. Les pieds d'une femme sont son plus grand mystère – et son principal atout. Si par quelque miracle je finissais par épouser mon inconnu, je me promettais de m'en occuper en secret, de les poudrer pour en accentuer le parfum et de serrer étroitement les bandes qui les maintenaient, afin qu'ils soient aussi menus et délicats que possible.

À ma demande, Branche de Saule m'apporta un plateau où étaient disposées plusieurs paires de chaussons. Je les considérai d'un air pensif. Lesquels pouvait-il préférer ? Les bleu magenta, où étaient brodés des papillons ? Ou les vert pâle, ornés de minuscules dragons ?

Je regardai les tuniques de soie que me présentait ma servante en me demandant laquelle serait à son goût. Branche de Saule m'aida ensuite à m'habiller et à me coiffer. Elle me nettoya enfin le visage, avant de m'appliquer de la poudre et du rouge sur les joues.

J'étais perdue dans mes pensées amoureuses, mais il n'en fallait pas moins que j'aille faire mes offrandes sur l'autel des ancêtres, à l'occasion du Double Sept. Je n'étais pas la première de la famille à m'y rendre ce matin-là. Nous faisions tous des vœux afin d'obtenir la prospérité, de bonnes récoltes et une nombreuse descendance. Des offrandes de nourriture avaient déjà été faites pour que nos ancêtres nous accordent en retour la fécondité. Je remarquai plusieurs racines de taro – symbole de fertilité – et je savais que mes tantes, ainsi que toutes les concubines, étaient venues implorer nos ancêtres dans l'espoir d'offrir un jour un fils à notre lignée. Les anciennes concubines de mon grand-père avaient déposé plusieurs piles de loquat et de litchis frais. Elles avaient tendance à faire preuve d'une grande générosité, sachant que dans l'au-delà elles conserveraient leur statut et resteraient attachées au service de mon grand-père : aussi espéraient-elles que ma grand-mère interviendrait auprès de lui en leur faveur. Mes oncles avaient apporté du riz, pour assurer l'abondance et la paix, tandis que mon père avait disposé un grand plateau garni de viandes, dans l'espoir d'obtenir un surcroît de prospérité et une bonne récolte de vers à soie. On avait également installé des bols et des baguettes, afin que nos ancêtres puissent manger avec toute la distinction requise.

Je me dirigeais vers le pavillon du Printemps pour le repas du matin lorsque j'entendis maman m'appeler. Suivant le son de sa voix, je la retrouvai dans l'appartement qui était réservé aux fillettes. En pénétrant dans la pièce, je fus assaillie par une odeur bien reconnaissable – celle du mélange d'encens, de mûre et de graine d'abricot dont ma vieille *amah* s'était servie chaque fois que l'une des filles de la famille Chen avait dû se faire bander les pieds. J'aperçus ma deuxième tante qui tenait sur ses genoux sa fille cadette, Orchidée, tandis que ma mère était agenouillée devant elles, entourée par le cercle des fillettes qui vivaient ici et dont aucune n'avait plus de sept ans.

— Pivoine, dit ma mère en m'apercevant. Viens ici, j'ai besoin de ton aide.

J'avais entendu dire que maman s'était plainte que le bandage d'Orchidée n'allait pas assez vite et que ma deuxième tante avait le cœur trop sensible pour s'en charger correctement. Pour l'instant, maman tenait dans sa main l'un des pieds de la fillette. Les os avaient bien été brisés, ainsi qu'il le fallait, mais rien n'avait été fait pour les remodeler afin de leur donner la forme voulue. Ce que j'avais sous les yeux évoquait plutôt un corps de poulpe désarticulé : en d'autres termes, ce n'était qu'un magma informe, dont la couleur hésitait entre le mauve et l'ocre.

— Tu sais quelle faiblesse a gagné les hommes de notre maisonnée, disait maman à ma tante. Ils ont abandonné leurs fonctions et se sont retirés dans leurs foyers après le Cataclysme. Comme ils refusent de travailler pour le nouvel empereur, ils n'exercent désormais plus aucun pouvoir. On les a obligés à se raser le crâne. Ils ne montent plus à cheval, préférant le confort des palanquins. Au lieu de pratiquer l'art de la chasse et du combat, ils collectionnent des porcelaines et des peintures sur soie. En retrait de la vie publique, ils se sont mis à ressembler... aux femmes. (Elle marqua une pause, avant de reprendre avec fougue :) Les choses étant ainsi, il nous appartient de développer nos vertus féminines plus encore qu'auparavant.

En prononçant ces mots, elle secoua le pied d'Orchidée, qui se mit à pleurnicher. Des larmes apparurent dans les yeux de ma deuxième tante, mais ma mère n'y prêta aucune attention.

— Nous devons respecter les Quatre Vertus et la Triple Obéissance. Souviens-toi : en tant que fille, obéis à ton père ; en tant qu'épouse, obéis à ton mari ; en tant que veuve, obéis à ton fils. « Ton époux est le Ciel », ajouta-t-elle en citant le *Classique de la piété filiale à l'usage des filles*.

Ma deuxième tante ne répondit pas, mais ces paroles me firent frissonner. Étant donné que j'étais la fille aînée de notre maisonnée, je ne me souvenais que trop bien de ce qui s'était passé, chaque fois qu'il avait fallu bander les pieds de l'une de mes cousines. La plupart du temps, mes tantes n'y arrivaient pas et c'était maman qui effectuait le bandage, provoquant des larmes de détresse et de douleur tant chez la fille que chez la mère.

— Nous vivons des temps difficiles, lança maman d'une voix ferme à sa belle-sœur et à sa nièce en pleurs. Nos pieds bandés nous aident à paraître plus douces, plus menues, plus langoureuses. (Elle s'interrompit et reprit d'une voix plus aimable, mais tout aussi déterminée :) Je vais te montrer comment on procède. Ensuite, tu répéteras l'opération tous les quatre jours à compter d'aujourd'hui, en serrant un peu plus les bandages à chaque fois. Tu dois faire à ta fille le don de ton amour maternel. Tu comprends ?

Les larmes de ma deuxième tante coulaient le long de ses joues et achevaient leur course dans les cheveux de sa fille. Nous savions toutes dans cette pièce que d'ici quatre jours elle ne serait pas plus forte qu'aujourd'hui : la scène risquait donc de se répéter.

Maman tourna son attention vers moi.

— Viens t'asseoir ici, me dit-elle.

Lorsque nous fûmes côte à côte, elle me gratifia de son plus beau sourire.

— Orchidée est la dernière de tes cousines à se faire bander les pieds avant ton mariage, me dit-elle. Je veux que tu rejoignes la demeure de ton époux en maîtrisant parfaitement la technique qui te permettra de bander à ton tour les pieds de ta fille, le moment venu.

Les autres fillettes me regardaient avec admiration, espérant que leurs mères auraient la même attention pour elles.

— Malheureusement, reprit maman, il nous faut d'abord réparer les erreurs qui ont été commises, dans le cas présent. (Elle ajouta d'une voix plus douce, pour consoler ma deuxième tante :) Toutes les mères redoutent cet instant. Il y eut une époque où j'étais aussi démunie que toi. On est toujours tenté de ne pas serrer suffisamment les bandages, mais qu'advient-il ensuite ? L'enfant marche et les os bougent à l'intérieur. Tu vois donc qu'en croyant faire une faveur à ta fille, tu ne fais que prolonger son calvaire et décupler sa douleur. Souviens-toi qu'un beau visage est un don du Ciel mais que des pieds mal bandés dénotent la paresse, aussi bien chez la mère que chez la fille. Qu'en déduirait sa future belle-famille ? Les filles doivent être aussi délicates que des fleurs. Il importe qu'elles marchent avec élégance et se balancent avec la grâce d'un lis : c'est ainsi qu'elles deviennent plus précieuses que des joyaux.

La voix de ma mère se durcit à nouveau en s'adressant à moi :

— Nous devons nous montrer fortes et corriger nos erreurs lorsqu'elles se produisent. Prends la cheville de ta cousine dans ta main gauche.

Je fis ce qu'elle me demandait. Maman posa sa main sur la mienne.

— Tu vas devoir serrer très fort, parce que… (Elle regarda Orchidée et n'acheva pas sa phrase.) Pivoine, reprit-elle, nous ne faisons pas la lessive nous-mêmes mais tu as sûrement vu Branche de Saule ou une autre servante laver tes vêtements ?

J'acquiesçai.

— Bon, tu sais donc comment elles s'y prennent, après le rinçage, pour tordre le linge afin d'en extraire la dernière goutte d'eau. Nous allons procéder de même... S'il te plaît, reproduis précisément mes gestes.

Le caractère qui signifie *amour maternel* est composé de deux éléments : l'*amour* et la *souffrance*. J'avais toujours cru que cela correspondait au sentiment que les filles éprouvent à l'égard de leurs mères, quand celles-ci leur infligent ces terribles douleurs au moment du bandage. Mais en voyant les larmes de ma deuxième tante et le courage que manifestait ma mère, je compris que cette souffrance était d'abord la leur. Une mère ne cesse de souffrir : en mettant sa fille au monde, en lui bandant les pieds et en lui disant adieu lorsqu'elle la quitte pour aller se marier. Je voulais manifester plus tard mon amour à mes filles, mais pour l'instant j'avais le ventre noué – tant par sympathie à l'égard de ma petite cousine que par crainte de ne pas être à la hauteur, d'une manière ou d'une autre.

— Tiens fermement ta fille, dit ma mère en se tournant vers sa belle-sœur. (Elle me regarda, opina pour m'encourager et ajouta :) Prends-lui le pied à deux mains et serre-le très fort... comme si tu essorais du linge.

La pression exercée de la sorte sur les os d'Orchidée lui fit pousser un cri strident. Ma deuxième tante la serra encore plus tendrement contre elle.

— J'aimerais en finir au plus vite, commenta ma mère, mais ce sont justement la faiblesse et la précipitation qui ont engendré ce problème.

De la main gauche, elle continua de maintenir la cheville ; de l'autre, elle serra fermement le pied et accentua sa pression, en descendant jusqu'aux orteils. Ma cousine se mit à hurler.

Je ressentais une curieuse exultation : ma mère était vraiment en train de me prouver son amour. Je suivis ses indications, en imitant ses gestes, et les cris de ma cousine redoublèrent.

— C'est bien, me dit maman. Tu sens les os qui se redressent sous tes doigts ? Serre-les bien et laisse-les se remettre en place.

Une fois arrivée à l'extrémité des orteils, je relâchai ma pression. Les pieds d'Orchidée étaient encore horriblement difformes, mais au lieu de présenter d'étranges boursouflures, comme c'était précédemment le cas, ils avaient pris l'aspect de deux longs piments. Le corps de ma cousine était quant à lui secoué de sanglots, tandis qu'elle essayait de reprendre son souffle.

— La prochaine étape sera douloureuse, déclara ma mère.

Son regard se posa sur l'une de mes cousines, qui se trouvait à sa droite. Elle lui lança :

— Va chercher Shao. Où se cache-t-elle, du reste ? Mais peu importe : file ! Et ramène-la ici le plus vite possible !

La fillette fut bientôt de retour, en compagnie de ma vieille nourrice. Celle-ci appartenait jadis à une famille respectable mais était venue travailler chez nous après son veuvage, étant encore relativement jeune. Plus je grandissais et moins je l'aimais, parce qu'elle était particulièrement stricte et d'une nature rancunière.

— Maintenez les jambes de cette petite, lui ordonna ma mère. Je ne veux pas qu'elle puisse bouger, en dehors des mouvements que nous lui ferons faire, ma fille et moi. C'est compris ?

Shao avait procédé bien des fois à cette opération et savait parfaitement ce qu'il convenait de faire.

Ma mère jeta un coup d'œil sur les fillettes qui faisaient cercle autour d'elle.

— Reculez-vous, leur dit-elle. Laissez-nous de la place.

Ces gamines étaient plus curieuses que des souris, mais maman incarnait l'autorité féminine dans notre maison, aussi s'empressèrent-elles de lui obéir.

— Pivoine, me dit-elle, pense à la forme de tes propres pieds. Tu te rappelles comment on a plaqué tes orteils et plié ton pied en deux ? Pour cela, il a fallu repousser les os par-dessous, comme quand on enfile une chaussette. Te sens-tu capable de le faire ?

— Je le crois.

— Es-tu prête ? demanda ma mère en se tournant vers ma deuxième tante.

Celle-ci, célèbre pour la pâleur de son teint, paraissait presque transparente, comme si son âme s'apprêtait à quitter son corps.

— Une fois encore, fais comme moi, me répéta maman.

Je lui obéis. J'appuyai de toutes mes forces et fis passer les os sous la plante du pied, tellement concentrée sur ma tâche que j'entendais à peine les hurlements de ma cousine. Shao maintenait ses jambes avec tant de force que les jointures de ses doigts étaient devenues blanches. Orchidée souffrait tellement qu'elle fut soudain prise de vomissements. Un flot putride jaillit de sa bouche et éclaboussa la tunique de ma mère, ainsi que son visage. Ma deuxième tante se répandit en excuses et je perçus la honte qui imprégnait sa voix. Je sentais la nausée m'envahir à mon tour, mais maman ne cilla pas et ne se laissa pas détourner un seul instant de sa tâche.

Nous en vînmes finalement à bout. Maman considéra le résultat et me tapota la joue.

— Tu as fait un excellent travail, me dit-elle. Peut-être est-ce là ton talent secret... Tu feras une bonne épouse et une excellente mère.

Jamais maman ne m'avait fait un tel compliment, à propos de quoi que ce soit.

Elle enveloppa d'abord le pied dont elle s'était chargée en serrant étroitement le bandage, ce que ma deuxième tante aurait été incapable de faire. Orchidée avait cessé de pleurer et l'on n'entendait plus que le commentaire de ma mère, ainsi que le léger frottement du tissu à chaque nouveau passage, jusqu'à ce que les trois mètres de la bande aient été utilisés.

— De plus en plus de filles se font bander les pieds dans notre pays, disait-elle. Les barbares mandchous jugent notre coutume rétrograde. Ils ont affaire à nos maris, ce qui est suffisamment préoccupant, mais n'ont évidemment pas la moindre idée de ce qui se passe dans les appartements des femmes. Aujourd'hui, bander les pieds de ses filles est devenu un acte de rébellion contre ces étrangers. Même nos domestiques et nos servantes ont adopté cette pratique, qui se répand jusque chez les plus démunis. Ce sont ces traditions féminines qui nous donnent de la valeur et nous permettent de nous marier. Et ces barbares ne peuvent pas nous l'interdire !

Maman cousit le bandage et posa le pied de ma cousine sur un coussin, avant de passer à celui dont je m'étais occupée. Une fois l'opération terminée, elle ôta la main que sa belle-sœur avait posée sur la joue d'Orchidée encore mouillée de pleurs, et acheva sa réflexion en ces termes :

— À travers cette pratique du bandage, nous avons remporté une double victoire. Nous autres, faibles femmes, nous avons battu les Mandchous : leur politique a si bien échoué que leurs propres femmes cherchent désormais à rivaliser avec nous ! Si vous sortiez, vous les verriez se dandiner avec leurs gros pieds hideux, juchées sur de minuscules escabeaux qui imitent la forme de nos chaussons, afin de se donner *l'illusion* d'avoir elles aussi les pieds bandés ! Mais ces barbares ne peuvent évidemment pas rivaliser avec nous, ni nous empêcher de respecter nos traditions. Plus important encore :

nos pieds bandés continuent d'être un facteur de séduction aux yeux de nos époux. Souvenez-vous : un bon mari doit être aussi pour vous une source de plaisir.

En raison des sensations que j'éprouvais depuis ma rencontre avec mon inconnu, je crus comprendre ce qu'elle voulait dire. Curieusement, je n'avais jamais vu mon père et ma mère se toucher. Cela tenait-il à elle, ou à lui ? Mon père s'était toujours montré affectueux à mon égard. Il m'embrassait et me serrait dans ses bras chaque fois que nous nous croisions dans les couloirs ou que j'allais le retrouver dans sa bibliothèque. La distance physique qui existait entre mes parents devait donc tenir à une carence de ma mère. S'était-elle mariée avec les mêmes appréhensions que celles que je connaissais aujourd'hui ? Était-ce pour cette raison que mon père avait pris des concubines ?

Maman se releva et considéra sa tunique souillée.

— Je vais me changer, dit-elle. Pivoine, s'il te plaît, ne m'attends pas et rends-toi au pavillon du Printemps. Quant à toi, ajouta-t-elle à l'intention de ma deuxième tante, laisse ta fille se reposer ici et accompagne Pivoine. Nous avons des invitées et elles doivent nous attendre. Dites-leur de commencer à manger sans moi. (Puis elle précisa à l'intention de Shao :) Je ferai envoyer de la bouillie de riz pour la petite. Assurez-vous qu'elle la mange et donnez-lui ensuite des herbes pour calmer ses douleurs. Elle peut rester allongée aujourd'hui. Je compte sur vous pour me tenir informée de ce qui adviendra dans quatre jours. Je ne veux pas qu'une telle scène se répète. Ce n'est pas juste pour cette petite et cela effraie les autres fillettes.

Après son départ, je me levai à mon tour et durant une fraction de seconde tout devint noir autour de moi. Je recouvrai peu à peu mes esprits, mais mon estomac ne s'était pas vraiment calmé.

— Prenez votre temps, dis-je à ma deuxième tante. Je vous retrouverai dans le couloir.

Sur ces mots, je me hâtai de regagner ma chambre. Une fois la porte refermée, j'allai soulever le couvercle du pot de chambre – encore à moitié plein – et vomis abondamment. Par bonheur, Branche de Saule n'était pas dans les parages, car je ne voyais pas comment je lui aurais expliqué ce qui venait de m'arriver. Je me relevai, me rinçai la bouche et regagnai le couloir à l'instant où ma deuxième tante émergeait elle aussi de l'appartement des fillettes.

J'avais enfin fait quelque chose dont ma mère avait visiblement été fière, mais cela m'avait rendue malade. Malgré tout mon désir de me montrer aussi forte que Liniang, j'avais le cœur aussi sensible que ma tante. Je serais incapable de manifester plus tard mon amour maternel à ma fille, lorsqu'il s'agirait de lui bander les pieds. J'espérais seulement que maman n'en saurait jamais rien. Ma belle-mère s'arrangerait peut-être pour que la nouvelle ne franchisse pas le seuil de la famille Wu, comme maman cachait à tout le monde la faiblesse récurrente de ma deuxième tante. Il fallait évidemment éviter tout ce qui était susceptible de faire perdre la face à notre famille. Et les Wu – s'ils s'avéraient justes et bons – feraient ce qui était en leur pouvoir pour que le secret ne sorte pas des murs de leur demeure.

Je m'attendais à ce que des murmures s'élèvent à mon arrivée, lorsque je pénétrai aux côtés de ma deuxième tante dans le pavillon du Printemps, car on avait dû entendre jusqu'à l'autre bout de la propriété les hurlements que poussait Orchidée. Mais ma troisième tante avait profité des circonstances pour jouer à la maîtresse de maison : les plats avaient été servis et les femmes mangeaient en papotant, comme s'il ne s'était rien produit d'extraordinaire au sein de la famille Chen, en cette matinée de la fête du Double Sept.

J'avais oublié de me préparer aux commentaires sarcastiques et pourtant prévisibles de mes cousines, au cours du repas. Mais curieusement, leurs propos glissaient sur moi et tombaient comme les peaux mortes dont Branche de Saule m'avait débarrassée le matin même, avant de rebander mes pieds. Je n'en étais pas moins incapable de manger, malgré les spécialités à la vapeur que maman avait fait préparer aux cuisines, à l'occasion de mon anniversaire. Comment aurais-je pu avaler quelque nourriture que ce soit, dans l'état où était mon estomac – tant à cause de cette séance de bandage que de mon bonheur secret et de l'inquiétude qui me rongeait, concernant mon rendez-vous du soir...

Après le repas du matin, je rejoignis ma chambre. Un peu plus tard, entendant les pas feutrés des autres jeunes filles qui se dirigeaient vers le pavillon de L'Éclosion des Lotus, j'enveloppai l'une de mes peintures dans une pièce de soie en vue du concours qui devait avoir lieu, pris une profonde inspiration et quittai ma chambre.

Lorsque j'atteignis le pavillon de L'Éclosion des Lotus, je voulus aller prendre place auprès de ma mère. L'élan d'affection qu'elle m'avait manifesté tout à l'heure semblait s'être évaporé, mais je ne m'en inquiétai pas outre mesure. Elle allait être particulièrement occupée aujourd'hui, entre l'attention qu'elle devait porter à ses invitées, l'organisation des concours et les diverses festivités. Aussi ne lui tinsje pas rigueur en la voyant s'écarter de moi.

Nous commençâmes par un concours artistique. Mes talents en broderie ou à la cithare étaient relativement médiocres, mais en matière de peinture c'était encore pire. La première partie du concours concernait les pivoines. Une fois l'ensemble des peintures exposées, tous les regards se tournèrent vers moi.

— Eh bien, Pivoine, lança l'une des invitées, où est donc la tienne ?

— Bien qu'elle porte son nom, confia ma troisième tante, cette fleur ne l'inspire guère.

On passa ensuite aux chrysanthèmes, puis aux fleurs de prunier, pour en arriver enfin aux orchidées. J'étalai subrepticement ma peinture sur la table. Mes orchidées manquaient de grâce et une autre jeune fille remporta le concours. Le reste de la compétition concernait des peintures représentant des papillons – soit isolés, soit mêlés à des fleurs – mais je ne participais à aucune de ces catégories.

Toujours des papillons, toujours les mêmes fleurs... me disais-je intérieurement. Mais qu'aurions-nous pu peindre d'autre ? Nos œuvres représentaient ce que nous pouvions observer dans le jardin : des fleurs et des papillons... En regardant les visages magnifiquement poudrés de mes tantes, de mes cousines et de nos invitées, je percevais en elles une sorte d'indolence et de regret. Mais pendant que je les observais, elles aussi m'étudiaient : et mes rêveries n'échappèrent pas à ces femmes, accoutumées à traquer les faiblesses et la vulnérabilité de leurs semblables.

— Bien que nous soyons en été, notre Pivoine semble gagnée par la langueur printanière, remarqua ma quatrième tante.

— Oui, j'ai constaté que ses joues avaient une rougeur inhabituelle, ajouta ma troisième tante. À quoi peut-elle songer ?

— Demain, j'irai cueillir des herbes et je lui préparerai un thé qui dissipera cette langueur, proposa ma quatrième tante.

— Une langueur printanière en été ? rétorqua ma mère. Pivoine est beaucoup trop sensée pour ça.

— Nous disons toutes cela de nos filles, intervint ma deuxième tante. Peut-être confiera-t-elle son secret à ses cousines, qui aimeraient bien nourrir elles aussi des pensées romantiques. Difficile en tout cas d'être plus belle, pour son seizième anniversaire. Plus que cinq mois avant son mariage... Je pense que nous serons d'accord pour dire qu'elle est prête à être cueillie.

Je fis de mon mieux pour que mon visage affiche une impassibilité égale à celle d'un étang pendant une nuit d'été, mais je n'y parvins pas et certaines femmes, parmi les plus âgées, émirent un petit rire en constatant mon embarras.

— C'est une bonne chose qu'elle se marie bientôt, acquiesça ma mère sur un ton dont la légèreté me peina. Mais tu as raison, ajouta-t-elle à l'intention de ma deuxième tante : peut-être devrait-elle se confier à ta fille. Je suis sûre que le futur mari de Fleur de Genêt lui en serait reconnaissant, si cela contribuait à agrémenter leur nuit de noces. (Elle frappa doucement dans ses mains et ajouta :) Maintenant, passons au jardin pour notre dernier concours.

Tandis que les autres femmes quittaient la pièce, je soupesai ce qui venait d'être dit et sentis soudain les yeux de ma mère fixés sur moi. Elle ne m'adressa pas la parole et j'évitai de croiser son regard. Nous étions comme deux statues de pierre, figées de part et d'autre de la pièce. Je lui étais reconnaissante de m'avoir défendue, mais de là à prétendre que j'étais prête à admettre... quoi, du reste ? Que le mal d'amour me rongeait ? Que j'avais rencontré un inconnu deux soirs de suite dans le pavillon de la Chevauchée céleste ? Et que j'avais l'intention de le rejoindre tout à l'heure, dans une partie de notre propriété où je n'étais pas censée mettre les pieds ? Je compris tout à coup que j'avais changé en profondeur, sans m'en rendre compte. Ce n'est pas l'arrivée de son sang mensuel qui transforme une fillette en femme, pas plus que ses fiançailles ou le fait qu'elle développe de nouveaux talents. Mais l'amour avait fait de moi une femme, du jour au lendemain.

J'invoquai la volonté et la dignité dont ma grand-mère avait fait preuve, relevai la tête et franchis sans un mot le seuil de la pièce, avant de me rendre au jardin.

Je m'assis sur une vasque en porcelaine. La végétation était dans toute sa splendeur et l'essentiel de notre inspiration pour ce dernier concours allait reposer – comme d'habitude – sur le décor qui nous entourait. Mes cousines et mes tantes citèrent un certain nombre de strophes composées par des poètes célèbres – principalement des femmes –, évoquant tour à tour la fleur de prunier, le chrysanthème, la pivoine et l'orchidée. C'étaient des mots charmants et qui faisaient écho à la beauté de ces fleurs, mais je fouillai quant à moi dans ma mémoire jusqu'à ce que j'aie retrouvé un poème très sombre, qui avait été écrit par une inconnue sur un mur de Yangzhou, au moment du Cataclysme. J'attendis que mes compagnes en aient terminé, puis je me mis à réciter, sur un ton empreint de tristesse qui me semblait correspondre à cette œuvre désespérée :

Les arbres sont nus.
Au loin le cri des oies qui se lamentent.
Si au moins le sang de mes larmes pouvait
Donner sa couleur aux pétales du prunier.
Mais je ne connaîtrai pas le printemps.
Mon cœur est vide et ma vie n'a plus de valeur.
Chaque instant équivaut à un millier de larmes.

Ce poème – considéré comme l'un des plus tristes composés pendant le Cataclysme – toucha profondément le cœur de toutes les femmes présentes. Ma deuxième tante, encore sous le choc de la séance qu'avait subie sa fille, fondit une fois de plus en larmes, mais elle ne fut pas la seule. Une atmosphère chargée de *qing* envahit le jardin. Nous partagions le désespoir de cette femme, qui avait vraisemblablement trouvé la mort.

Je sentis tout à coup le regard de ma mère me transpercer comme un coup de poignard. Le sang s'était retiré de son visage, ce qui faisait ressortir d'autant la rougeur de son maquillage. Elle déclara, d'une voix à peine audible :

— Par cette belle journée, ma fille vient semer la tristesse au milieu de notre assemblée.

Je ne comprenais pas ce qui l'avait contrariée.

— Ma fille ne se sent pas bien, confia-t-elle aux autres mères qui l'entouraient, et je crains qu'elle n'ait oublié le sens des convenances.

Elle ajouta, en se tournant vers moi :

— Il vaut mieux que tu ailles passer le reste de la journée et la soirée au lit.

Maman avait pleine autorité sur moi : allait-elle vraiment me priver des festivités, sous prétexte que j'avais récité un poème empreint de tristesse ? Les larmes me montèrent aux yeux, mais je parvins à les refouler.

— Je ne suis pas malade, dis-je d'une voix légèrement tremblante.

— Ce n'est pas ce que m'a dit Branche de Saule.

Je rougis, sous le coup de la colère et du dépit. En vidant mon pot de chambre, Branche de Saule avait dû s'apercevoir que j'avais vomi et s'était empressée d'en informer ma mère. Celle-ci savait donc que j'avais une fois de plus failli, dans mon futur rôle d'épouse et de mère. Mais cette révélation n'atténua en rien et renforça au contraire ma détermination. Je n'allais pas la laisser se mettre en travers de mes plans. Posant mon doigt sur ma joue, je penchai la tête et pris mon air le plus innocent.

— Oh, maman, dis-je, je crois que mes tantes avaient raison tout à l'heure. En ce jour où nous honorons la Tisserande, j'ai dû laisser mon esprit dériver vers le pont céleste qui se formera ce soir, afin de permettre aux deux amoureux d'être réunis. J'ai sans doute ressenti les effets d'une langueur printanière, mais je n'ai pas de fièvre et n'éprouve aucune douleur. Ma défaillance n'est que le signe d'une appréhension devant mon futur statut de femme mariée, rien de plus.

Je paraissais si chaste et si pure – et les autres femmes me considéraient avec une telle bienveillance – qu'il était difficile à ma mère de mettre sa menace à exécution. Au bout de plusieurs secondes, elle déclara :

— Qui peut réciter un poème comportant le mot *hibiscus* ?

Comme c'était chaque jour le cas dans les appartements des femmes, le moindre détail semblait receler une épreuve. Et la moindre épreuve me rappelait mon infériorité. Je ne brillais dans aucun domaine, qu'il s'agisse de l'art du bandage, de la broderie, de la peinture – de réciter des poèmes ou de jouer de la cithare. Comment pouvais-je désormais envisager de me marier, alors que j'aimais si profondément quelqu'un d'autre ? Comment aurais-je pu correspondre à l'épouse que mon mari attendait – et qu'il méritait sans doute ? Ma mère avait respecté toutes les règles et n'avait pourtant pas réussi à donner un fils à son mari. Si elle avait échoué dans son rôle d'épouse, comment pouvais-je espérer réussir dans le mien ? Mon mari allait sans doute se détourner de moi, m'humilier devant ma belle-mère et se distraire en prenant des concubines ou en allant trouver les chanteuses qui vivaient au bord du lac.

Je me souvins d'une phrase que maman aimait répéter : « Les concubines font partie de l'existence.

L'essentiel, c'est que ce soit *toi* qui les choisisses, avant que l'idée ne vienne à ton mari. Et tout dépend de la manière dont tu les traiteras. Ne lève jamais la main sur elles : laisse ton mari s'en charger. »

Je ne voulais pas d'une vie pareille.

C'était aujourd'hui mon seizième anniversaire. Ce soir, dans le ciel, la Tisserande et le Bouvier allaient être réunis. Dans notre jardin, Liniang allait renaître, grâce à l'amour de Mengmei. Et dans le pavillon de la Contemplation lunaire, j'allais retrouver mon inconnu. Je n'étais sans doute pas la plus belle jeune fille de Hangzhou, mais j'en avais au moins l'illusion, lorsque ses yeux étaient posés sur moi.

Des chaussons trempés

Confucius a dit : *Respectez les fantômes et les esprits, mais maintenez-les à distance*. À l'occasion du Double Sept, les gens ne se souciaient plus des esprits ni des ancêtres : ils voulaient simplement s'amuser, profiter de la fête – qu'il s'agisse des jeux que nous avions organisés ou de l'opéra monté par mon père. Je m'étais changée, enfilant une tunique de soie vaporeuse sur laquelle étaient brodés deux oiseaux voletant au-dessus des fleurs – image pour moi du bonheur que j'éprouvais en compagnie de mon bel inconnu. Sous cette tunique, je portais une jupe de soie brochée, décorée d'une frise de fleurs de pommier qui mettait en valeur mes pieds bandés dans leurs chaussons de soie fuchsia. Des boucles d'or pendaient à mes oreilles et mes poignets étaient lourds des bracelets d'or et de jade que ma famille m'avait offerts au fil des années. Mes efforts de toilette n'étaient pas exagérés, car autour de moi les femmes et les jeunes filles avaient elles aussi revêtu leurs plus beaux atours ; et leurs bijoux tintaient lorsqu'elles traversaient gracieusement la pièce pour se saluer entre elles, de cette démarche ondulante qui les faisait ressembler à des lis inclinés sur leurs tiges.

Sur l'autel dressé pour la circonstance dans le pavillon de L'Éclosion des Lotus, des baguettes d'encens se consumaient dans des tripodes en bronze, emplissant l'atmosphère d'une odeur délicieusement âcre. Diverses variétés de fruits – melons, bananes, oranges, caramboles et « yeux de dragon » – étaient empilées sur des dessertes de laque. À l'une des extrémités de la table, une coupe en porcelaine blanche remplie d'eau et de feuilles de pomélos symbolisait le bain rituel que prennent les jeunes mariés. Le milieu de la table était occupé par un vaste plateau, de près d'un mètre de côté, dont le motif central était entouré de six vignettes illustrées. Au centre étaient représentés la Tisserande et le Bouvier dont le buffle paissait au bord d'un torrent, pour rappeler de quelle manière la déesse avait dû cacher sa nudité. Les vignettes disposées tout autour montraient les sœurs de la Tisserande : maman invitait les jeunes filles qui n'étaient pas encore mariées à aller leur faire des offrandes.

Après la cérémonie, nous eûmes droit à un banquet extravagant, où chaque plat avait une signification particulière. Ainsi nous servit-on des « pattes de dragon propices aux enfants » (il s'agissait en fait de pieds de cochon braisés, servis avec dix sortes de garnitures traditionnelles et censés faciliter la conception d'un fils). Les domestiques déposèrent ensuite sur chacune des tables un « poulet du mendiant » : lorsqu'ils éventrèrent à l'aide d'un hachoir la peau laquée des volatiles, un subtil parfum de gingembre, de champignon et de vin cuit se répandit dans la pièce. Les plats n'arrêtaient pas de défiler, honorant l'une après l'autre les différentes catégories de saveurs : douce, épicée, odorante, marinée, sucrée, amère, astringente... Pour le dessert, nos servantes nous présentèrent des entremets à base de riz gluant, de haricots rouges, de châtaignes et d'herbes des berges supposés faciliter la digestion, réduire les graisses et prolonger du même coup nos existences. C'était un repas somptueux, mais j'étais trop tendue pour en profiter et n'avalai quasiment rien.

Le banquet fut suivi par une dernière compétition. On éteignit les lanternes et chacune des jeunes filles qui n'étaient pas encore mariées devait essayer d'introduire un fil dans le chas d'une aiguille, en étant seulement éclairée par la braise d'une baguette d'encens. Si elle y parvenait, cela signifiait qu'elle donnerait plus tard naissance à un fils. Tout le monde ayant vidé d'innombrables coupes de vin de Shaoxing, de grands éclats de rire accompagnèrent ces tentatives, pour la plupart vouées à l'échec.

Je participais de mon mieux à l'hilarité générale, mais je me demandais déjà comment j'allais m'y prendre pour aller retrouver mon inconnu sans me faire attraper. Il allait falloir que j'adapte les ruses proprement féminines du monde intérieur au contexte du monde extérieur, réservé aux hommes. Et que j'avance à tâtons, en mesurant chacun de mes gestes, comme je le faisais lorsque je jouais aux échecs avec mon père.

Contrairement au premier soir, je ne voulais pas aller m'asseoir au premier rang, où je serais certes près de la scène, mais exposée aux regards de toutes. Je ne pouvais pas davantage m'installer délibérément à l'arrière, comme je l'avais fait la veille, car cela risquait d'éveiller les soupçons de ma mère : elle savait que j'aimais trop cet opéra pour être en retard deux soirs de suite. Je devais me comporter comme si je cherchais à lui faire plaisir, surtout après la scène qui avait eu lieu tout à l'heure. Tandis que je réfléchissais à la manière de procéder, mon regard se posa sur Tan Ze et un plan se forma aussitôt dans mon esprit. Oui, je pouvais me servir de la fillette pour mieux feindre l'innocence.

Lotus venait de réussir à introduire son fil et toute l'assemblée l'applaudit. Je traversai la pièce et m'approchai de Ze, qui était juchée sur le bord d'une chaise, dans l'espoir que ma mère la désigne pour le tour suivant. Cela ne risquait pas d'arriver : Ze n'était nullement sur le point de se marier, c'était encore une enfant et elle n'était même pas engagée.

Je lui tapotai l'épaule.

— Suis-moi, lui dis-je. Je veux te montrer quelque chose.

Elle descendit de sa chaise et je la pris par la main, en m'assurant que ma mère nous voyait.

— Tu sais que je suis engagée, lui dis-je en l'entraînant vers ma chambre.

La fillette acquiesça avec gravité.

— Aimerais-tu voir mes cadeaux de mariage ?

Ze poussa un petit cri excité. Je jubilais intérieurement moi aussi, mais pour une tout autre raison.

J'ouvris mes malles en peau de porc et lui montrai les diverses pièces d'étoffe – soies vaporeuses ou brochées, satin chatoyant... – qui m'avaient déjà été adressées.

Lorsque le fracas des cymbales et le roulement des tambours retentirent, Ze se leva. À l'extérieur, les femmes s'étaient déjà regroupées dans le couloir.

— Il faut que tu voies ma tenue de mariage, me hâtai-je d'ajouter. Tu vas adorer la coiffure.

La fillette se rassit, gigotant sur mon lit avec excitation.

Je sortis ma jupe de mariage en soie rouge, brodée et décorée de plusieurs dizaines de plis minuscules. Les couturières que mon père avait engagées à cet effet s'étaient arrangées pour que les motifs représentant des fleurs, des nuages et des symboles de félicité soient parfaitement ajustés. Le jour de mon mariage, ces ornements resteraient en place, à supposer que je ne fasse pas de trop grandes enjambées. La tunique était elle aussi magnifique. En plus des quatre ganses qui la maintenaient – à la base du cou, en travers de la poitrine et sous chacun des bras – les ouvrières en avaient cousu quantité d'autres qui ne servaient strictement à rien, destinées à abuser mon mari et à prolonger d'autant la nuit de noces. La coiffure était aussi simple qu'élégante : un fin tapis de feuilles d'or qui se mettraient à frémir lorsque je marcherais et scintilleraient à la lumière, agrémenté d'un voile rouge qui dissimulerait mon visage et m'empêcherait de distinguer celui de mon mari, avant qu'il ne le soulève lui-même. J'aimais depuis toujours ma tenue de mariage : mais, ce jour-là, sa contemplation suscitait en moi de plus funestes émotions. À quoi bon être enveloppée comme un somptueux cadeau si l'on n'éprouve aucun sentiment pour celui auquel on est destinée ?

— Ta coiffure est très belle, mais mon père m'a promis qu'il y aurait des perles et du jade sur la mienne, se vanta Ze.

Je l'écoutais à peine, car je suivais avec attention ce qui se passait à l'extérieur. Les cymbales et les tambours continuaient de rameuter l'assistance, mais on n'entendait plus aucun bruit dans le couloir. Je rangeai ma tenue de mariage et quittai ma chambre en tenant Ze par la main.

Nous rejoignîmes ensemble le jardin. J'aperçus mes cousines, assises côte à côte derrière le paravent. Je n'en crus pas mes yeux : elles m'avaient réservé une place ! Lotus me fit signe de venir les rejoindre. Je lui répondis par un sourire et me penchai pour murmurer à l'oreille de Ze :

— Regarde, les futures mariées te demandent d'aller t'asseoir auprès d'elles.

— C'est vrai ?

Elle n'attendit même pas ma confirmation, se faufila en toute hâte au milieu des coussins, s'assit et se lança aussitôt dans un discours que mes cousines furent bien incapables d'endiguer. Pour une fois qu'elles faisaient preuve d'une certaine gentillesse à mon égard, voilà comment je les remerciais…

Je fis mine de chercher des yeux un autre coussin libre au premier rang, mais il n'y en avait évidemment pas. Affichant une mine faussement dépitée, j'allai m'asseoir tout au fond, derrière les autres femmes.

Ce soir, la représentation s'ouvrait sur une scène que j'aurais bien aimé voir, mais que je devais me contenter d'écouter, d'où j'étais assise. Liniang et Mengmei s'enfuyaient ensemble – ce qui était sans précédent, dans notre tradition. Dès qu'ils s'étaient mariés, Liniang lui avouait qu'elle était encore vierge, malgré les nombreux ébats auxquels ils s'étaient livrés avant sa résurrection : en tant que fantôme, son corps de jeune fille était demeuré intact dans la tombe. La scène se terminait avec le départ des deux époux pour Hangzhou, où Mengmei devait achever ses études avant de passer les examens impériaux.

Le dernier tiers de l'opéra ne m'avait jamais passionnée. Il y était surtout question du monde extérieur, loin du jardin de Liniang, avec de grandes scènes de bataille qui semblaient par contre avoir les faveurs du public : toutes les femmes autour de moi suivaient l'histoire d'un air captivé. J'attendis jusqu'au moment où la situation me devint insupportable. Le cœur battant, je me levai lentement, lissai ma jupe et m'éclipsai aussi discrètement que possible, en prenant la direction des appartements des femmes.

Mais ce n'était pas là que je comptais me rendre. Je quittai bientôt l'allée principale et suivis du côté sud l'enceinte de notre propriété, laissant derrière moi les petits bassins agrémentés de kiosques pour atteindre enfin le sentier qui longeait la berge du lac. C'était la première fois que j'empruntais ce chemin et je n'étais pas très sûre de mon itinéraire. Je distinguai brusquement le pavillon de la Contemplation lunaire, avec l'intuition que l'inconnu m'y attendait. Seul un croissant de lune éclairait la nuit : je scrutai les ténèbres et l'aperçus enfin. Il était appuyé à la balustrade qui bordait l'extrémité du pavillon et ne regardait pas le lac, mais avait au contraire les yeux fixés sur moi ! Mon cœur se serra quand je m'en rendis compte. Le sentier avait été tapissé de galets qui composaient divers motifs : des chauves-souris en signe de bonheur, des carapaces de tortue pour la longévité et des lingots pour la prospérité. Cela devait remonter à l'époque lointaine où les femmes n'étaient pas admises au jardin, car il n'était guère aisé de marcher sur un sol aussi irrégulier en ayant les pieds bandés. Je devais me concentrer, hésitant à chaque pas avant de prendre appui sur un nouveau galet, tout en sachant que cela devait accentuer la délicatesse de ma démarche.

J'hésitai avant de pénétrer dans le pavillon de la Contemplation lunaire. Le courage me faisait brusquement défaut. Cet endroit m'avait toujours été interdit, étant entouré d'eau sur trois de ses côtés : techniquement parlant, il était situé *à l'extérieur* de notre enceinte. Mais je me souvins de la détermination de Liniang. Je pris une profonde inspiration, m'avançai jusqu'au milieu de l'édifice et m'immobilisai. Mon inconnu portait une longue tunique en soie bleu nuit. À côté de lui, sur la balustrade, il avait posé une pivoine et une branche de saule. Il ne bougeait pas et se contentait de me regarder. Je fis de mon mieux pour rester parfaitement immobile.

— Je vois que ce pavillon dispose du triple point de vue, dit-il enfin. Nous avons le même à la maison, à ceci près qu'il donne sur un bassin et non pas sur le lac.

Il dut s'apercevoir de ma confusion, car il précisa :

— D'ici, on peut contempler la lune de trois façons : dans le ciel, bien entendu, mais aussi lorsqu'elle se reflète sur l'eau du lac – ainsi que dans cette glace, dit-il en désignant d'un geste nonchalant un miroir qui surplombait le seul meuble du pavillon : un lit en bois sculpté.

— Oh…

Je n'avais pas songé jusqu'alors qu'un lit installé dans un pavillon puisse servir à autre chose qu'à se reposer. Mais j'avais maintenant des frissons à l'idée des nuits languides que je pourrais passer, étendue sous le miroir de mon bel inconnu.

Celui-ci esquissa un sourire. S'amusait-il de mon embarras, ou nos pensées s'étaient-elles rencontrées ? Au bout de plusieurs secondes, aussi longues qu'embarrassantes, il s'avança et me rejoignit.

— Venez, me dit-il. Allons contempler le paysage ensemble.

Lorsque nous atteignîmes la balustrade, je me retins à une colonnette pour ne pas vaciller.

— C'est une nuit splendide, reprit-il en contemplant l'étendue luisante de l'eau. Mais bien moins belle que vous, ajouta-t-il en se tournant alors vers moi.

Un intense bonheur m'envahit, suivi par une bouffée de honte mêlée de peur.

— Que se passe-t-il ? demanda-t-il en scrutant mon visage.

Des larmes me montaient aux yeux, mais je parvins à les contenir.

— Peut-être ne voyez-vous que ce que vous souhaitez voir, dis-je.

— Je vois une jeune fille bien réelle, dont j'aimerais dissiper la tristesse.

Deux larmes parallèles s'échappèrent de mes paupières et coulèrent le long de mes joues.

— Comment pourrais-je jamais être une bonne épouse après ce qui est en train de se passer ? dis-je avec un geste de désespoir.

— Vous n'avez rien fait de mal.

Bien sûr que si ! J'étais venue jusqu'ici, pour commencer… Mais je préférais éviter ce sujet. Je reculai d'un pas, croisai les mains et repris d'une voix plus calme :

— D'abord, je joue très mal de la cithare.

— Cela m'est bien égal, je déteste cet instrument.

— Mais vous n'êtes pas mon futur mari.

Une expression douloureuse traversa son visage. Je l'avais blessé.

— Je suis très maladroite en matière de broderie, me hâtai-je d'ajouter.

— Ma mère ne passe pas son temps à broder, elle non plus. Si vous étiez ma femme, vous trouveriez d'autres occupations, toutes les deux.

— Je n'ai guère de talent en peinture.

— Que peignez-vous ?

— Des fleurs, comme tout le monde.

— Mais vous n'êtes pas comme tout le monde. Vous ne devriez pas vous contenter de sujets ordinaires. Si vous aviez le choix, que peindriez-vous ?

Personne ne m'avait jamais posé une question pareille. En fait, personne ne s'était *intéressé* à moi de cette façon. Si j'avais réfléchi un instant – et si j'avais su faire preuve de pondération – j'aurais répondu que j'aurais continué à peindre des fleurs, en cherchant à m'améliorer. Mais je n'étais pas en état de réfléchir.

— J'aimerais peindre cet endroit, dis-je : le lac, la lune, ce pavillon.

— Un paysage, donc.

Oui, un vrai paysage – et non l'un de ceux qu'il fallait deviner entre les veines du marbre, comme dans la bibliothèque de mon père.

— Ma maison se trouve de l'autre côté du lac, au sommet d'une colline, reprit l'inconnu. Toutes les pièces donnent sur l'eau. Si nous étions mariés, nous nous promènerions ensemble le long du fleuve ou sur le lac, pour aller voir les mascarets.

Ses paroles m'enchantaient et me remplissaient simultanément de tristesse, puisqu'il évoquait une existence à laquelle je n'aurais jamais droit.

— Mais vous ne devez pas vous inquiéter, poursuivit-il. Je suis certain que votre mari ne sera pas parfait, lui non plus. Prenez mon cas, par exemple : depuis la dynastie des Song, l'ambition des jeunes gens a toujours été de s'illustrer dans la carrière officielle. Pourtant moi, je ne me suis jamais présenté aux examens impériaux et n'ai nullement l'intention de le faire.

Mais il n'y avait rien de plus normal ! De nos jours, n'importe quel homme demeuré fidèle aux Ming choisissait de mener une vie retirée, plutôt que de servir le nouveau régime. Pourquoi m'avait-il dit ça ? Me prenait-il pour une arriérée, ou pour une parfaite idiote ? Imaginait-il que je le voyais mener une carrière de marchand, alors qu'il n'y a rien de plus vil et de plus vulgaire que de s'enrichir dans le commerce ?

— Je suis poète, déclara-t-il.

J'esquissai un sourire. Je m'en doutais depuis l'instant où je l'avais aperçu, derrière le paravent.

— La plus haute ambition que l'on puisse avoir est pour la carrière des lettres, répondis-je.

— Je veux me marier avec une femme qui soit ma compagne, qui partage ma vie d'écriture et mon amour de la poésie, murmura-t-il. Si vous étiez mon épouse, nous collectionnerions les livres et nous les lirions ensemble, en buvant du thé. Je vous l'ai déjà dit : c'est ce que vous avez *là* qui m'a frappé en vous.

Il désignait mon cœur, mais ses paroles suscitaient en moi des ondes qui se diffusaient plus bas dans mon corps.

— Parlez-moi de cet opéra, reprit-il au bout d'un moment. Regrettez-vous de ne pas assister à la scène où Liniang retrouve sa mère ? J'ai cru comprendre que les jeunes filles aiment particulièrement ce passage.

C'était exact, j'adorais cette scène. Tandis que les combats se poursuivent entre les bandits et les forces impériales, madame Du et Saveur de Printemps trouvent refuge dans une auberge, à Hangzhou. Madame Du est stupéfaite – et effrayée – d'apercevoir une jeune femme qu'elle prend d'abord pour le fantôme de sa fille. Mais bien sûr, maintenant que les trois éléments de l'âme de Liniang ont été réunis, elle est redevenue une créature de chair et de sang.

— Une jeune fille rêve toujours que sa mère lui témoigne son amour, dis-je. Même après s'être enfuie de chez elle ou être devenue un spectre.

— Oui, c'est une bonne scène, toute empreinte de *qing*, acquiesça mon poète. Elle montre fort bien en quoi consiste l'amour maternel. Quant au reste du spectacle... (Il hocha la tête d'un air dubitatif.) La politique ne m'intéresse pas, reprit-il. Trop de *li*, vous ne trouvez pas ? Je préfère les scènes qui se passent au jardin.

Se moquait-il de moi ?

— C'est la passion de Mengmei qui a ramené Liniang à la vie, poursuivit-il. Il a *cru* qu'elle pouvait renaître.

Son analyse de l'opéra était si proche de la mienne que j'eus l'audace de lui demander :

— Agiriez-vous de même à mon égard ?

— Bien sûr ! s'exclama-t-il.

Il approcha alors son visage du mien. De son souffle émanaient des effluves de musc et d'orchidée. Le désir que nous éprouvions attisait l'air qui nous séparait. Je pensais qu'il voulait m'embrasser et je m'attendais à sentir le contact de ses lèvres sur les miennes. Mon corps était comme en ébullition, submergé par l'émotion. Je ne bougeais pas, tout simplement parce que j'ignorais ce qu'il fallait faire ou ce qu'il attendait de moi. Enfin, ce n'est pas tout à fait exact... Je n'étais pas censée me comporter ainsi, en aucune manière. Pourtant lorsqu'il recula d'un pas et plongea dans les miens ses yeux d'un noir de jais, je tremblai de désir.

Il ne paraissait guère plus âgé que moi, mais c'était un homme et il vivait dans le monde extérieur. Il était fort possible qu'il ait déjà fréquenté les femmes qui tenaient les maisons de thé et dont les voix arrivaient parfois jusqu'à moi, depuis l'autre rive du lac. Je devais être une enfant à ses yeux : d'une certaine façon, il me traitait comme telle en reculant ainsi, pour me laisser une chance de me ressaisir.

— Je n'arrive jamais à savoir si cet opéra se termine bien ou pas, reprit-il.

Ses paroles me firent sursauter. Il s'était donc écoulé tant de temps depuis que j'étais venue le retrouver ? Il dut percevoir mon trouble, car il ajouta aussitôt :

— Ne vous inquiétez pas, il y a encore plusieurs scènes avant la fin. (Il saisit ensuite la pivoine qu'il avait apportée.) Mengmei vient de remporter un succès triomphal aux examens impériaux, ajouta-t-il.

Mon esprit était loin, bien loin de la pièce et je dus faire un effort pour me concentrer, mais j'imagine que tel était son but.

— Mais lorsqu'il se présente au préfet Du en lui disant qu'il est son gendre, il est immédiatement arrêté, répondis-je.

Je vis mon inconnu sourire et compris que j'avais réagi comme il le souhaitait.

— Le préfet ordonne de fouiller les bagages de Mengmei...

— ... et les gardes retrouvent l'autoportrait de Liniang, complétai-je. Le préfet Du fait battre et torturer Mengmei, convaincu que celui-ci a pillé la tombe de sa fille.

— Mengmei répète qu'il a fait revenir Liniang du monde des esprits et qu'ils se sont mariés, poursuivit l'inconnu. Outré, le préfet Du ordonne la décapitation du jeune homme.

L'odeur de la pivoine qu'il tenait à la main me montait à la tête. Je me rappelai ce que j'avais rêvé de faire la nuit dernière et saisis la branche de saule posée sur la balustrade. Lentement, je me mis à tourner autour de l'inconnu et à lui parler d'une voix douce, l'enveloppant de mes paroles.

— L'histoire se termine-t-elle tristement ? demandai-je. Tous les protagonistes se retrouvent devant la cour impériale afin de présenter leur requête à l'empereur.

Après avoir fait un tour complet, je m'immobilisai et le fixai droit dans les yeux, avant de reprendre mon manège, en effleurant cette fois-ci son torse du bout de la branche de saule.

— Le grand Tang Xianzu nous montre ainsi comment les hommes peuvent être limités par le *li*. (Je parlai délibérément à voix basse, afin que mon poète tende l'oreille.) Lorsqu'il se produit un événement aussi miraculeux, on ne peut plus s'en remettre à la raison. Le préfet exige alors que Liniang passe de multiples épreuves…

— Mais elle projette une ombre et laisse des empreintes en marchant sous les arbres en fleurs…

— C'est exact, murmurai-je. Elle répond aussi aux questions qu'on lui pose, concernant les Sept Émotions : la joie, la colère, le regret, la peur, l'amour, la haine et le désir.

— Vous-même, avez-vous déjà connu ces émotions ?

Je m'immobilisai devant lui.

— Pas toutes, répondis-je.

— La joie ? demanda-t-il en caressant ma joue avec la pivoine qu'il tenait à la main.

— Oui, ce matin même en me réveillant.

— La colère ?

— Je vous ai dit que je n'étais pas parfaite, répondis-je en sentant les pétales descendre le long de mon cou.

— Le regret ?

— Tous les ans, pour l'anniversaire de la mort de ma grand-mère.

— Mais cela ne vous concerne pas personnellement, dit-il en laissant glisser la fleur sur mon bras. Et la peur ?

Je pensai à celle que j'éprouvais en ce moment, mais je répondis :

— Jamais.

— Bien. (La pivoine avait atteint mon poignet.) Et l'amour ? reprit-il.

Je ne répondis pas, mais le contact de la fleur sur ma peau me fit frissonner. Il sourit et poursuivit :

— La haine ?

Je hochai négativement la tête. Nous savions l'un et l'autre que j'étais trop jeune pour avoir éprouvé un sentiment pareil.

— Il n'en reste plus qu'un, dit-il.

Il fit remonter la pivoine le long de mon bras, avant de la soulever pour atteindre un point bien précis, juste sous mon oreille. Puis la fleur redescendit le long de mon cou, jusqu'au bouton qui retenait mon col.

— Le désir ? reprit-il.

J'avais suspendu mon souffle.

— Je lis la réponse sur votre visage, dit-il.

Il se pencha et me chuchota à l'oreille :

— Si nous étions mariés, nous ne perdrions pas de temps à boire du thé ni à faire la conversation. (Il se recula un peu et regarda le lac.) Je voudrais...

Sa voix s'était mise à trembler, ce qui eut l'air de le gêner. Il vivait cet instant aussi intensément que moi. Il s'éclaircit la gorge. Lorsqu'il reprit la parole, on aurait dit que rien ne s'était passé entre nous :

— J'aimerais que vous puissiez voir ma demeure. Elle se trouve juste en face, de l'autre côté du lac, sur le mont Wushan.

— N'est-ce pas cette éminence ? dis-je en désignant la colline qui se profilait.

— C'est bien elle, en effet, mais l'île de la Solitude nous bouche un peu la vue. Ma maison est située juste derrière la pente de l'île. C'est dommage qu'on ne puisse pas la voir d'ici, vous auriez pu y porter vos regards par la suite et penser à moi.

— Peut-être pourrai-je l'apercevoir depuis la bibliothèque de mon père.

— Vous avez raison ! J'ai souvent retrouvé votre père là-bas pour parler de politique et je me souviens que ma maison était visible depuis ses fenêtres. Mais comment saurez-vous de laquelle il s'agit ?

Je n'avais pas les idées suffisamment claires pour trouver une solution à ce problème.

— Je vais vous la montrer, dit-il, et vous pourrez ainsi la reconnaître. Je vous promets de vous guetter tous les jours depuis là-bas.

J'acquiesçai. L'inconnu me conduisit sur la droite du pavillon, du côté le plus proche du rivage. Il me prit des mains la branche de saule et la posa à côté de la pivoine, sur la balustrade qu'il enjamba ensuite allègrement. Après avoir sauté, il grimpa sur un rocher et tendit les bras dans ma direction. Je compris alors qu'il attendait que je fasse de même.

— Donnez-moi la main, me dit-il.

— Je ne peux pas…

C'était la stricte vérité. J'avais déjà suffisamment enfreint les règles ce soir et il m'était impossible de le suivre. Je n'avais jamais mis les pieds en dehors de la propriété de la famille Chen. Sur ce point précis, mon père et ma mère se montraient aussi inflexibles l'un que l'autre.

— Ce n'est pas très loin, insista-t-il.

— Je ne suis jamais sortie du jardin, répondis-je. Ma mère dit que…

— Il est important d'écouter sa mère, mais…

— Je ne peux pas faire ça, répétai-je.

— Vous oubliez déjà la promesse que vous m'avez faite.

Je sentis ma volonté faiblir, comme ma cousine Fleur de Genêt devant un plateau de spécialités à la vapeur.

— Vous ne serez pas la seule à sortir ce soir. Je connais beaucoup de jeunes femmes qui sont allées se promener en barque sur le lac.

— Oui, dis-je d'un air méprisant. Des femmes qui travaillent dans les maisons de thé…

— Absolument pas, répondit-il. Je vous parle de personnes distinguées, membres de plusieurs cercles littéraires et poétiques. Tout comme vous, elles ont eu envie de savoir ce qui se passait en dehors des jardins où elles étaient confinées. Après avoir quitté leurs appartements intérieurs, elles sont devenues des artistes de talent. C'est ce monde extérieur que je vous ferais découvrir si vous étiez ma femme.

Il se garda d'ajouter que ce rêve ne survivrait pas à la soirée.

Mais lorsqu'il tendit à nouveau les bras, je m'assis sur la balustrade et l'enjambai aussi délicatement que possible. Il m'aida ensuite à descendre et m'entraîna hors du cocon protecteur du jardin : nous partîmes sur la droite, le long des rochers qui bordaient le rivage. Ce que j'étais en train de faire était tout bonnement inqualifiable, mais curieusement il ne se passa rien d'extraordinaire : nous ne fûmes pas assaillis, aucun fantôme ne surgit de derrière un buisson pour nous effrayer ou nous mettre en pièces à cause de cette infraction.

L'inconnu me tenait par le coude, car certains rochers étaient couverts de mousse, et je sentais la chaleur de sa main à travers l'étoffe de ma manche.

L'air chaud soulevait doucement ma jupe, comme une aile de cigale agitée par le vent. J'étais *dehors*. Je voyais des choses jusqu'alors inconnues de moi. Çà et là, des branches s'étendaient par-dessus le mur d'enceinte, comme pour épier ce qui se passait à l'intérieur de notre propriété. Des saules pleureurs se dressaient sur la berge, effleurant de leurs branches nonchalantes la surface du lac. Je frôlais des rosiers sauvages qui poussaient sur la rive et dont les effluves imprégnaient mes cheveux, mes vêtements, ma peau. Des sentiments violents se bousculaient en moi : la peur d'être surprise, la joie d'entrevoir le monde extérieur, l'amour pour celui qui m'avait entraînée jusqu'ici.

Nous fîmes enfin halte. J'aurais été incapable de dire depuis combien de temps nous marchions.

— Ma maison est ici, dit-il en désignant un point de l'autre côté du lac, derrière le pavillon récemment construit sur l'île de la Solitude que j'avais aperçu depuis la bibliothèque de mon père. Il y a un temple sur la colline, qui est éclairé ce soir par des torches. Vous le voyez ? Les moines ouvrent leurs portes à chaque grande occasion. Ma maison se trouve juste au-dessus, légèrement sur la gauche.

— Je la vois, dis-je.

Il n'y avait qu'un mince croissant de lune dans le ciel, mais il suffisait à éclairer le chemin aérien qui menait à la demeure de mon inconnu, par-delà les eaux du lac. On aurait dit que les cieux eux-mêmes étaient avec nous, nous invitant à partager cet instant.

Je fus brusquement tirée de ma rêverie par une sensation plus terre à terre : mes chaussons étaient trempés et je sentais que l'humidité commençait à gagner ma jupe. Je fis un pas en arrière pour m'écarter de la berge, ce qui provoqua des rides à la surface de l'eau : j'imaginais ces vaguelettes en train de s'étendre sur le lac, faisant osciller les barques des amoureux et atteignant les contreforts des pavillons où de jeunes époux étaient venus chercher refuge, pour échapper aux regards de leurs domestiques.

— Vous aimeriez ma demeure, reprit mon inconnu. Nous avons un jardin splendide – certes moins vaste que le vôtre – muni d'une petite éminence rocheuse et d'un pavillon d'où contempler la lune, ainsi que d'un bassin et d'un prunier dont les fleurs au printemps embaument toute la propriété. Chaque fois que je le verrai, je penserai à vous désormais.

J'aurais voulu passer ma nuit de noces avec cet homme. Et j'aurais voulu que cela ait lieu maintenant. Je rougis et baissai les yeux. Lorsque je relevai la tête, il me fixa droit dans les yeux. Je compris qu'il désirait la même chose que moi. Puis le charme se rompit.

— Il faut songer à rentrer, dit-il.

Il me poussait à hâter le pas, mais mes chaussons étaient devenus glissants et je ne pouvais pas aller vite. Tandis que nous nous rapprochions de la propriété, je perçus plus distinctement les échos de l'opéra. Les cris de douleur de Mengmei, torturé et battu par les gardes du préfet Du, m'apprirent que nous approchions de la fin.

L'inconnu me souleva et m'aida à reprendre pied dans le pavillon de la Contemplation lunaire. Tout allait s'achever. Demain, je retournerais à mes préparatifs de mariage et lui aux siens – quels qu'ils puissent être, dans le cas d'un garçon.

— J'ai aimé la discussion que nous avons eue au sujet de cet opéra, me dit-il.

Ce n'était sans doute pas la déclaration la plus romantique qu'un homme puisse faire à une femme, mais elle m'alla droit au cœur, car elle prouvait qu'il se souciait autant de la littérature que du monde intérieur des femmes – et que mon opinion lui importait vraiment.

Il saisit la branche de saule et me la tendit.

— Gardez-la, me dit-il, pour vous souvenir de moi.

— Et la pivoine ? demandai-je.

— Elle sera toujours à mes côtés.

Je souris intérieurement, sachant que nous partagions le même nom, la fleur et moi.

Il approcha ses lèvres de mon visage et lorsqu'il parla, sa voix tremblait d'émotion :

— Nous avons eu trois nuits de bonheur, dit-il. C'est plus que n'en connaissent la plupart des époux, toute leur vie durant. Je ne les oublierai jamais.

Je me mordis la lèvre pour ne pas pleurer et fis demi-tour. Je rejoignis seule la partie principale du jardin, en faisant halte près du bassin pour glisser la branche de saule à l'intérieur de ma tunique. Ce ne fut qu'en entendant le préfet Du accuser sa fille – qu'on avait amenée devant lui – d'être une infâme créature émanée de l'empire des morts que je me rappelai l'état de ma jupe et de mes chaussons. Il allait falloir que je passe discrètement dans ma chambre afin de me changer.

— Ah, tu es là ! s'exclama Fleur de Genêt en surgissant au beau milieu des ténèbres. Ta mère m'a envoyée à ta recherche.

— Il fallait que… J'avais besoin… (Je pensai à Branche de Saule, qui avait tenu le rôle de Saveur de Printemps le premier soir.)… d'utiliser le pot de chambre, ajoutai-je.

Ma cousine sourit d'un air entendu.

— Je suis passée dans ta chambre. Tu n'y étais pas.

M'ayant prise en flagrant délit de mensonge, Fleur de Genêt me dévisagea d'un air soupçonneux. Mais je vis son sourire s'élargir à mesure que son regard descendait, découvrant mes bandages et mes chaussons maculés sous le bord trempé de ma jupe. Elle adopta une mine réjouie, glissa affectueusement son bras sous le mien et me dit d'une voix enjouée :

— L'opéra est presque terminé. Tu ne vas tout de même pas rater la fin.

Le bonheur que j'éprouvais me procurait une telle sensation de légèreté que je crus sincèrement qu'elle voulait m'aider. La force insoupçonnée qui s'était éveillée en moi, me donnant le courage de franchir la balustrade de notre pavillon, s'était déjà retirée dans les profondeurs de mon être : au lieu d'abandonner Fleur de Genêt pour regagner mon coussin, à l'arrière de l'assistance, je la laissai au contraire m'entraîner jusqu'au premier rang, en proie à un absurde sentiment d'invincibilité : je traversai ainsi l'assemblée des femmes et passai juste à côté de ma mère avant de m'asseoir entre ma cousine et la petite Ze, devant le paravent dont l'interstice me permettait d'apercevoir la scène.

Je parcourus des yeux l'assemblée des hommes et finis par apercevoir mon poète, assis à côté de mon père. Au bout de plusieurs minutes, je fis un effort et détournai les yeux pour suivre ce qui se passait sur scène. L'empereur essayait de réconcilier les deux factions. Des édits étaient proclamés, des faveurs étaient octroyées. Les deux jeunes amants étaient enfin réunis – il s'agissait donc bien d'un heureux dénouement – et pourtant, rien n'avait permis ni ne permettrait jamais la réconciliation du préfet Du et de sa fille.

De l'autre côté du paravent, les hommes se levèrent et applaudirent, en poussant des cris enthousiastes. De notre côté, les femmes approuvèrent avec davantage de calme la justesse de cette conclusion.

Comme le premier soir, mon père monta ensuite sur la scène. Il remercia l'ensemble des invités d'avoir bien voulu honorer de leur présence notre modeste demeure pour assister à cette indigne production. Il remercia également la troupe des acteurs et les membres de notre personnel qui avaient participé au spectacle.

— Cette soirée est vouée à l'amour et au hasard, dit-il ensuite. Nous venons de voir comment s'était terminée l'histoire de Liniang et Mengmei. Et nous savons ce qu'il en sera de la Tisserande et du Bouvier au terme de cette nuit. Mais je puis d'ores et déjà vous donner un aperçu d'une autre histoire d'amour.

De toute évidence, mon père se préparait à faire une annonce concernant mon mariage... Je vis mon poète baisser la tête. Il ne voulait pas en entendre parler lui non plus.

— Certains parmi vous savent déjà que mon futur gendre est également l'un de mes meilleurs amis, poursuivit papa. Je connais Wu Ren depuis si longtemps que je le considère comme mon fils.

Voyant mon père tendre la main pour désigner l'homme que j'allais épouser, je fermai instinctivement les yeux. Trois jours plus tôt, j'aurais suivi son geste afin d'entrevoir mon futur époux : mais ce jour-là, je n'avais pas envie de briser le charme qui berçait mon cœur. Je voulais le laisser agir encore un peu en moi.

— C'est un honneur pour moi que Ren ait un tel amour du langage, poursuivait mon père. J'éprouve évidemment moins de fierté lorsqu'il me bat aux échecs.

La plupart des hommes s'esclaffèrent, comme il était prévisible. De notre côté, derrière le paravent, régnait le plus profond silence. Je sentais les regards désapprobateurs et dédaigneux des femmes, plantés comme autant d'épées dans mon dos. Je rouvris les yeux, jetai un coup d'œil à ma droite et aperçus Ze qui regardait, bouche bée, à travers l'interstice du paravent. Mon mari devait vraiment être hideux, pour qu'elle fasse une tête pareille !

— Beaucoup d'entre vous sont mes invités ce soir et n'ont donc jamais rencontré ma fille, continuait mon père. Mais ma famille est également présente et chacun ici connaît bien sûr Pivoine depuis sa tendre enfance. (S'adressant devant tous à mon futur mari, il déclara :) Je ne doute pas qu'elle sera pour vous une excellente épouse... en dehors d'un petit détail : son prénom a été malencontreusement choisi, puisque votre propre mère s'appelle Pivoine, elle aussi.

Mon père regardait l'assemblée des hommes mais s'adressait également à nous, derrière le paravent.

— À partir de maintenant, ma fille s'appellera Tong – ce qui signifie *semblable* – puisque son prénom était le même que celui de votre mère, mon jeune ami.

Je hochai la tête avec incrédulité. Papa venait de changer mon prénom, de manière irrévocable. J'étais devenue Tong – ce qui était on ne peut plus commun – et tout cela à cause de ma future belle-mère, que je n'avais pas encore rencontrée mais qui allait exercer jusqu'à sa mort son autorité sur moi. Mon père avait pris cette décision sans me demander mon avis et sans même m'en informer ! Mon poète avait raison : ces trois mémorables soirées allaient me soutenir jusqu'à la fin de mes jours. Mais la nuit n'était pas terminée et je ne voulais pas céder si vite au désespoir.

— Célébrons ensemble cette nuit de fête, conclut mon père en montrant de la main le paravent derrière lequel nous nous trouvions.

Les servantes nous escortèrent ensuite jusqu'au pavillon de L'Éclosion des Lotus. J'avais pris le bras de Branche de Saule et m'apprêtais à rejoindre en sa compagnie les appartements des femmes lorsque ma mère vint me trouver.

— Il semble que tu sois particulièrement à l'honneur ce soir, me dit-elle. (Mais la grâce de son expression ne pouvait masquer l'amertume qui imprégnait sa voix.) Branche de Saule, laisse-moi raccompagner ma fille dans sa chambre.

Branche de Saule me relâcha et ma mère me saisit par le bras. J'ignore comment elle faisait pour manifester autant de prestance – et une telle délicatesse – alors que ses ongles s'étaient plantés dans ma chair, à travers la soie de ma tunique. Les autres femmes s'écartèrent et laissèrent la maîtresse de maison ramener sa fille unique au pavillon de L'Éclosion des Lotus ; elles nous suivirent ensuite lentement, comme des écharpes soulevées par le vent. Elles ignoraient ce que j'avais pu faire, mais il était évident que j'étais allée là où je n'aurais pas dû : tout le monde voyait bien que j'avais les pieds trempés et les chaussons maculés de boue.

J'ignore ce qui me poussa à regarder derrière moi : mais en me retournant, j'aperçus la petite Ze, qui marchait à côté de Fleur de Genêt. Celle-ci arborait une expression de suffisance supérieure, mais Ze était trop jeune et trop inexpérimentée pour dissimuler ses émotions : elle serrait les dents, le visage écarlate, et tout son corps était raidi par une colère dont j'ignorais la cause.

Nous atteignîmes le pavillon de L'Éclosion des Lotus. Maman s'arrêta un instant, pour dire aux autres femmes de commencer à s'amuser sans elle : elle viendrait les rejoindre d'ici quelques instants. Puis, sans un mot de plus, elle me conduisit jusqu'à ma chambre, dans l'aile du bâtiment réservée aux jeunes filles sur le point de se marier. Elle ouvrit la porte et me poussa doucement à l'intérieur. Lorsqu'elle eut refermé le battant, je perçus un bruit que je n'avais jamais entendu jusqu'alors, comme si l'on avait gratté un morceau de métal. Ce ne fut qu'après avoir essayé d'ouvrir la porte pour voir de quoi il s'agissait que je compris ce qui se passait :

pour la première fois de sa vie, ma mère s'était servie de l'un de ses verrous et m'avait enfermée...

Le fait que maman soit en colère contre moi ne changeait rien aux paroles que mon poète m'avait chuchotées à l'oreille, et n'altérait en rien l'émoi qui m'étreignait encore, à l'endroit où sa pivoine m'avait effleurée. Je sortis la branche de saule qu'il m'avait donnée et la passai sur ma joue, avant de la ranger dans un tiroir. J'enlevai mes chaussons et mes bandages mouillés pour les remplacer par des propres. Depuis ma fenêtre, je ne voyais pas le pont céleste qui était censé réunir la Tisserande et le Bouvier, mais je percevais la fragrance des rosiers sauvages qui imprégnait encore mes cheveux.

Portes fermées, cœur ouvert

Par la suite, maman ne fit jamais la moindre allusion à mes chaussons maculés de boue. Une servante les avait emportés – ainsi que mes bandages et ma jupe – et je ne les revis pas. Au cours des longues semaines que dura ma réclusion, j'eus le temps de réfléchir à bien des choses. Au début, j'étais surtout un peu triste d'être confinée dans ma chambre et de n'avoir personne à qui parler. Branche de Saule elle-même ne faisait que de brèves apparitions, pour m'apporter mes repas et de l'eau pour ma toilette.

Je passais des heures devant ma fenêtre, mais la vue se limitait à la cour intérieure et au petit carré de ciel qui se découpait au-dessus. Je feuilletais mes différentes éditions du *Pavillon des Pivoines*. Je relisais en particulier la scène du « Rêve interrompu », en essayant de me représenter les actes auxquels Liniang et Mengmei avaient pu se livrer dans la grotte. Et je pensais sans cesse à mon bel inconnu. Les sentiments qui m'habitaient me coupaient l'appétit et m'embrouillaient l'esprit. Je me demandais sans cesse comment j'allais réussir à dissimuler mes émotions, lorsque cet enfermement aurait pris fin.

Un beau matin, une semaine après le début de ma réclusion, Branche de Saule ouvrit la porte, traversa la pièce à pas feutrés et déposa le plateau qui contenait du thé et un bol de potage de riz. Sa compagnie me manquait, ainsi que les attentions qu'elle avait toujours eues pour moi – que ce soit pour me brosser les cheveux, laver et bander mes pieds ou me faire la conversation. Ces derniers jours, elle était toujours restée silencieuse en venant m'apporter mes repas. Mais aujourd'hui, son visage s'éclairait d'un sourire que je ne lui connaissais pas.

Elle me versa du thé, s'agenouilla et releva les yeux vers moi, en attendant visiblement que je l'interroge.

— Dis-moi donc ce qui se passe, lui lançai-je.

Je pensais qu'elle allait m'annoncer que ma mère avait enfin décidé de me rendre ma liberté. Ou du moins, qu'elle avait autorisé Branche de Saule à me tenir de nouveau compagnie. Mais j'étais loin du compte…

— Lorsque maître Chen m'avait demandé de tenir le rôle de Saveur de Printemps dans cet opéra, commença-t-elle, j'avais accepté en me disant qu'un homme dans l'assistance me remarquerait peut-être, en parlerait à votre père et lui proposerait de me racheter, ce qui me permettrait d'entrer au service d'une autre maison. Une offre de ce genre lui a été faite hier soir, ajouta-t-elle les yeux brillants de joie, et votre père l'a acceptée. Je quitterai votre demeure cet après-midi.

Si Branche de Saule m'avait giflée, je n'aurais pas été plus stupéfaite. Jamais je n'aurais soupçonné, ni même imaginé un pareil retournement.

— Mais tu m'appartiens ! m'exclamai-je.

— Pour être tout à fait exacte, j'étais jusqu'à hier soir la propriété de votre père. Aujourd'hui, j'entre au service de maître Quon.

Le sourire dont elle accompagna cette déclaration éveilla brusquement ma colère.

— Mais tu ne vas pas partir de la sorte ! lançai-je. Tu ne peux pas vouloir une chose pareille !

Voyant qu'elle ne réagissait pas, je compris que telle était bel et bien sa volonté. Mais comment était-ce possible ? Elle était ma servante et ma compagne. Je ne m'étais jamais interrogée sur ses origines ni sur les circonstances qui l'avaient amenée à mon service, mais j'avais toujours pensé qu'elle m'appartenait. Elle faisait partie de mon environnement, au même titre que mon pot de chambre. Elle était couchée à mes pieds lorsque je m'endormais et c'était elle que j'apercevais la première en me réveillant le matin : elle mettait en route le brasero et faisait chauffer l'eau pour ma toilette avant même que j'aie ouvert les yeux. J'avais pensé qu'elle m'accompagnerait dans mon nouveau foyer, après mon mariage. Qu'elle m'assisterait lorsque je serais enceinte et mettrais des enfants au monde. Étant donné que nous avions le même âge, j'avais cru – non sans naïveté – qu'elle resterait à mes côtés jusqu'à la fin de mes jours.

— Tous les soirs, une fois que vous étiez endormie, confessa-t-elle, je m'étendais sur le sol et j'étouffais mes sanglots dans mon mouchoir. Cela fait des années que j'espère en secret que votre père me vende. Si j'ai de la chance, mon nouveau propriétaire fera peut-être de moi sa concubine. (Elle marqua une pause, avant d'ajouter d'un air pragmatique :) Sa deuxième, sa troisième ou sa quatrième concubine.

J'étais profondément choquée par le fait que ma servante ait pu nourrir ce genre de pensées. Elle était bien plus avancée et plus audacieuse que moi ! Elle était, il est vrai, originaire du monde qui s'étendait au-delà de notre jardin, sur lequel je n'avais jamais songé à l'interroger mais qui m'intriguait tant désormais.

— Comment peux-tu me faire une chose pareille ? demandai-je. Tu n'as donc aucune gratitude ?

Son sourire s'effaça. Elle ne répondit pas. Était-ce parce qu'elle ne le souhaitait pas ou parce qu'elle ne s'y sentait plus obligée ?

— Je suis reconnaissante à votre famille de m'avoir accueillie, reconnut-elle enfin.

Elle avait un joli visage, mais je me rendis compte à cet instant précis qu'elle ne m'aimait pas. Sans doute même me détestait-elle depuis des années.

— À présent, reprit-elle, une autre existence s'offre à moi, en tant que « cheval d'appoint ».

J'avais déjà entendu l'expression, mais m'abstins de lui dire que je n'en saisissais pas exactement le sens.

— Ma famille est originaire de Yangzhou, la ville où est morte votre grand-mère, poursuivit-elle. Comme tant d'autres, les tragiques événements la frappèrent cruellement. Les vieilles femmes furent massacrées, en même temps que les hommes. Les autres, dont ma mère, furent vendues comme du bétail ou du poisson salé – c'est-à-dire au kilo. Le nouveau propriétaire de ma mère était un commerçant. Il avait déjà vendu avant moi trois autres de ses filles. Depuis lors, j'ai été balayée dans la vie comme un fétu par le vent.

Je l'écoutais avec attention.

— Chez les marchands de « chevaux d'appoint », on m'a bandé les pieds et appris à lire, à chanter, à broder et à jouer de la flûte. Sous cet angle, ma vie en ce temps-là ressemblait un peu à la vôtre. Mais d'un autre côté, elle était très différente. Ces gens élevaient des filles comme d'autres sèment à travers champs. (Elle baissa la tête et me jeta un regard furtif.) Le printemps passa, l'automne arriva. Ils auraient pu me garder en attendant que j'aie l'âge d'être vendue pour le plaisir, mais les cours du marché avaient chuté. Les marchands durent donc se débarrasser d'une partie de leur stock. Un beau matin, ils me firent enfiler une tunique rouge, me poudrèrent le visage et m'emmenèrent au marché. Votre père examina mes dents, soupesa mes pieds entre ses mains, flatta mes hanches…

— Jamais il ne ferait une chose pareille ! m'exclamai-je.

— Ce fut pourtant le cas et je puis vous assurer que j'étais rouge de honte. Il m'acheta pour quelques pièces d'étoffe. Ces dernières années, j'avais espéré qu'il ferait de moi sa quatrième concubine et que je mettrais au monde le fils que votre mère et les autres n'avaient pas réussi à lui donner.

À cette pensée, mon estomac se noua.

— Je vais m'établir aujourd'hui chez mon troisième propriétaire, reprit-elle d'un air détaché. Votre père m'a échangée contre un cochon et une petite somme d'argent. Il a fait une bonne affaire et il en est satisfait.

Contre un cochon ? On devait également en offrir un à mon père, parmi d'autres cadeaux, le jour de mon mariage. Nous n'étions peut-être pas si différentes que ça, Branche de Saule et moi. En tout cas, nous n'avions ni l'une ni l'autre notre mot à dire, concernant l'avenir qui nous attendait.

— Je suis jeune, poursuivit Branche de Saule, et je peux encore changer de mains, si je ne donne pas de fils à mon nouveau maître ou ne parviens plus à le faire sourire. Le marchand de « chevaux d'appoint » m'avait expliqué qu'un homme achète une concubine un peu comme on étend son jardin. Certains arbres donnent des fruits, d'autres de l'ombrage, d'autres enfin sont simplement là pour le plaisir des yeux. J'espère que mes racines prendront, cette fois-ci, et qu'on ne me revendra pas.

— Tu es comme Xiaoqing, lui dis-je, éberluée.

— Je ne possède ni sa beauté, ni son talent, mais j'espère connaître un meilleur sort que le sien. Et ne pas renaître à Yangzhou, dans ma prochaine existence.

Pour la première fois, je compris que l'existence que je menais dans notre propriété ne ressemblait en rien à celle des jeunes filles du monde extérieur – où il se passait apparemment des choses affreuses. C'était là un secret qu'on m'avait caché et j'en étais aussi soulagée qu'intriguée. Ma grand-mère avait affronté cet univers et on lui vouait aujourd'hui un culte, comme à une martyre. Branche de Saule provenait de ce monde et son avenir était au fond semblable au mien : rendre heureuse l'homme auquel elle allait être unie, lui donner des fils et s'illustrer dans la pratique des Quatre Vertus.

— Je m'en vais donc, lança-t-elle abruptement, en se relevant.

— Attends...

Je me levai à mon tour et me dirigeai vers une armoire, dont j'ouvris un tiroir. Je farfouillai parmi mes bijoux, à la recherche d'un objet qui ne soit ni trop ordinaire, ni trop extravagant. Je me décidai finalement pour une épingle à cheveux d'un bleu profond, en plumes de martin-pêcheur : sa forme évoquait un phénix qui prenait son envol, déployant sa queue derrière lui. Je l'offris à Branche de Saule.

— Porte-la pour rencontrer ton nouveau propriétaire, ajoutai-je.

— Merci, se contenta-t-elle de dire avant de quitter la pièce.

À peine deux minutes plus tard, Shao, ma vieille nourrice – et l'aînée de nos *amah* – se présenta à son tour dans ma chambre.

— C'est moi qui m'occuperai désormais de toi, me dit-elle.

On n'aurait pas pu m'annoncer plus terrible nouvelle.

Ma mère avait pris une décision à mon sujet et Shao – qui partageait désormais ma chambre – était là pour s'assurer du bon déroulement de ses plans.

— Tong, me dit-elle, il faut maintenant que tu te prépares à ton prochain mariage. Rien d'autre ne doit compter à tes yeux.

En l'entendant prononcer mon nouveau prénom, je ressentis un frisson de désespoir. Ma place dans le monde avait toujours été strictement codifiée. En changeant de nom, je quittais déjà mon statut de fille pour passer à celui d'épouse et de belle-fille.

Au cours des semaines suivantes, Shao m'apporta tous les jours mes repas, mais mon angoisse était telle que mon estomac refusait toute nourriture et que je repoussais obstinément les plats. Au bout d'un certain temps, mon corps s'en ressentit : mes jupes glissaient le long de mes hanches au lieu d'être retenues à la taille et je flottais dans mes tuniques.

Pas une seule fois ma mère ne vint me voir.

— Tu l'as déçue, me répétait Shao à longueur de journée. Comment a-t-elle pu te mettre au monde ? On n'est jamais récompensé avec les filles, comme je le dis toujours.

J'avais lu beaucoup de livres, mais aux yeux de ma mère cela ne comptait pour rien. Son devoir consistait à me former de manière appropriée, afin que je fasse un bon mariage. Elle ne voulait plus me voir, mais elle m'envoyait tout de même des émissaires. Tous les matins, ma troisième tante débarquait juste avant l'aube pour m'apprendre à broder correctement.

— Fini les points maladroits ou approximatifs, me disait-elle d'une voix qui tintait comme de la cornaline.

Si je me trompais, elle m'obligeait à défaire mon ouvrage et à tout recommencer. N'ayant pas d'autre occupation, et houspillée de la sorte par ma tante, je ne tardai pas à faire des progrès. Mais à chaque nouveau coup d'aiguille, j'avais une pensée pour mon poète.

À peine avait-elle quitté ma chambre que Shao faisait entrer ma deuxième tante, venue me donner sa leçon de cithare. En dépit de sa réputation d'indulgence, elle se montrait d'une grande sévérité à mon égard. Dès que je me trompais en pinçant une corde, elle frappait mes doigts avec une canne en bambou. Mes progrès s'avérèrent étonnamment rapides et je jouai bientôt de la cithare avec dextérité. J'imaginais que chacune de mes notes s'envolait par la fenêtre et traversait le lac pour aller rejoindre la maison de mon poète : la mélodie me rappellerait à son souvenir, comme elle m'évoquait le sien.

En fin d'après-midi, tandis que les couleurs du soir embrasaient le ciel à l'ouest, ma quatrième tante – qui était veuve et sans enfant – venait m'enseigner les règles du jeu des nuages et de la pluie.

— La plus grande force d'une femme réside dans le fait de mettre des garçons au monde, me disait-elle. Cela peut lui donner un grand pouvoir, mais aussi lui en retirer. Si tu offres un fils à ton mari, tu l'empêcheras peut-être d'aller fréquenter les maisons de plaisir au bord du lac ou de prendre des concubines. Souviens-toi : la pureté d'une femme croît à la mesure de sa réclusion. C'est pour cette raison que tu es confinée ici.

Je l'écoutais attentivement, mais elle ne me révélait strictement rien au sujet de ce qui m'attendait le soir de ma nuit de noces. Ni de quelle manière j'allais pouvoir participer au jeu des nuages et de la pluie avec quelqu'un que je n'aimais et ne connaissais même pas. J'appréhendais les heures qui devaient aboutir à ce fatal instant : ma mère, mes tantes et mes cousines m'aidant à revêtir mes habits de mariage ; les cinq graines et le cœur d'un porc qu'elles auraient cousus dans l'un de mes jupons ; les larmes de toute la famille lorsque je quitterais la maison pour rejoindre le palanquin ; le moment où j'allais franchir le seuil de la demeure des Wu et laisserais tomber au sol ce jupon propitiatoire, pour assurer au plus tôt la naissance d'un fils ; l'instant enfin où je serais conduite jusqu'à la chambre nuptiale. Ces pensées, qui me plongeaient jadis dans un sentiment de joyeuse expectative, me donnaient aujourd'hui envie de prendre la fuite. Le fait qu'il m'était impossible d'échapper à mon destin ne faisait que rendre la situation plus insupportable.

Après le dîner, ma cinquième tante prenait sur son temps de loisir dans les appartements des femmes pour m'aider à améliorer ma calligraphie.

— L'écriture est une invention du monde extérieur, réservée aux hommes, me disait-elle. Il s'agit d'un acte ou d'une pratique publique que nous devons donc éviter, en tant que femmes. Mais tu dois néanmoins l'apprendre, de manière à pouvoir aider ton fils lorsqu'il entreprendra ses études.

Nous remplissions des pages entières, recopiant des poèmes du *Livre des odes*, des exercices tirés de *La Bataille des pinceaux* et des leçons du *Classique à l'usage des femmes*, jusqu'à ce que mes doigts soient barbouillés d'encre.

Hormis le fait de m'apprendre à manier le pinceau avec plus de dextérité, les leçons de ma cinquième tante s'avéraient d'une grande simplicité :

— Le mieux que tu puisses faire, me disait-elle, c'est de prendre modèle sur les anciens. La poésie a pour but de t'apporter la sérénité, non de corrompre ton esprit, tes sentiments ou tes pensées. Sois toujours présentable, parle avec douceur mais évite la gravité, lave-toi avec soin, aie toujours l'esprit apaisé. Si tu respectes ces principes, la vertu se lira constamment sur ton visage.

Je lui obéissais sagement, mais chacun de mes coups de pinceau était une caresse destinée à mon poète. À chaque nouveau trait d'encre, mes mains effleuraient sa peau. Chaque caractère tracé était offert à celui qui occupait toutes mes pensées.

Outre les visites de mes tantes, Shao était présente dans ma chambre, de jour comme de nuit. Comme Branche de Saule, elle dormait par terre, au pied de mon lit. Elle était là lorsque je me réveillais ou me servais du pot de chambre ; quand je prenais mes leçons ou m'étendais pour dormir. De mon côté, je l'entendais ronfler, péter, se racler la gorge ; je la voyais se gratter le derrière ou se curer les doigts de pied ; je supportais son souffle fétide et l'odeur de ses excréments. Mais à quelque activité qu'elle se livrât, elle n'en interrompait pas pour autant son discours lénifiant.

— Comme ta mère l'a bien vu dans ton cas, une femme qui en sait trop devient rebelle et indisciplinée. Tu t'évades en pensée des appartements intérieurs et cela risque de t'entraîner trop loin. Le danger règne dans le monde extérieur – ta mère veut que tu le comprennes. Oublie ce que tu as appris. Les *Instructions de la mère Wen* nous disent qu'une femme n'a besoin de connaître que quelques caractères, tels que *bois, riz, poisson* ou *viande*. Ces mots te seront utiles dans ta vie domestique. Le reste est aussi périlleux que pernicieux.

À mesure que les portes se fermaient autour de moi, mon cœur s'ouvrait de plus en plus. C'était une visite au cours d'un rêve dans le Pavillon des Pivoines qui avait suscité le « mal d'amour » de Liniang. Le mien m'était venu en me rendant dans les pavillons de la propriété familiale. Je n'avais aucune prise sur mes activités – pas plus que sur l'existence qui m'attendait auprès de ce Wu Ren – mais nul ne pouvait réprimer les sentiments qui m'habitaient. J'en suis venue à croire aujourd'hui qu'une partie de ce mal d'amour naît du conflit entre le désir que nous éprouvons et la maîtrise qu'on attend de nous. Quand nous aimons, nous ne maîtrisons rien : notre cœur et notre esprit sont tourmentés, déchirés – attisés et attirés par le pouvoir stupéfiant des émotions qui tendent à nous faire oublier le monde réel. Mais celui-ci n'en existe pas moins. Ainsi, en tant que femmes, nous devons rendre nos maris heureux – en étant de bonnes épouses, en portant leurs fils, en dirigeant correctement leur maison – mais aussi rester séduisantes, afin qu'ils n'aillent pas folâtrer avec leurs concubines. Nous ne naissons pas équipées de pied en cap de ces divers talents : ce sont d'autres femmes qui nous les enseignent. Et c'est à travers leurs leçons, leurs aphorismes et leurs recettes que nous sommes peu à peu façonnées… mais aussi contrôlées, à notre tour.

Ma mère me contrôlait à travers les instructions qu'elle donnait à mon sujet, même si elle refusait de me voir. Mes tantes me contrôlaient à travers leurs leçons. Ma future belle-mère me contrôlerait après mon mariage. Toutes ces femmes se seraient donc relayées pour contrôler chaque minute de mon existence, depuis l'instant de ma naissance jusqu'à mon dernier souffle.

Et pourtant, j'échappais à leur volonté de contrôle. Mon poète était constamment présent dans mes pensées – derrière chaque point de broderie, chaque pincement de corde, chaque commentaire didactique recopié avec soin. Je le sentais de toutes parts en moi – dans mes cheveux, dans mes yeux, dans mes doigts, dans mon cœur… Je rêvais de lui à longueur de journée, me demandant ce qu'il était en train de faire, de voir, d'éprouver. Sa seule évocation m'empêchait d'avaler la moindre bouchée. Chaque fois que le parfum des fleurs parvenait jusqu'à moi, à travers la fenêtre, les émotions se bousculaient en moi. À quoi rêvait-il, de son côté ?

À une épouse traditionnelle, ou à une femme moins conventionnelle, comme celle dont il m'avait parlé le soir où nous nous étions retrouvés dans le pavillon de la Contemplation lunaire ? Sa future épouse lui apporterait-elle ce qu'il attendait ? Et moi ? Qu'allait-il m'arriver à présent ?

La nuit, alors que le clair de lune projetait l'ombre des feuilles de bambou sur la soie de mon couvre-lit, je remâchais ces sombres pensées. Je me levais parfois, enjambais le corps de Shao couchée en travers du sol et allais chercher dans son tiroir secret la branche de saule que mon poète m'avait offerte avant que nous nous séparions. Au fil des semaines, les feuilles tombèrent l'une après l'autre et il ne resta finalement plus que la branche. Mon pauvre petit cœur en fut empreint de tristesse.

Le temps aidant, je me perfectionnai peu à peu en cithare, m'améliorai en broderie et finis par assimiler les règles qu'on m'inculquait. Au bout de deux mois de réclusion, ma troisième tante m'annonça que je pouvais désormais préparer la paire de chaussons destinée à ma future belle-mère.

Chaque future épouse doit en offrir une, en signe de respect, mais je redoutais depuis des lustres cette obligation, sachant que mon peu de talent dans les travaux d'aiguille révélerait aussitôt mes lacunes. Ces craintes étaient aujourd'hui accrues. Certes, je n'allais plus me ridiculiser ni couvrir ma famille de honte en raison de mes piètres broderies, mais je n'éprouvais aucun sentiment à l'égard de cette femme, ni la moindre envie de l'impressionner. J'essayai de m'imaginer qu'il s'agissait de la mère de mon poète. Que pouvais-je faire d'autre, pour lutter contre la détresse que je ressentais ? Ma belle-mère portait le même prénom que moi : Pivoine – aussi intégrai-je cette fleur, la plus difficile de toutes à représenter, dans le motif de ma broderie. Je passai des heures sur chaque feuille et sur chaque pétale, mais au bout d'un mois les chaussons étaient terminés. Je les montrai alors à ma troisième tante.

— Ils sont parfaits, me dit-elle.

Et elle le pensait vraiment. Je n'avais pas glissé quelques-uns de mes cheveux parmi les fils de soie, comme c'était l'usage, mais à ce détail près ils remplissaient tous les critères et étaient en effet superbes.

— Tu peux les emballer, ajouta-t-elle.

Le neuvième jour du neuvième mois, au cours duquel nous commémorons le souvenir de la Dame Pourpre – maltraitée par sa belle-mère au point de s'être pendue dans les latrines qu'on l'obligeait à nettoyer tous les jours –, la porte de ma chambre s'ouvrit et ma mère fit son entrée. Je m'inclinai profondément pour lui témoigner mon respect avant de m'immobiliser, les mains jointes et les yeux baissés.

— Oh ! Mais tu es…

Il y avait une telle surprise dans sa voix que je relevai les yeux. Elle devait être furieuse contre moi car elle paraissait vraiment choquée. Mais elle maîtrisait depuis longtemps l'art de dissimuler ses sentiments et ses traits retrouvèrent aussitôt leur impassibilité.

— Tes derniers cadeaux de future mariée viennent d'arriver, dit-elle. Peut-être aimerais-tu les voir avant qu'on ne les range. Mais j'espère que tu…

— Ne t'inquiète pas, maman. J'ai changé.

— Je vois ça, dit-elle.

Mais, cette fois encore, il n'y avait pas une once de satisfaction dans sa voix. Elle paraissait plutôt soucieuse.

— Suis-moi, me dit-elle. Tu viendras prendre le repas du matin avec nous après y avoir jeté un coup d'œil.

Je quittai ma chambre empreinte d'un terrible sentiment de solitude, à peine tempéré par l'amour inébranlable que j'éprouvais pour mon poète. Mais j'avais appris à canaliser ma tristesse et me contentai de soupirer.

Je suivis ma mère à une distance respectable jusqu'au hall d'accueil de notre demeure. Mes cadeaux de future mariée avaient été livrés dans des coffres laqués qui me firent penser à des cercueils de verre. Ma famille avait eu droit aux présents habituels : pièces de satin et de soie, bijoux et objets en or, porcelaines et céramiques, jarres de vin et porc laqué, accompagnés de spécialités à la vapeur. Certains de ces objets m'étaient destinés, mais la plupart allaient rejoindre les coffres de mon père. Mes oncles avaient reçu quant à eux d'importantes sommes d'argent. J'avais devant moi la preuve tangible que mon mariage allait bientôt avoir lieu et je dus serrer les dents pour retenir mes larmes. Une fois mes émotions maîtrisées, j'affichai un sourire placide. J'avais enfin quitté ma chambre et ma mère allait être à l'affût de mes moindres écarts de conduite. La prudence s'imposait.

Mes yeux se posèrent soudain sur un paquet enveloppé de soie rouge. Je regardai ma mère et elle acquiesça de la tête pour me signifier que j'avais le droit de l'ouvrir. J'écartai les plis de l'étoffe et découvris à l'intérieur une édition en deux volumes du *Pavillon des Pivoines*, la seule que je ne possédais pas – celle que Tang Xiangzu avait imprimée lui-même. Je dépliai le billet qui l'accompagnait : *Chère Tong, j'attends le moment où nous boirons le thé ensemble, le soir, en parlant de cet opéra*. Le mot était signé par la belle-sœur de mon futur mari, qui vivait déjà au sein de la famille Wu. Mes cadeaux de future mariée respectaient parfaitement l'usage, mais celui-ci m'indiquait qu'il y avait au moins une personne avec laquelle je risquais de m'entendre au sein de cette maisonnée.

— Puis-je le garder ? demandai-je à ma mère.

Ses sourcils se froncèrent et je crus qu'elle allait refuser.

— Va le poser dans ta chambre et rejoins-nous dans le pavillon du Printemps, me dit-elle. Tu as besoin de manger.

Je serrai les deux volumes contre ma poitrine, rejoignis lentement ma chambre et les posai sur mon lit. Obéissant aux ordres de ma mère, je me dirigeai ensuite vers le pavillon du Printemps.

J'avais été enfermée pendant deux mois et je considérais d'un autre œil la pièce et ses occupantes. Il y avait toujours eu des tensions entre mes tantes, mes cousines et ma mère d'un côté, les concubines et leurs filles de l'autre – même si ces dernières n'assistaient pas au repas du matin. Mais après ma longue absence, je percevais en toile de fond des conflits auxquels je ne prêtais pas attention autrefois. Les femmes sont généralement enceintes au moins dix fois dans leur vie. Celles de la famille Chen étaient loin du compte – et lorsque c'était le cas, elles étaient apparemment incapables de concevoir des garçons. Cette absence de fils pesait sur l'ensemble de la maisonnée. Les concubines auraient dû venir à la rescousse de notre lignée mourante : mais nous avions beau les vêtir, les loger et les nourrir, aucune d'entre elles n'avait mis au monde un garçon. Même si elles n'étaient pas autorisées à partager notre repas du matin, elles n'en étaient pas moins présentes dans nos pensées.

Mes cousines avaient visiblement décidé d'adopter une autre attitude à mon égard. Fleur de Genêt, qui était largement responsable de ma réclusion, déposa dans mon assiette quelques spécialités à la vapeur, du bout de ses baguettes. Lotus me servit du thé et me tendit son bol de potage de riz, qu'elle avait agrémenté de ciboulette et de poisson séché. Mes tantes s'approchèrent de notre table, m'accueillant avec de grands sourires et m'encourageant à manger. Mais je n'avalai pas une seule bouchée. Je ne touchai même pas aux beignets sucrés fourrés aux haricots que Shao avait prélevés sur la table de ma mère.

Une fois le repas terminé, nous gagnâmes le pavillon de L'Éclosion des Lotus. De petits groupes se formèrent, selon la nature des activités : broderie, peinture ou calligraphie – certaines se réunissant même pour lire de la poésie. Les concubines nous rejoignirent et vinrent me saluer, m'offrant des douceurs et me pinçant les joues pour me redonner des couleurs.

Seules deux des anciennes concubines de mon grand-père étaient encore en vie et elles étaient très âgées. La poudre dont elles couvraient leur visage ne faisait que souligner leurs rides. Et les peignes plantés dans leurs chevelures ne les rajeunissaient pas davantage. Elles avaient grossi, mais leurs pieds étaient restés aussi menus qu'au temps où mon grand-père les avait tenus dans ses mains lorsqu'il cherchait à se distraire.

— Tu ressembles de plus en plus à ta grand-mère, me dit l'ancienne favorite de mon grand-père.

— Tu as aussi bon caractère qu'elle, ajouta l'autre.

— Viens donc broder en notre compagnie, reprit la favorite. Ou choisis une autre activité, si tu préfères. Cela nous fera plaisir d'être à tes côtés, quelle que soit l'occupation qui te tente. Nous sommes comme des sœurs, dans cette pièce. Ta grand-mère insistait beaucoup sur ce point à l'époque où nous nous cachions pour échapper aux Mandchous, à Yangzhou.

— Elle veille sur ton avenir, depuis l'au-delà, dit l'autre avant d'ajouter d'une voix obséquieuse : Nous lui avons fait des offrandes pour qu'elle prenne soin de toi.

Après tant de semaines de solitude, ces propos feutrés et les conflits larvés dont ce pavillon était le théâtre – sous couvert de broderie, de calligraphie, voire de lecture poétique – me révélaient clairement le côté obscur du monde féminin, de la famille Chen. Les larmes me montaient aux yeux quand je songeais aux efforts que je devais faire pour écouter ces femmes tout en me protégeant de leur prétendue compassion – et pour admettre que la vie qui m'attendait risquait d'être semblable à la leur.

Mais je ne pouvais pas m'opposer à ma mère.

J'aurais voulu m'immerger dans mes propres sentiments, m'absorber dans mes rêveries amoureuses. Il m'était impossible d'échapper à ce mariage, mais peut-être pourrais-je m'en évader comme je l'avais fait dans ma maison natale : par la lecture, l'écriture et l'imagination. Je n'étais pas un homme et ne pourrais jamais rivaliser avec eux, en matière d'écriture. Je n'avais d'ailleurs pas la moindre envie de rédiger un essai comme ceux qui sont exigés pour les examens impériaux. Mais je disposais tout de même de certaines connaissances, acquises durant mon enfance, lorsque mon père me prenait sur ses genoux ou qu'il me poussait, par la suite, à lire les classiques et les recueils de poésie. La plupart des filles n'avaient aucune idée de ces choses – et je devais me servir de cet avantage, pour me tirer d'affaire. Je n'allais pas écrire des poèmes qui parlaient des fleurs et des papillons. Il fallait que je me fixe un projet qui non seulement ait du sens à mes yeux, mais qui soit susceptible de me soutenir pendant le reste de mon existence.

Il y a plus de mille ans, le poète Han Yun écrivait : « Tout ce qui est inapaisé finit par émettre un cri. » Il comparait le besoin qu'ont les hommes d'exprimer leurs sentiments à la force naturelle qui oblige les feuilles à bruire sous le vent, ou le métal à résonner lorsqu'on le frappe. Je sus brusquement ce qu'il fallait que je fasse. Mais à vrai dire, je m'y préparais depuis des années : le monde extérieur s'avérant inaccessible, j'avais passé mon temps à l'intérieur de moi-même, à me scruter sans relâche. Mon poète avait voulu connaître mon opinion au sujet des Sept Émotions : j'allais relever tous les passages qui illustraient ces dernières, dans *Le Pavillon des Pivoines*. Je m'appuierais pour cela sur ce que j'avais ressenti, et non sur ce que les critiques avaient observé ou sur l'opinion de mes tantes concernant l'une ou l'autre de ces émotions. Je terminerais ce travail à temps, avant mon mariage, et je pourrais ainsi me rendre dans la maison de Wu Ren avec quelque chose de tangible, qui me rappellerait à tout jamais les trois soirées d'amour inoubliables que j'avais passées en compagnie de mon poète. Ce projet serait ma planche de salut, pour les sombres années qui m'attendaient. Je serais peut-être cloîtrée dans la maison de mon mari, mais je me rendrais en esprit jusqu'au pavillon de la Contemplation lunaire afin d'y retrouver mon poète, sans crainte d'être dérangée. Mon poète n'aurait jamais connaissance de ce travail, mais je pourrais toujours m'imaginer en train d'en faire la lecture, étendue sur sa couche, le corps et le cœur mis à nu.

Je me levai brusquement et ma chaise racla le sol. Le bruit fit sursauter toutes les femmes et les jeunes filles de l'assemblée, qui tournèrent leurs yeux vers moi. Je voyais désormais transparaître la haine et la jalousie derrière leurs jolis visages, empreints d'une fausse sollicitude.

— Tong... lança ma mère en se servant de mon nouveau prénom.

J'avais l'impression qu'une colonie de fourmis grouillait à l'intérieur de ma tête. Je fis de mon mieux pour afficher une expression détendue.

— Maman, dis-je, puis-je aller voir papa dans la bibliothèque ?

— Il n'est pas ici. Il s'est rendu dans la capitale.

Cette nouvelle me causa un choc. Il n'était pas retourné là-bas depuis que les Mandchous avaient pris le pouvoir.

— Et même s'il y était, poursuivit ma mère, je ne t'autoriserais pas à aller le retrouver. Il a une mauvaise influence sur toi. Il estime qu'on peut raconter l'histoire de Xiaoqing à une jeune fille. Tu vois où cela t'a menée...

Elle disait cela devant l'ensemble des femmes de notre maison – tant son dédain à mon égard était grand.

— Le Cataclysme est passé, reprit-elle. Nous devons nous rappeler qui nous sommes : des femmes dont le rôle est de rester dans nos appartements intérieurs et non de vagabonder à travers les jardins.

— Je veux juste vérifier quelque chose, dis-je. S'il te plaît, maman, laisse-moi y aller... Je n'y resterai qu'un instant.

— Dans ce cas, je vais t'accompagner. Donne-moi le bras...

— Maman... Je me sens bien. Vraiment... Je serai vite de retour.

Chacun des mots ou presque que je prononçais constituait un mensonge, mais elle finit par me laisser partir.

Je quittai le pavillon de L'Éclosion des Lotus, le cœur léger, et déambulai le long des couloirs jusqu'à ce que je débouche à l'extérieur et puisse faire quelques pas dans le jardin. C'était le neuvième mois. Les fleurs avaient fané, leurs pétales étaient tombés. Les oiseaux avaient quitté les lieux pour des climats plus cléments. Alors que l'émotion du printemps était encore si forte en moi, il m'était douloureux de contempler un spectacle qui témoignait de la fragilité de la jeunesse, de la beauté et de la vie.

Arrivée au bord de notre bassin, je m'agenouillai afin de voir mon reflet à la surface vitreuse de l'eau. Le mal d'amour m'avait tiré les traits et avait rendu mon teint livide. Mon corps semblait avoir perdu de sa substance, comme s'il ne supportait même plus le poids de ma tunique. Mes bracelets d'or pendaient à mes poignets décharnés et mes épingles de jade paraissaient trop lourdes pour ma frêle silhouette. Mon poète m'aurait-il reconnue, s'il m'avait vue ainsi ?

Je me relevai, contemplai une dernière fois mon reflet et revins sur mes pas pour rejoindre la galerie. Je me rendis ensuite jusqu'au portail de notre propriété. Au cours des seize dernières années, j'étais venue bien des fois jusqu'ici, mais n'en avais jamais franchi le seuil : j'attendais pour cela le jour de mon mariage. Je caressais le battant de la main. Mon père m'avait un jour expliqué que ce portail nous protégeait à la fois du vent et du feu. Sa face extérieure était en bois massif et nous prémunissait contre toutes les intempéries, mais aussi contre les fantômes et les brigands qui, en le voyant, ne pouvaient soupçonner que notre maison recelait des objets de valeur. La face intérieure était recouverte quant à elle de dalles en pierre polie, qui nous protégeaient du feu ainsi que des esprits errants qui auraient voulu pénétrer dans notre jardin. En les touchant, on avait l'impression de sentir le *yin* froid de la terre. De là, je me rendis dans le hall des ancêtres où je fis des offrandes à ma grand-mère, allumant de l'encens et l'implorant de me donner des forces.

Je rejoignis enfin la bibliothèque de mon père. En pénétrant dans la pièce, je me rendis compte que mon père était absent depuis déjà un certain temps. Aucun effluve de tabac ni d'encens n'imprégnait l'atmosphère. Les plateaux sur lesquels on disposait de la glace en été avaient disparu, mais aucun brasero n'avait chassé la froidure de l'automne. Pardessus tout, l'énergie spirituelle de mon père avait déserté non seulement cette pièce, mais l'ensemble de notre demeure, je m'en apercevais à présent. C'était lui, le membre le plus important de la famille Chen. Comment avais-je pu ne pas ressentir son absence, même en étant confinée dans ma chambre ?

Je me dirigeai vers les étagères et choisis les meilleurs ouvrages de poésie, d'histoire, de mythologie et de religion que je pus dénicher. Il me fallut trois allers et retours successifs pour les transporter dans ma chambre. Je revins une dernière fois dans la bibliothèque et m'assis quelques minutes sur le bord du lit où papa se reposait pendant la journée, en me demandant si je n'avais pas besoin d'autre chose. Je pris encore trois volumes sur une pile qui traînait dans un coin, avant de quitter la pièce et de regagner ma chambre. Une fois à l'intérieur, je refermai la porte – cette fois-ci de mon propre chef.

Le jade qui vole en éclats

Je passai le mois suivant à éplucher mes douze éditions du *Pavillon des Pivoines*, puis à transcrire les notes que j'avais portées sur chacun de ces exemplaires dans les marges des deux volumes de l'édition originale que m'avait offerte ma future belle-sœur. Une fois ce travail terminé, je rassemblai autour de moi les livres de mon père et me plongeai dans leur étude. Au bout d'un autre mois, j'avais identifié tous les auteurs – à l'exception de trois d'entre eux – dont les textes avaient été pastichés dans le premier volume, ainsi que la plupart de ceux du second tome. Je ne cherchais pas à expliquer toutes les allusions, à faire des commentaires sur la musique ou la mise en scène, ni à comparer *Le Pavillon des Pivoines* à d'autres opéras. J'écrivais en caractères minuscules, insérant du mieux possible mes annotations entre les lignes du texte imprimé.

Je ne quittais plus ma chambre. J'autorisais Shao à me laver et à m'habiller, mais je refusais d'absorber la nourriture qu'elle m'apportait. Je n'avais pas faim. Le léger tournis que j'éprouvais parfois m'aidait, me semblait-il, à penser et à écrire avec plus de clarté. Lorsque mes tantes ou mes cousines me proposaient d'aller me promener dans le jardin, de boire du thé ou de partager avec elles des spécialités à la vapeur dans le pavillon du Printemps, je les remerciais avec grâce mais déclinais leur invitation. Ma mère n'approuvait pas mon attitude, ce qui n'était guère surprenant. Je ne lui avais pas révélé la nature de mon activité, pas plus qu'elle ne m'avait interrogée à ce sujet.

— Ce n'est pas en t'enfermant dans ta chambre avec les livres de ton père que tu apprendras à devenir une bonne épouse, me disait-elle. Viens plutôt partager nos repas dans le pavillon du Printemps. Écoute ce que disent tes tantes, tu sauras comment te comporter plus tard avec les concubines de ton mari et tu te perfectionneras dans l'art de la conversation.

On aurait dit que tout le monde voulait brusquement m'obliger à manger. Pourtant, des années durant, ma mère m'avait recommandé de ne pas suivre l'exemple de Fleur de Genêt, si je ne voulais pas grossir comme elle, et de manger le strict minimum afin d'être fine et svelte le jour de mon mariage. Mais comment avaler quoi que ce soit quand on est amoureuse ? Toutes les jeunes filles qui ont connu cet état savent de quoi je parle. Mon cœur battait tandis que je rêvais à mon poète et mon esprit était mobilisé par ce projet – qui, j'en étais sûre, me tiendrait lieu de talisman dans ma solitude, une fois mariée. Quant à mon estomac… ma foi, il était vide et cela m'était bien égal.

Je ne quittais plus guère mon lit. Le jour, j'étais plongée dans la lecture des deux volumes. Et le soir, je poursuivais mon étude à la lueur vacillante de la lampe à huile. Plus j'approfondissais ma connaissance de cet opéra, et plus je distinguais les mailles infimes dont Tang Xianzu avait tissé la trame de sa pièce. Je méditais sur les moments clefs, les présages et les digressions qui les émaillaient – et la manière dont le moindre mot, le moindre geste venait illuminer son motif central, unique sujet de mon obsession : l'amour.

Le prunier, par exemple, était un havre d'amour et de vie. C'était l'endroit où Liniang et Mengmei s'étaient rencontrés, où elle devait être enterrée et où il allait la ramener à la vie. Dans la toute première scène, Mengmei changeait de nom à cause d'un songe, prenant celui de Rêve de Prunier. Mais l'arbre évoquait aussi Liniang, car les fleurs de prunier sont délicates, d'une beauté éthérée et presque virginale. Quand une jeune fille est happée par le mariage, sa beauté s'envole et elle perd à tout jamais l'image romantique qu'elle incarnait jusqu'alors. Il lui reste de nombreuses obligations à remplir – mettre des fils au monde, honorer les ancêtres de son mari, devenir une chaste veuve – mais elle a déjà entamé l'inéluctable descente qui la conduira jusqu'à la mort.

Après avoir délayé de l'encre, j'inscrivis de ma plus belle écriture, dans la marge supérieure du premier volume :

La plupart de ceux qui se lamentent au sujet du printemps sont touchés par la chute des feuilles, comme je l'étais lors de mon dernier passage dans notre jardin. En voyant le tapis de pétales, Liniang comprend que sa jeunesse et sa beauté s'enfuient déjà. Elle ignore que sa vie est empreinte de la même fragilité.

Ce qui me fascinait depuis toujours, dans cet opéra, c'est qu'il dressait le portrait d'un amour romantique, à l'exact opposé des mariages arrangés où l'amour n'a pas la moindre part, dont j'entendais parler depuis toujours et dont relevait évidemment le mien. Pour moi, le *qing* était quelque chose de noble, la plus haute ambition que puisse nourrir un homme ou une femme. Même si mon expérience se limitait à ces trois soirées, à la lueur du croissant de lune, j'estimais que c'était cela qui donnait son sens à la vie.

> Tout commence avec l'amour. Pour Liniang, cela débute par sa découverte du jardin, que vient prolonger son rêve – et cela ne prend jamais fin.

Mengmei et le fantôme de Liniang se livraient au jeu des nuages et de la pluie. Mais ils étaient si sincères l'un et l'autre dans l'amour qu'ils se portaient – comme nous l'étions aussi, mon poète et moi – que cela dépassait la trivialité et la laideur qu'un tel acte peut présenter, entre un homme et une concubine.

> Leur amour est d'ordre divin. Liniang se comporte comme une grande dame.

En écrivant ces mots, je me revoyais lors de cette dernière soirée, dans le pavillon de la Contemplation lunaire.

Je parlais abondamment des rêves, au fil de ces notes – ceux de Liniang et de Mengmei, mais également les miens. Je songeais aussi à l'autoportrait de Liniang et le comparais à la tentative qui était la mienne, avec ce projet. Je notais en marge, de ma plus belle écriture :

> Une peinture est une forme sans ombre ni reflet, comme un rêve est une ombre ou un reflet sans forme. Une peinture est semblable à une ombre sans cadre. Elle est encore plus illusoire qu'un rêve.

Les ombres, les rêves, les reflets dans les miroirs et les plans d'eau, les souvenirs eux-mêmes sont fuyants, immatériels, mais sont-ils irréels pour autant ? À mes yeux, nullement. Je trempais mon pinceau dans l'encre et écrivais :

> Du Liniang cherchait le plaisir dans un rêve ; Liu Mengmei cherchait une compagne dans une peinture. Si l'on ne considère pas de telles choses comme des illusions, alors l'illusion peut devenir réelle.

Je travaillais tant et mangeais si peu que je doutais parfois d'avoir rencontré pour de bon un inconnu dans le pavillon de la Chevauchée céleste. Avions-nous vraiment marché le long du rivage, mon poète et moi ? Tout cela était-il réel – ou s'agissait-il d'un rêve ? Il fallait que ce soit réel, car j'allais bientôt épouser quelqu'un que je n'aimais pas.

> Quand Liniang se rend dans la bibliothèque, elle passe devant une fenêtre et a envie de s'envoler pour aller rejoindre son amoureux. Évidemment, elle a trop peur et n'ose pas le faire.

Des larmes me montaient aux yeux, coulaient le long de mes joues et s'écrasaient sur le papier tandis que je traçais ces mots.

Ces visions d'amour me consumaient. Le peu d'appétit que m'avait laissé ma première réclusion m'abandonna tout à fait. Xiaoqing se contentait de boire chaque jour un verre de jus de poire : je n'en avalais, moi, que quelques gorgées. Le fait de ne pas manger n'avait plus rien à voir avec l'idée de rester maître de mon existence. Cela ne concernait même plus mon poète, ni les sentiments amoureux dont j'étais consumée. Un sage a écrit jadis : *C'est seulement lorsque la souffrance a atteint son stade extrême que la poésie peut avoir quelque valeur*. La grande poétesse Gu Ruopo lui fait écho en affirmant : *Les lettrés graveront leur propre chair et sculpteront leurs os, voyant leur vie s'écouler et leurs cheveux blanchir tout en produisant parfois des vers mélancoliques et sombres*.

Je m'enfonçais dans un lieu très profondément enfoui en moi, où les choses de ce monde n'avaient plus cours et où régnait l'émotion pure : l'amour, le regret, le désir, l'espoir… J'étais assise sur mon lit, calée contre mes oreillers, vêtue de ma tunique préférée, où l'on voyait une paire de canards mandarins voler au-dessus des fleurs et des papillons – et je laissais mon esprit flotter jusqu'aux abords du Pavillon des Pivoines. Les rêves de Liniang avaient-ils compromis sa vertu ? Mes propres rêves et mon escapade dans le jardin avaient-ils entaché la mienne ? Avais-je perdu ma pureté, en rencontrant un inconnu et en acceptant qu'il m'effleure avec les pétales d'une pivoine ?

Tandis que j'écrivais avec fièvre, les préparatifs du mariage allaient bon train autour de moi. Une couturière vint un jour me faire essayer ma tenue de mariage et l'emporta pour la raccourcir. Un autre jour, ce fut maman qui débarqua avec mes tantes. J'étais couchée, mes livres étalés autour de moi sur le couvre-lit en soie. Elles affichaient toutes de larges sourires, mais je voyais bien que ce spectacle ne leur plaisait pas.

— Ton père vient de nous écrire de la capitale, dit maman de sa voix mélodieuse. Il reprendra ses fonctions auprès de l'empereur sitôt après ton mariage.

— Les Mandchous sont partis ? demandai-je, interloquée.

Était-il possible qu'il y ait eu un nouveau changement dynastique pendant ma réclusion ?

— Non, dit maman. Ton père va se mettre au service de l'empereur Qing.

— Mais papa est un loyaliste ! Comment peut-il…

— Tu ferais mieux de manger, m'interrompit ma mère. De te laver les cheveux, de te maquiller et de te préparer à l'accueillir dignement lorsqu'il sera de retour, comme une fille doit le faire. Il fait grandement honneur à notre famille et tu dois lui témoigner du respect. Maintenant, lève-toi !

Mais je restai couchée.

Ma mère quitta la pièce, tandis que mes tantes demeuraient auprès de moi. Elles essayèrent de me tirer du lit et de me mettre sur pied, mais j'étais aussi fuyante qu'une anguille entre leurs doigts. Et mes pensées étaient tout aussi insaisissables. Comment mon père pouvait-il se mettre au service de l'empereur alors qu'il était loyaliste ? Ma mère allait-elle quitter notre demeure et le rejoindre dans la capitale, comme elle l'avait suivi jadis à Yangzhou ?

Le lendemain, maman fit venir dans ma chambre le devin de la famille, en lui demandant ce qu'il convenait de faire pour rendre un peu de couleurs à mes joues, avant mon mariage.

— Avez-vous du thé de Longjing ? s'enquit-il. Faites-en infuser avec une racine de gingembre afin de lui raffermir l'estomac et de lui redonner des forces.

J'essayai bien d'en boire, mais cela ne servit à rien. Un simple courant d'air aurait suffi à me renverser. Même ma tenue de nuit semblait peser des tonnes sur mes frêles épaules.

J'eus également droit à une dizaine d'abricots encore verts – on en donne traditionnellement aux jeunes femmes qui perdent plus ou moins la boule – mais mes pensées étaient aux antipodes. Je me voyais mariée à mon poète et mangeant des prunes salées, enceinte de notre premier fils – ce remède étant réputé efficace contre les nausées du matin.

Le devin revint et aspergea du sang de porc tout autour de mon lit, afin de chasser les esprits qui ne pouvaient manquer, selon lui, de rôder dans la pièce. Une fois sa tâche terminée, il me dit :

— Si vous vous remettez à manger, votre teint et vos cheveux seront d'une beauté sans équivalent sur terre, le jour de votre mariage.

Mais épouser Wu Ren ne m'intéressait absolument pas et il m'était bien égal de manger pour le satisfaire. Cela avait d'ailleurs fort peu d'importance. Mon avenir était tranché et j'avais fait tout ce qu'il fallait pour m'y préparer. Je brodais désormais correctement et je savais jouer de la cithare. Tous les jours, Shao me faisait revêtir des tuniques ornées de fleurs et de papillons – ou d'oiseaux volant par paires – pour afficher la joie que j'étais censée éprouver devant l'existence qui m'attendait. Simplement, je ne mangeais pas et me contentais le plus souvent de quelques gorgées de jus de fruit. Ma vraie nourriture, c'était le souffle mystique et les pensées d'amour liés au souvenir de mon escapade avec mon poète, en dehors de l'enceinte de notre propriété.

Le devin avait recommandé qu'on ferme en permanence les portes du bâtiment – afin que les esprits malfaisants ne puissent pas entrer – et de modifier la disposition de mon lit, ainsi que la place du poêle à la cuisine, pour que le *feng shui* soit orienté le plus favorablement possible. Maman et les servantes avaient suivi ces instructions à la lettre, mais cela n'eut pas le moindre effet. À peine avaient-elles quitté la pièce que je me remettais à écrire... Ce n'est pas en changeant l'orientation d'un lit qu'on peut guérir le cœur d'une jeune fille rongée par le désir.

Quelques jours plus tard, maman arriva en compagnie du docteur Zhao, qui écouta longuement les pulsations de mon poignet avant de déclarer :

— Le cœur est le siège de la conscience et celui de votre fille est encombré par un trop grand afflux de désir.

J'étais heureuse que mon « mal d'amour » se voie ainsi officiellement diagnostiqué. Une pensée fantasque me traversa l'esprit : et si cela finissait par m'emporter, comme cela avait été le cas pour

Liniang ? Mon poète parviendrait-il à retrouver ma trace, afin de me ramener à la vie ? Cette idée n'était pas sans attrait, mais ma mère réagit fort différemment, devant les propos du médecin. Elle plongea sa tête dans ses mains et se mit à pleurer.

Le médecin l'attira à l'écart et poursuivit à voix basse :

— Ce genre de mélancolie s'accompagne souvent d'un dysfonctionnement caractéristique, qui peut aller jusqu'à empêcher la malade de manger. Ce que j'essaie de vous dire, dame Chen, c'est que votre fille risque bel et bien de mourir, suite à une congestion de *qi*.

Ah, me dis-je, les médecins cherchent toujours à effrayer les mères. C'est leur fonds de commerce...

— Il faut que vous la forciez à manger, ajouta-t-il.

Et ce fut exactement ce qui se passa. Maman et Shao me maintenaient les bras tandis que le médecin me fourrait des cuillerées de riz dans la bouche, en m'obligeant ensuite à serrer les mâchoires. Une servante avait amené des prunes et des abricots bouillis, que le médecin me fit avaler de force jusqu'à ce que je finisse par vomir tout ce que j'avais ingurgité.

Il me considéra d'un air dégoûté, avant de dire à ma mère :

— Ne vous inquiétez pas, son état est lié aux passions qui l'agitent. Si elle était mariée, je dirais qu'une nuit consacrée au jeu des nuages et de la pluie suffirait à la remettre d'aplomb. Comme ce n'est pas le cas, elle est obligée d'étouffer ses désirs et de les réduire au silence. Mais après sa nuit de noces, elle guérira vite. Cela dit, il faut qu'elle tienne jusque-là et le temps vous est peut-être compté. Je vous recommande donc de tenter autre chose...

Il la prit de nouveau par le coude et l'entraîna à l'écart, en lui chuchotant à l'oreille. Lorsqu'il eut terminé, la détermination avait remplacé la peur sur le visage de ma mère.

— La colère parvient souvent à chasser le mal, ajouta le médecin d'une voix rassurante.

Maman le raccompagna et quitta la pièce. Je me rallongeai, calée contre mon oreiller, mes livres étalés autour de moi. Je saisis le premier volume du *Pavillon des Pivoines*, fermai les yeux et me rendis en pensée de l'autre côté du lac, jusqu'à la maison de mon poète. Était-il en train de penser à moi, tout comme je pensais à lui ?

La porte se rouvrit et ma mère refit son apparition, accompagnée de Shao et de deux autres servantes.

— Commencez par ceux-ci, dit-elle en désignant les livres qui étaient empilés sur une table. Et occupez-vous ensuite de ceux qui sont par terre.

Shao et elle s'approchèrent de mon lit et ramassèrent les livres qui s'entassaient à mes pieds.

— Nous emportons tes livres, m'annonça maman. Le médecin m'a recommandé de les brûler.

— Non !

J'avais instinctivement serré contre moi celui que j'étais en train de feuilleter.

— Mais pourquoi ? repris-je.

— Le docteur Zhao pense que cela te guérira. Il s'est montré très ferme sur ce point.

— Tu ne peux pas faire ça ! m'exclamai-je. Ils appartiennent à papa !

— Cela ne te concerne donc pas, répondit-elle calmement.

Je lâchai mon livre et rejetai violemment mon couvre-lit en essayant de m'interposer, mais j'étais beaucoup trop faible. Les servantes quittaient déjà la pièce, emportant une première pile d'ouvrages. Je me mis à hurler et tendis les bras dans leur direction, comme si j'avais été une mendiante et non pas la fille unique d'une famille qui avait engendré neuf générations de mandarins impériaux. Elles emmenaient nos livres ! Et avec eux tout le savoir, l'amour et l'art qu'ils contenaient !

Les différentes éditions du *Pavillon des Pivoines* gisaient sur mon lit : maman et Shao s'en emparèrent à leur tour. L'horreur de l'acte qu'elles s'apprêtaient à commettre me plongea dans un effroi mêlé de panique.

— Tu n'as pas le droit ! m'écriai-je. Ils sont à moi !

J'essayai de ramasser les volumes qui étaient à ma portée, mais maman et Shao faisaient preuve d'une étonnante détermination. Elles ignoraient mes efforts et poursuivirent leur travail, après m'avoir écartée comme un vulgaire moucheron.

— Maman, je t'en supplie ! l'implorai-je. J'ai tellement travaillé sur ce projet...

— J'ignore de quoi tu parles, me dit-elle. Tu n'as qu'un seul projet, en ce qui me concerne : te marier, ajouta-t-elle en s'emparant de l'édition du *Pavillon des Pivoines* que papa m'avait offerte pour mon anniversaire.

J'entendis soudain des voix à l'extérieur, dans la cour qui s'étendait sous ma fenêtre.

— Je veux que tu voies de tes propres yeux où mène ton égoïsme, me dit ma mère.

Elle fit un signe à Shao : à elles deux, elles me soulevèrent de mon lit et me portèrent jusqu'à la fenêtre. Un peu plus bas, les servantes avaient allumé un brasero et jetaient un à un dans les flammes les livres de papa. Les vers des poètes de la dynastie des Tang, dont il était si féru, étaient en train de partir en fumée. La poitrine secouée de sanglots, je vis un recueil de textes composés par des femmes disparaître au milieu des cendres. Shao me relâcha et alla ramasser les derniers volumes qui traînaient encore sur mon lit. Lorsqu'elle eut quitté la pièce, maman me demanda :

— Es-tu en colère ?

Ce n'était pas de la colère que j'éprouvais. À vrai dire, je ne ressentais rien, hormis un profond désespoir. Les livres et les poèmes ne soulagent pas la faim, mais sans eux ma vie ne signifiait plus rien.

— Le docteur m'a juré que cela déclencherait ta colère. Dis-moi que c'est le cas, me supplia ma mère.

Comme je ne répondais pas, elle fit volte-face et tomba à genoux.

À l'extérieur, je voyais Shao jeter dans les flammes les éditions du *Pavillon des Pivoines* que j'avais collectionnés avec tant d'amour. Tandis que le feu les dévorait l'une après l'autre, je sentais que je me ratatinais intérieurement, comme une brindille calcinée. Ces livres étaient mon bien le plus précieux. Ils étaient maintenant réduits en cendres, que le vent allait balayer et disperser au loin. Tous les espoirs que j'avais mis dans mon projet étaient anéantis. Comment allais-je pouvoir vivre à présent dans la demeure de mon mari ? Comment allais-je supporter ma solitude ?

À mes côtés, maman s'était mise à pleurer. Pliée en deux, elle se pencha en avant jusqu'à ce que son front ait heurté le sol. Elle s'approcha alors de moi en rampant comme une domestique, agrippa le bas de ma tunique et y plongea son visage.

— Je t'en supplie, me dit-elle d'une voix si douce que je l'entendis à peine, mets-toi en colère contre moi. Je t'en supplie, ma fille... Je t'en supplie...

Je posai doucement la main sur sa nuque mais ne prononçai pas un mot. J'avais les yeux rivés sur les flammes.

Quelques minutes plus tard, Shao revint et emmena maman.

Je restai devant la fenêtre, les bras appuyés sur le montant. Le jardin était triste en hiver. Les bourrasques de vent avaient dénudé les arbres. Les ombres s'étendaient et la lumière décroissait. Je n'avais pas la force de bouger. Tout mon travail, tous mes efforts venaient d'être réduits à néant. Je finis par me redresser. La tête me tournait, mes jambes tremblaient et je crus que mes pieds n'allaient pas supporter mon poids. Lentement, je parvins tout de même à traverser la pièce et à regagner mon lit. Le couvre-lit en soie gisait en désordre, témoignant de mes vains efforts pour sauver mes livres de la destruction. Je le rabattis et me glissai dans mon lit. En étendant les jambes, mes pieds heurtèrent quelque chose, dans les profondeurs des draps. Je tendis la main et en ressortis le premier volume de l'édition du *Pavillon des Pivoines* que ma future belle-sœur m'avait adressée. Au milieu de toute cette furie exterminatrice, l'exemplaire où j'avais reporté l'ensemble de mes annotations avait été sauvé. Je poussai un soupir où la reconnaissance se mêlait au soulagement.

Après cette horrible journée, il m'arrivait de quitter mon lit, tard dans la soirée, d'enjamber le corps étendu de Shao et de gagner la fenêtre dont je tirais les lourds rideaux, destinés à nous protéger des froideurs de l'hiver. Les premières neiges étaient tombées et j'étais profondément troublée à la pensée de toutes ces fleurs, jadis gorgées de parfum et aujourd'hui suffoquées par cette implacable blancheur. Je regardais la lune traverser lentement le ciel. Nuit après nuit, la rosée venait déposer sa fine pellicule sur ma jupe, imprégnant mes cheveux et mes doigts frigorifiés.

Je ne supportais plus l'interminable déroulement de ces journées glaciales. Je pensais à Xiaoqing, qui avait fait l'effort de s'habiller tous les jours, en prenant soin de ne pas froisser ses vêtements ni d'ébouriffer ses cheveux alors qu'elle ne quittait plus son lit : jusqu'au bout, elle avait fait tout ce qui était en son pouvoir pour préserver sa beauté. Mais j'étais tétanisée par l'ombre livide que je voyais s'étendre sur ma future existence et cela me conduisait à négliger mon apparence. Je ne me souciais même plus de mes pieds, que Shao lavait et bandait pourtant avec tendresse. Je lui en étais reconnaissante, mais à vrai dire tout cela m'était devenu indifférent. J'avais caché au milieu de mes affaires le volume du *Pavillon des Pivoines* que j'avais pu sauver du désastre, par crainte qu'elle ne le découvre et ne le dise à ma mère – qui, si elle l'avait su, n'aurait pas manqué de lui faire subir le même sort qu'aux autres.

Le docteur Zhao revint me voir. Il m'examina en fronçant les sourcils, tout en disant à ma mère :

— Vous avez pris la bonne décision, dame Chen. Et vous avez exorcisé la malédiction que l'instruction faisait peser sur votre fille. Le fait d'avoir brûlé ces fâcheux ouvrages a chassé les mauvais esprits qui rôdaient autour d'elle.

Il écouta les pulsations de mon poignet, me regarda inspirer, expirer, puis me posa quelques questions sans intérêt, avant de déclarer :

— Les jeunes filles attirent parfois l'attention des esprits malfaisants, surtout dans le temps qui précède leur mariage. Il arrive que certaines perdent l'esprit, face à de telles apparitions. Plus la jeune fille sera belle, plus sa fièvre sera violente. Elle cessera de manger, un peu comme votre fille, jusqu'à ce que mort s'ensuive. (Il se pinça le menton d'un air songeur, avant de poursuivre.) Comme vous pouvez l'imaginer, le futur mari ne serait guère enchanté d'apprendre une telle nouvelle. Et je vous avouerai avoir rencontré beaucoup de jeunes filles qui se sont servies de ce prétexte pour se dérober à leur devoir conjugal, une fois établies dans la maison de leur mari. Mais vous, dame Chen, vous pouvez être soulagée. Votre fille n'est nullement victime d'une telle corruption. Elle ne prétend pas avoir eu des relations impies avec un esprit ou un démon. Elle a préservé sa pureté pour le mariage.

Ces paroles ne réjouissaient nullement ma mère et m'accablaient davantage. Je ne voyais aucune issue à ma nuit de noces, ni aux années de malheur qui allaient lui succéder.

— Faites-lui boire du thé infusé dans de la neige fraîche, dit le docteur Zhao avant de nous quitter. Cela lui redonnera des couleurs, avant la cérémonie.

Chaque jour, maman venait me voir et se tenait à mon chevet, les traits tirés par l'inquiétude. Elle me suppliait de me lever, d'aller rendre visite à mes tantes et à mes cousines – ou, au moins, de m'alimenter un peu. J'essayais de la rassurer, en me forçant à rire avec légèreté.

— Je suis très bien ici, maman. Ne t'inquiète donc pas.

Mais mes paroles ne la rassérénaient en rien. Elle fit revenir le devin, qui virevolta cette fois-ci autour de mon lit en donnant de grands coups d'épée dans le vide pour effrayer les esprits malfaisants qui, d'après lui, planaient toujours dans la pièce. Il suspendit une amulette en pierre autour de mon cou, afin qu'aucun fantôme errant ne vienne s'emparer de mon âme. Il demanda à ma mère de lui confier l'une de mes jupes, dans laquelle il enveloppa un petit tas de cacahuètes, censées retenir les esprits prédateurs. Puis il prononça des incantations. J'avais remonté le drap sur mon visage, pour qu'il ne voie pas mes larmes.

Se marier, pour une fille, équivaut un peu à mourir. Il lui faut dire adieu à ses parents, à ses tantes et à ses oncles, à ses cousines et aux servantes qui se sont occupées d'elle – avant d'aller mener une vie totalement différente dans sa véritable famille, où son nom figurera un jour dans le hall des ancêtres. Sous cet angle, le mariage équivaut bien à une mort, suivie d'une renaissance – même si celle-ci ne passe pas par l'au-delà. Toutes les futures mariées sont en proie à ces pensées morbides, je ne l'ignore pas, mais l'infortune de ma situation aggravait les miennes. Et cette morbidité m'entraînait par la pensée dans des régions de plus en plus sombres. J'en arrivais à croire – si ce n'est à espérer – que j'allais connaître le même sort que Xiaoqing et mourir comme tant d'autres jeunes filles emportées par le mal d'amour. J'unissais mes pensées aux leurs. Je me servais de mes larmes pour délayer mon encre avant d'y plonger mon pinceau pour tracer quelques vers :

Des années durant, en attendant le jour de mon mariage,
J'ai appris à broder des fleurs et des papillons.
Sait-on que pour moi, une fois dans l'au-delà, les fleurs
N'auront plus d'odeur et les papillons ne voleront plus ?

Des jours durant, mon esprit s'enflammait dans le brasier des mots et de l'émotion. J'écrivais sans pouvoir m'arrêter. Lorsque je fus trop épuisée pour tenir mon pinceau, je demandai à Shao de prendre le relais : elle m'obéit et je lui dictai encore huit poèmes, au cours des jours suivants. Les mots sortaient de ma bouche et j'avais l'impression qu'ils flottaient comme des fleurs de pêcher à la surface d'une rivière souterraine.

Nous avions atteint le douzième mois. Le charbon brûlait nuit et jour dans le brasero, mais j'avais constamment froid. Je devais me marier dans dix jours.

Mes chaussons de soie n'ont que sept centimètres.
Ma ceinture est trop longue, même pliée en deux.
Puisque ma silhouette est trop frêle pour gagner l'au-delà
Je prendrai appui sur le vent pour m'y rendre.

Je redoutais que quelqu'un ne découvre mes poèmes et ne se moque de mes intonations mélodramatiques – ou ne prétende que mes paroles n'avaient pas plus d'importance que le chant des insectes. Je pliai les feuilles où je les avais recopiés et regardai autour de moi, à la recherche d'un endroit où les cacher. Mais tous mes meubles allaient me suivre dans la maison de mon futur mari.

Je voulais à tout prix éviter que quelqu'un lise un jour mes poèmes, mais je n'avais pas assez de volonté pour les brûler. Trop de femmes avant moi avaient détruit de la sorte les vers qu'elles avaient composés, feignant de croire qu'ils étaient sans valeur, et l'avaient regretté par la suite. Je voulais conserver les miens : je m'imaginais que plus tard, bien après m'être mariée et avoir eu des enfants, j'aurais peut-être oublié mon poète ; rendant visite à ma famille, je les découvrirais un jour par hasard. En les relisant, je me souviendrais alors du mal d'amour qui avait marqué ma jeunesse.

Mais il était évidemment impossible que j'oublie ce qui s'était passé. Cela renforça ma détermination à trouver une cachette sûre et appropriée pour mes poèmes. Quoi qu'il advienne dans le futur, j'aurais toujours la possibilité de revenir dans cette demeure et de revivre les sentiments que j'y avais connus. Je réussis à m'extraire de mon lit et à gagner le couloir. Il était encore tôt dans la soirée et tout le monde était en train de dîner. Progressant avec une lenteur effrayante, m'appuyant contre les murs et me retenant aux colonnettes ou aux balustrades, je me frayai un chemin jusqu'à la bibliothèque de mon père. Je sortis des rayons un livre que personne ne songerait jamais à consulter – il était consacré à la construction des barrages dans les provinces du Sud – et glissai mes poèmes entre ses pages. Puis je le remis en place, non sans avoir mémorisé son titre et son emplacement sur l'étagère.

Une fois de retour dans ma chambre, je saisis mon pinceau pour la dernière fois avant mon mariage. Sur la couverture de mon exemplaire du *Pavillon des Pivoines*, je peignis ma propre vision de la scène du « Rêve Interrompu », représentant Mengmei et Liniang devant les rochers, juste avant qu'ils ne disparaissent dans la grotte pour se livrer au jeu des nuages et de la pluie. J'attendis que l'encre ait séché, puis j'ouvris le volume et écrivis :

> Lorsque les gens sont en vie, ils s'aiment. Lorsqu'ils meurent, ils s'aiment encore. Si l'amour cesse avec la mort, c'est qu'il n'est pas authentique.

Je refermai le livre et appelai Shao.

— Tu me connais depuis le jour de ma naissance, lui dis-je. Et maintenant, tu vas me voir quitter cette demeure pour aller m'établir dans mon nouveau foyer. Il n'y a que toi à qui je puisse faire confiance.

Des larmes coulaient sur le visage sévère de Shao.

— Que veux-tu que je fasse ? me demanda-t-elle.

— Promets-moi d'abord que tu feras bien ce que je vais te demander, quoi que puissent dire papa ou maman. On m'a déjà privée de presque tout, mais je vais avoir besoin de deux ou trois choses dans mon nouveau foyer. Promets-moi de me les faire parvenir, trois jours après mon mariage.

Je vis une lueur d'hésitation dans ses yeux. Un frisson la parcourut et elle répondit :

— Je te le promets.

— Va me chercher les chaussons que j'avais brodés pour madame Wu.

Shao quitta la pièce. Je demeurai parfaitement immobile dans mon lit, les yeux rivés au plafond, écoutant les cris des oies solitaires qui passaient dans le ciel. Ils me faisaient penser aux poèmes de Xiaoqing et à la manière dont elle invoque cet appel chargé de tristesse. Je me souvins ensuite de la femme qui avait manifesté son désespoir en écrivant un poème anonyme sur un mur, à Yangzhou : elle aussi avait entendu le cri des oies. Je poussai un soupir en me rappelant ses vers : *Si au moins le sang de mes larmes pouvait donner sa couleur aux pétales du prunier. Mais je ne connaîtrai pas le printemps…*

Quelques minutes plus tard, Shao revint avec les chaussons, toujours protégés dans la soie dont je les avais enveloppés.

— Mets-les en lieu sûr, lui dis-je. Maman ne doit pas savoir que tu les as gardés.

— Bien sûr, Pivoine.

C'était la première fois qu'on se servait de mon prénom d'origine depuis que mon père avait décidé de le modifier, le dernier soir de la représentation.

— Il y a autre chose…

Je fouillai parmi mes draps et en extirpai le volume du *Pavillon des Pivoines* que j'avais réussi à sauver.

Shao eut un mouvement de recul.

— C'est mon bien le plus précieux, ajoutai-je. Maman et papa ne doivent jamais connaître la vérité à ce sujet. Promets-moi que tu ne leur en parleras pas.

— Je te le promets, marmonna-t-elle.

— Mets-le en sécurité. Il n'y a que toi qui puisses me le faire parvenir. N'oublie pas : trois jours après mon mariage.

Papa rentra finalement de son séjour à la capitale. Pour la première fois depuis ma naissance, il vint me voir dans ma chambre. Il eut un instant d'hésitation sur le seuil, comme s'il redoutait de s'approcher.

— Ma fille, dit-il, ton mariage doit avoir lieu dans cinq jours mais ta mère me dit que tu refuses de faire ta toilette et de quitter ton lit. Il faut que tu te lèves. Tu ne voudrais sûrement pas manquer un tel événement.

Voyant que je baissais la tête avec résignation, il traversa la pièce, s'assit sur le lit et me prit la main.

— J'avais publiquement désigné ton mari à la fin de cet opéra, afin que tu puisses le voir, reprit-il. Sa vue t'aurait-elle rendue malheureuse ?

— Je ne l'ai pas regardé, dis-je.

— Ah, Pivoine... Je regrette à présent de ne pas t'avoir davantage parlé de lui. Mais tu connais ta mère...

— Ne te fais pas de souci, papa. Je ferai ce qu'on attend de moi. Je ne veux pas vous plonger dans l'embarras, maman et toi. Je rendrai Wu Ren heureux.

— Wu Ren est quelqu'un de bien, poursuivit papa sans tenir compte de ce que je venais de dire. Je le connais depuis son enfance et jamais je ne l'ai vu commettre un acte inconsidéré. À une exception près, ajouta-t-il avec un léger sourire. Le dernier soir, une fois l'opéra terminé, il est venu me trouver pour me confier quelque chose qui t'était destiné. (Papa hocha la tête.) Je suis sans doute le chef de la famille Chen, mais ta mère a ses propres règles et m'en voulait déjà d'avoir organisé cette représentation. Je ne te l'ai donc pas donné sur le moment. Du reste, j'avais moi-même conscience que la demande de Ren était un peu inconsidérée. J'ai donc mis son présent de côté, entre les pages d'un livre de poèmes. Vous connaissant l'un et l'autre, cela m'a paru l'endroit le plus approprié.

Même si ce cadeau m'avait été remis cinq mois plus tôt, cela n'aurait rien changé à la manière dont je considérais mon mariage ou mon futur époux. Il s'agissait pour moi d'une affaire de devoir et de responsabilité, un point c'est tout.

— Et comme nous n'avons plus que quelques jours devant nous... (Mon père s'interrompit, comme pour chasser une pensée désagréable.) Je ne crois pas que ta mère verrait le moindre inconvénient à ce que je te le donne aujourd'hui.

Il lâcha ma main, fouilla dans sa tunique et en ressortit un objet minuscule, enveloppé dans une feuille de papier de riz. Je n'avais pas la force de soulever la tête de mon oreiller, mais je le vis déplier la feuille. À l'intérieur se trouvait une pivoine séchée, qu'il déposa dans ma paume. Je la regardai avec incrédulité.

— Ren n'a que deux ans de plus que toi, reprit papa, mais c'est déjà un poète accompli.

— Un poète ? répétai-je.

Mon esprit avait de la peine à accepter la réalité de la fleur qui se trouvait dans le creux de ma main et les paroles de mon père me parvenaient de très loin, comme des profondeurs d'une grotte.

— Oui, répondit-il. Et un poète reconnu. Son œuvre a déjà eu les honneurs de l'impression, malgré son très jeune âge. Il vit sur le mont Wushan, de l'autre côté du lac. Si je n'avais pas dû me rendre dans la capitale, je t'aurais montré sa maison depuis la fenêtre de ma bibliothèque. Mais il m'a fallu partir et à présent…

Il parlait de *mon* inconnu, de *mon* poète ! La fleur séchée qui se trouvait dans ma main était celle avec laquelle il m'avait effleurée, dans le pavillon de la Contemplation lunaire. Tout ce que j'avais redouté s'avérait erroné. J'allais au contraire épouser l'homme que j'aimais ! Le destin nous avait réunis. Nous étions bien comme deux canards mandarins, liés pour la vie.

Tout mon corps se mit à trembler, sans que je puisse me contrôler, et des larmes jaillirent de mes yeux. Papa me souleva, comme si j'avais été une simple feuille, et me serra dans ses bras.

— Je suis désolé, dit-il en essayant de me consoler. Toutes les filles redoutent plus ou moins de se marier, mais je n'avais pas compris que cela représentait une telle épreuve pour toi.

— Ce n'est pas la tristesse ou l'inquiétude qui me font pleurer. Oh, papa ! Je suis la fille la plus comblée du monde !

Il n'avait pas dû m'entendre, car il ajouta :

— Tu aurais été heureuse avec Ren.

Il me reposa doucement sur l'oreiller. Je voulus respirer la fleur pour voir si elle avait conservé son parfum, mais j'étais trop faible pour la soulever. Papa la prit et la posa sur ma poitrine : je la sentis peser comme une pierre contre mon cœur.

Des larmes apparurent dans les yeux de papa. Quelle image parfaite : le père et la fille unis dans le même bonheur !

— Je dois maintenant te révéler quelque chose, s'empressa-t-il d'ajouter. Il s'agit d'un secret concernant notre famille.

Il venait déjà de me faire le plus beau cadeau de mariage possible.

— Tu sais que j'avais autrefois deux frères cadets, me dit-il.

J'étais tellement transportée – de savoir que Wu Ren était mon poète, que nous serions bientôt mariés et qu'un miracle venait de se produire – que j'avais de la peine à me concentrer sur l'affaire dont papa me parlait. J'avais vu le nom de ces deux oncles dans le hall des ancêtres, mais nul n'allait jamais nettoyer leurs tombes lors de la fête du Printemps. J'avais toujours pensé qu'ils étaient morts à la naissance, ce qui aurait expliqué qu'on leur accorde aussi peu d'attention.

— C'étaient encore des enfants lorsque notre père était allé occuper son poste à Yangzhou, reprit papa. Mes parents s'en étaient remis à moi pour m'occuper de la propriété et du reste de la famille en leur absence, tout en emmenant mes deux frères avec eux. Ta mère et moi allâmes leur rendre visite, mais nous n'aurions pas pu choisir de pire moment : les Mandchous attaquèrent la ville pendant notre séjour.

Il marqua une pause, en guettant ma réaction. Je ne comprenais pas pourquoi il me racontait une histoire aussi dramatique en ce merveilleux instant. Comme je ne disais rien, il poursuivit :

— Nous fûmes emmenés comme du bétail avec le reste des hommes jusqu'à l'une des portes de la ville, mon père, mes frères et moi. Nous ignorions ce qui était arrivé aux femmes et ta mère ne m'en a jamais parlé jusqu'à aujourd'hui : je ne puis donc te raconter que ce dont j'ai été le témoin. Notre unique devoir, à mes petits frères et moi, était de veiller à ce que notre père échappe à la mort. Nous l'entourions en lui faisant rempart de nos corps – non seulement contre les soldats, mais contre d'autres prisonniers qui risquaient de le dénoncer et de le livrer aux Mandchous, en espérant pouvoir ainsi sauver leur peau.

Je n'en avais jamais su autant sur cet épisode. Mais malgré le bonheur que je ressentais, je m'interrogeais tout de même sur le sort qu'avaient connu ma mère et ma grand-mère.

Comme s'il avait lu dans mes pensées, mon père reprit :

— Je n'ai pas eu le privilège d'assister à l'acte héroïque de ma mère, mais j'ai vu mourir mes frères. Ah, Pivoine... Les hommes peuvent se montrer cruels...

Il paraissait brusquement incapable de poursuivre. Une fois encore, je me demandai pourquoi il me racontait tout cela maintenant.

Au bout d'un long moment, il finit par reprendre :

— Lorsque tu les verras, je t'en supplie, dis-leur que je suis désolé. Et que nous essayons de les honorer du mieux possible. Nous leur avons fait d'abondantes offrandes, mais notre famille n'a toujours pas de fils. Tu as été une bonne fille, Pivoine. Je t'en prie, vois ce que tu peux faire pour nous aider.

J'étais troublée et ne comprenais pas ce que voulait dire mon père. Mon devoir était de donner des fils à la lignée de mon mari, pas à ma famille d'origine.

— Papa, lui rappelai-je, c'est dans la famille Wu que je vais me marier.

Mon père détourna les yeux.

— Bien sûr, dit-il d'une voix bourrue. Je me suis trompé, excuse-moi.

J'entendis soudain des gens qui se pressaient dans le couloir. Des servantes pénétrèrent dans la chambre et commencèrent à emporter les meubles, les vêtements, les tissus et l'ensemble de mon trousseau, qui devaient être transportés dans la maison de mon mari, à l'exception du lit.

Puis maman, mes tantes, mes oncles, mes cousines et les concubines entrèrent à leur tour et firent cercle autour de mon lit. Papa avait dû se tromper, en me disant que le mariage aurait lieu dans cinq jours. J'essayai de me redresser, afin de m'incliner et de saluer chacun, mais mon corps était trop faible et ne m'obéissait pas, même si mon cœur débordait de bonheur. Des servantes suspendirent un miroir et un van dans l'encadrement de la porte, afin d'écarter les éléments défavorables, si jamais il s'en présentait.

Je n'aurais pas le droit de manger pendant toute la durée des cérémonies, mais il fallait que je goûte un peu de chacune des spécialités que ma famille avait préparées à l'occasion du mariage, pour le repas du matin. Je n'avais pas faim, mais je ferais de mon mieux pour respecter cette tradition : chaque bouchée, même infime, serait de bon augure pour la longue vie d'harmonie qui nous attendait, mon mari et moi. Mais personne ne m'apporta des travers de porc, censés me donner la force nécessaire pour engendrer des fils – et dont je devais éviter de mordre les os, pour ne pas compromettre la fertilité de mon mari. On aurait également dû me proposer des graines de tournesol, de citrouille et de nénuphar, pour que ma descendance soit nombreuse : mais je n'y eus pas droit non plus. Au lieu de ça, tous les membres de ma famille étaient restés plantés autour de mon lit et s'étaient mis à pleurer. Ils étaient tristes de me voir partir, mais moi je bouillonnais intérieurement. Mon corps était si léger qu'il me semblait que j'aurais pu flotter au-dessus du sol, si je l'avais voulu. Je pris une profonde inspiration, afin de me calmer. D'ici le coucher du soleil, j'aurais retrouvé mon poète. Entretemps, j'aurais eu droit aux diverses coutumes qui sont de règle, lors du mariage d'une fille chérie. Beaucoup plus tard dans la soirée – et pendant les moments d'intimité qui nous attendaient, dans les années à venir – j'évoquerais avec mon mari le souvenir de ces joyeux instants.

Les hommes quittèrent la pièce. Mes tantes et mes cousines lavèrent alors mes membres, mais elles avaient oublié de mettre des feuilles de pomélo dans l'eau de leur bassine. Elles me peignèrent les cheveux et y plantèrent des épingles d'or et de jade, en ignorant le rouge à lèvres et les onguents qui auraient donné des couleurs à mes joues. Elles déposèrent ensuite la pivoine séchée dans ma main, avant de me faire enfiler un fin caraco de soie blanche, où l'on avait tracé des sutras. Voyant toutes ces femmes pleurer autour de moi, je n'eus pas le courage de leur signaler qu'elles avaient oublié de coudre un cœur de porc à l'intérieur de mon jupon.

Elles devaient ensuite m'aider à passer ma tenue de mariage. Je leur souriais tendrement, car elles allaient vraiment me manquer. Puis je pleurai à mon tour, comme j'étais censée le faire. J'avais fait preuve d'un égoïsme et d'un entêtement stupide en m'enfermant dans ma chambre pour exécuter mon projet, alors que le temps qu'il me restait à passer au sein de ma famille était compté. Mais avant qu'elles m'aient fait enfiler ma jupe et ma tunique, ma deuxième tante rappela la troupe des hommes. Des domestiques sortirent de ses gonds la porte de ma chambre, la couchèrent à l'horizontale et l'amenèrent auprès de mon lit. On me souleva doucement et on me déposa dessus. On disposa ensuite autour de moi des racines de taro, symboles de fertilité. J'avais l'impression d'être une sorte d'offrande qu'on s'apprêtait à faire aux dieux. Apparemment, je n'allais même pas avoir à marcher jusqu'à mon palanquin. Des larmes de gratitude s'échappaient de mes yeux, coulaient le long de mes tempes et disparaissaient dans mes cheveux. J'ignorais qu'on pouvait connaître un pareil bonheur.

On me transporta ainsi jusqu'en bas. Une imposante procession s'était formée derrière moi, tandis que nous avancions le long des couloirs et des galeries couvertes. Nous aurions dû nous rendre dans le hall des ancêtres, afin que je puisse remercier les mânes de la famille Chen, qui avaient veillé sur moi : mais nous ne nous y arrêtâmes pas et nous rendîmes directement dans la cour qui s'étendait, face au portail principal de notre propriété. Mes porteurs déposèrent sur le sol la porte qui me servait de litière et se retirèrent sur le côté. Je contemplai le portail bardé des dalles qui le protégeaient du feu en me disant : ça y est, le grand moment est arrivé. Le portail va s'ouvrir et je vais monter dans mon palanquin. Et puis, après un dernier salut à mes parents, je prendrai la direction de mon nouveau foyer.

Un par un, tous les membres de notre maisonnée – de mes parents au plus humble de nos domestiques – vinrent s'incliner devant moi. Puis, de manière aussi étrange qu'inattendue, on me laissa seule. Mon cœur s'apaisa peu à peu. J'étais entourée de mes coffres remplis de soies et de broderies, de miroirs, de rubans, de vêtements, de couvre-lits… À cette époque de l'année, la cour était glaciale et désolée. Je n'entendis pas éclater de pétards, ni résonner de cymbales, ni de cris s'élever pour fêter l'événement. Je ne vis pas davantage entrer le palanquin qui devait me conduire dans la demeure de mon mari. De sombres pensées commencèrent à s'insinuer en moi, proliférant bientôt comme une vigne folle. Avec une tristesse infinie et un désespoir glacé, je compris que je n'allais pas être emmenée chez Ren. Selon la coutume relative aux filles qui sont dans l'incapacité de se marier, ma famille m'avait déposée ici dans l'attente de ma mort.

« *Maman, papa…* », appelai-je – mais ma voix était trop faible pour qu'on l'entende. J'essayai de bouger mais mes membres étaient à la fois trop lourds et trop légers pour parvenir à remuer. Je serrai le poing et sentis la pivoine s'effriter, tomber en poussière entre mes doigts.

Nous étions dans le douzième mois et il faisait un froid glacial, mais je tins bon toute la journée, et la nuit suivante. Une lueur rosée commençait à nimber le ciel et j'avais l'impression d'être une perle engloutie dans les profondeurs de l'océan. Mon cœur était pareil à du jade qui vole en éclats et mon esprit à une poudre qui s'estompe, un parfum qui se mélange, un nuage emporté à l'horizon. Ma force vitale devint aussi ténue que la soie la plus vaporeuse. En inspirant mon dernier souffle, je pensai aux vers de l'ultime poème que j'avais écrit :

Il n'est pas si facile de s'éveiller d'un rêve.
Mon esprit, s'il est sincère, vivra à jamais sous la lune ou parmi les fleurs.

L'instant d'après, j'avais pris mon envol et franchi des milliers de *li* à travers le ciel.

DEUXIÈME PARTIE

AU GRÉ DU VENT

L'âme séparée

Je suis morte à la fin de la septième heure du septième jour du douzième mois, dans la troisième année du règne de l'empereur Kangxi, cinq jours exactement avant la date initialement prévue pour mon mariage. Durant les premiers instants qui suivirent mon trépas, les événements des dernières semaines m'apparurent dans une clarté aveuglante. De toute évidence, je n'avais pas eu conscience que j'étais en train de mourir, mais ma mère l'avait compris dès qu'elle avait mis les pieds dans ma chambre, alors qu'elle ne m'avait pas vue depuis un certain temps. Le jour où je m'étais rendue dans le pavillon du Printemps, mes cousines, mes tantes et les concubines avaient essayé de me faire manger, comprenant bien que je me laissais dépérir. Au cours des derniers jours, j'avais été obsédée par l'écriture de mes poèmes, comme Liniang l'avait été par l'exécution de son autoportrait. Je pensais que ces pages m'étaient dictées par l'amour, mais tout au fond de moi je devais savoir que j'allais mourir : il y a une grande marge entre ce dont notre corps a conscience et ce que notre esprit choisit de croire. Papa était venu me donner cette pivoine séchée parce que ma mort était imminente et que les convenances n'avaient dès lors plus d'importance. J'avais été heureuse d'apprendre que c'était mon poète qui m'était destiné, mais la mort était trop proche pour que je puisse inverser le processus et espérer me rétablir.

On avait ôté les tentures de ma chambre, non pas pour les emporter dans ma nouvelle demeure, mais parce qu'elles évoquaient des filets de pêche et que ma famille voulait éviter que je me réincarne en poisson. Mon père m'avait parlé de mes oncles parce qu'il souhaitait que je leur transmette son message dans l'au-delà – « lorsque tu les verras », avait-il précisé, mais je n'avais pas compris. On avait disposé des racines de taro autour de moi : une jeune mariée en emporte en effet dans son nouveau foyer, mais on en offre également aux esprits des ancêtres, afin qu'ils assurent une descendance masculine à la lignée. La tradition exige qu'on conduise hors de la maison, « au moment de son dernier souffle », toute jeune fille qui n'a pas été mariée. Je pouvais m'estimer heureuse de ne pas être morte juste après ma naissance : on m'aurait abandonnée pour que les chiens me dévorent – ou enterrée dans un semblant de tombe – et on se serait empressé de m'oublier.

Dans notre enfance, nos parents nous apprennent ce qu'il adviendra de nous après la mort, en s'appuyant sur des contes didactiques et sur les rites que nous accomplissons pour le culte des ancêtres. Pour ma part, une grande partie de ce que je savais de la mort provenait de mes lectures répétées du *Pavillon des Pivoines*. Pourtant, les vivants ne peuvent pas tout savoir et je devais souvent me sentir perdue et mal à l'aise, en entamant ce long voyage. J'avais entendu dire qu'on se retrouve dans les ténèbres, après la mort, mais il n'en alla pas ainsi pour moi. Quarante-neuf jours devaient s'écouler avant que je quitte pour de bon le royaume terrestre et sombre à tout jamais dans l'au-delà. Chaque âme est composée de trois parties, dont chacune doit rejoindre la demeure qui lui revient après la mort. La première restait liée à mon corps, qui attendait encore d'être enterré, mais la deuxième s'était déjà mise en route vers l'au-delà ; quant à la troisième, elle demeurait dans le royaume terrestre et devait venir prendre place dans la tablette ancestrale qui me serait consacrée, sur l'autel des ancêtres. J'étais partagée entre un sentiment de peur, de tristesse et de confusion, tandis que les trois parties de mon âme entamaient leurs voyages respectifs – chacune ayant toujours conscience de l'existence des deux autres.

Comment une telle chose était-elle possible ?

À l'instant même où je m'élançais dans le ciel, j'entendis les gémissements qui s'élevèrent dans la cour, à la vue de mon corps sans vie. Une immense tristesse m'envahit lorsque je vis ma famille et ceux de nos domestiques qui se souciaient de moi marteler le sol du pied pour manifester leur douleur. Les femmes dénouèrent leurs cheveux, ôtèrent leurs bijoux et revêtirent des tuniques en toile écrue. Une servante s'occupa du miroir et du van qui avaient été suspendus sur le seuil de ma chambre. J'avais cru qu'ils étaient destinés à me protéger, au moment où j'allais me marier dans la famille de Ren, mais on les avait placés là dans l'attente de ma mort. Le van était censé « tamiser » la bonté qui émanait de moi et le miroir « inverser » la douleur qu'éprouvait ma famille et ramener le bonheur.

Mon premier souci concernait la partie de mon âme qui allait demeurer avec mon corps. Maman et mes tantes dévêtirent mon cadavre et je vis alors à quel point j'étais décharnée : je n'avais plus que la peau sur les os. Elles me lavèrent à onze reprises et m'enveloppèrent ensuite de plusieurs couches de vêtements, dits « de longévité » : des caracos et des jupons épais, pour que je n'aie pas froid l'hiver, des jupes de soie et des tuniques de satin qui provenaient de mon trousseau. Elles eurent soin d'éviter tous les habits qui avaient une doublure ou un col en fourrure, afin que je ne me réincarne pas en animal. J'eus enfin droit à une veste en soie matelassée, dont les manches étaient brodées d'un motif vivement coloré, représentant des plumes de martin-pêcheur. J'étais un peu hébétée – comme tous les esprits qui viennent d'abandonner leur corps – mais j'aurais aimé qu'elles me fassent également revêtir ma tenue de mariage : j'avais été sur le point de célébrer cette union et c'était ainsi que j'aurais voulu me présenter dans l'au-delà.

Maman inséra une plaque de jade dans ma bouche, à titre de protection. Ma deuxième tante bourra mes poches de riz et de pièces d'argent, pour que je puisse apaiser les chiens féroces que j'allais rencontrer dans l'au-delà. Ma troisième tante recouvrit mon visage d'un fin carré de soie blanche. Ma quatrième tante attacha des fils de couleur autour de ma taille et de mes chevilles, pour m'empêcher de bondir si jamais j'étais tourmentée par des esprits malfaisants au cours de mon voyage.

Les domestiques suspendirent seize banderoles de papier blanc à droite du portail principal de la propriété, pour que les voisins sachent qu'une fille de la famille Chen venait de mourir, à l'âge de seize ans. Mes oncles parcoururent la ville pour faire des offrandes aux dieux et aux divinités locales : ils allumèrent des bougies et brûlèrent du papier représentant l'argent dont la partie de mon âme en route vers l'au-delà allait avoir besoin, pour franchir la Barrière des Démons. Mon père engagea des moines – en petit nombre, attendu que j'étais une fille – pour venir psalmodier des prières, tous les sept jours. Personne ne souhaite errer comme une âme en peine, de son vivant, et il en va de même après la mort. Les efforts de ma famille tendaient surtout à éviter que je ne vagabonde au gré du vent.

Trois jours après ma mort, mon corps fut placé dans un cercueil où l'on déposa de la cendre, des pièces de cuivre et de la chaux. Puis le cercueil encore ouvert fut installé dans l'angle d'une cour, à l'extérieur, en attendant que le devin ait déterminé l'heure et le lieu appropriés pour mon enterrement. Mes tantes glissèrent des gâteaux dans mes mains et mes oncles disposèrent des bâtons de part et d'autre de mon corps. Ils rassemblèrent des objets en papier représentant de l'argent, de la nourriture, des vêtements et des bandages pour mes pieds, puis les brûlèrent afin qu'ils m'accompagnent dans l'au-delà. Mais j'étais une fille et je constatai bien vite qu'ils ne m'en avaient pas envoyé assez.

Au début de la deuxième semaine, la partie de mon âme qui faisait route vers l'au-delà atteignit le Pont de la Pesée des Âmes, où les démons de la bureaucratie infernale accomplissaient impitoyablement leur tâche. Je pris mon tour dans la file d'attente, derrière un nommé Li, observant ce qu'il advenait des âmes de ceux qui nous précédaient et qu'on pesait avant de les diriger vers le niveau suivant. Sept jours durant, Li grelotta, secoué de tremblements et plus terrifié que moi par les scènes auxquelles nous assistions. Lorsque son tour arriva, je le vis s'asseoir avec effroi sur la balance : les actions dont il s'était rendu coupable dans sa vie firent descendre le plateau de plusieurs mètres... Sa punition fut instantanée : il fut aussitôt taillé en pièces et réduit en poussière. Puis sa silhouette se reforma et il fut expédié vers son destin avec cet avertissement :

— Ce n'est là qu'un infime exemple des souffrances qui vous attendent, maître Li, lui lança l'un des démons. Inutile de pleurer ou d'implorer le pardon, il est trop tard à présent. Au suivant !

J'étais pétrifiée par la peur. De hideux démons m'entouraient et me tiraient vers la balance, en poussant des cris perçants et en me jetant des regards menaçants. Je n'étais pas plus légère que l'air – ce qui aurait été le signe d'une authentique bonté – mais mes mauvaises actions avaient été minimes, de mon vivant, et je fus autorisée à poursuivre mon voyage.

Pendant que j'attendais ainsi, devant le Pont de la Pesée des Âmes, des amis et des voisins venaient présenter leurs condoléances à mes parents. L'Intendant Tan confia à mon père des lingots en papier, destinés à être brûlés pour que je les dépense dans l'au-delà. Son épouse avait amené des bougies, de l'encens et d'autres objets en papier qui devaient également être brûlés pour mon bien-être. Tan Ze n'en perdait pas une miette et se rendait bien compte de la modestie de ces offrandes, tout en débitant à mes cousines des paroles de condoléances dénuées de la moindre sincérité. Mais elle n'avait que neuf ans : que pouvait-elle savoir de la mort ?

Au cours de la troisième semaine, je traversai le Village des Chiens. Ceux-ci accueillaient les esprits vertueux en venant les lécher, la queue frétillante, mais n'hésitaient pas à se servir de leurs puissantes mâchoires et de leurs crocs acérés pour mettre en charpie les méchants et les réduire à l'état de bouillie sanguinolente. Là encore, je m'en sortis sans trop de peine, ayant fait peu de mal dans ma vie : mais je me félicitai que mes tantes aient placé des gâteaux dans mon cercueil pour apaiser ces créatures – dont certaines avaient largement plus de quatre pattes – et que mes oncles y aient ajouté des bâtons qui me permirent d'écarter les plus vindicatives. La quatrième semaine, j'arrivai devant le Miroir de la Rétribution, que je fus invitée à contempler afin d'y découvrir ma prochaine incarnation. Si j'avais été méchante, j'entreverrais un serpent sinuant dans l'herbe, un cochon vautré dans la fange ou un rat rongeant un cadavre. Si j'avais fait preuve de bonté, j'aurais au contraire un aperçu d'une existence plus favorable. Mais lorsque je regardai le miroir, sa surface était brouillée – et la scène que j'étais censée découvrir aussi floue qu'indistincte.

Le troisième et dernier tiers de mon âme errait sur la terre, jusqu'à ce que le texte de ma tablette ancestrale ait été inscrit, lui permettant ainsi de connaître le repos définitif. Je ne cessais de penser à Ren, en me maudissant d'avoir été assez stupide pour refuser de m'alimenter et en me lamentant sur le mariage que nous n'avions pu célébrer. Mais j'avais la conviction que nous allions nous retrouver : en fait, je croyais plus que jamais à la force de notre amour. Je me disais que Ren allait venir pleurer sur mon cercueil et demander à mes parents l'une des paires de chaussons que j'avais portés récemment. Il les emporterait chez lui, avec trois baguettes d'encens. Dans la rue, à chaque croisement, il m'appellerait et me demanderait de le suivre. Une fois chez lui, il poserait les chaussons sur une chaise, à côté de l'encens. S'il observait ce rituel deux ans durant, en pensant chaque jour à moi, il pourrait m'honorer comme une épouse. Mais il ne fit rien de tout cela.

Comme il est contre nature – même parmi les morts – de ne pas avoir de conjoint, je me mis à rêver à ce que nous désignons sous le terme de « mariage fantôme ». Ce n'était pas aussi simple, ni aussi romantique, que la cérémonie de « demande des chaussons », mais cela m'était bien égal, du moment que cela me permettrait d'être unie à Ren. Une fois célébré notre mariage fantôme – où ma tablette ancestrale devait tenir ma place – je quitterais définitivement la famille Chen et serais admise dans le clan de mon mari.

Voyant que nul n'envisageait apparemment une telle hypothèse, le tiers de mon âme qui n'était pas resté avec mon corps et ne voyageait pas dans l'au-delà décida d'aller trouver Ren. Toute ma vie, j'étais restée confinée à l'intérieur, jusqu'à me retrouver dépossédée de tout. Maintenant que j'étais morte et que plus rien ne me retenait dans l'enceinte de la propriété familiale, j'étais libre d'aller où bon me semblait. Mais je ne connaissais pas la ville, ni la manière de m'orienter. Et il n'était guère aisé de marcher, avec mes petits pieds bandés : je ne pouvais pas faire dix pas sans osciller sous la brise. Malgré mon trouble et ma douleur, il me fallait pourtant retrouver Ren.

Le monde extérieur était à la fois plus beau et plus laid que je ne l'avais imaginé. Des charrettes pleines de fruits multicolores voisinaient avec des étals où l'on débitait des carcasses de cochons. Des mendiants aux membres amputés et aux plaies purulentes arrêtaient les passants pour leur demander de l'argent. J'aperçus des femmes – issues de nobles familles ! – qui marchaient dans la rue comme s'il n'y avait rien de plus naturel, se dirigeant vers un restaurant ou une maison de thé en riant aux éclats.

Je me sentais à la fois perdue, curieuse et excitée. Le monde semblait en constant mouvement : des carrosses et des chevaux défilaient à toute allure dans les rues, des buffles tiraient des chariots remplis de sel, des drapeaux et des oriflammes claquaient devant les maisons et une foule beaucoup trop nombreuse se pressait et s'affairait, tel un tumultueux remous d'humanité. Des marchands ambulants vendaient du poisson, des aiguilles ou des paniers en poussant des exclamations stridentes. Des cris et des coups de marteaux s'élevaient des chantiers et des édifices en construction. Les hommes discutaient de politique, du taux de l'or et de leurs dettes de jeu. Je me bouchais les oreilles, mais les rubans de brume qu'étaient désormais mes mains ne pouvaient rien contre ce vacarme effrayant. Je voulus quitter la rue, mais en tant qu'esprit il m'était impossible de tourner à angle droit.

Je revins donc en arrière, jusqu'à la maison familiale, et essayai d'emprunter une autre voie. Celle-ci me conduisit jusqu'à un marché où l'on vendait des éventails, de la soie, des ombrelles en papier, des ciseaux, des blocs de savon, des chapelets à prières et du thé. Toutes sortes de tentures et d'auvents protégeaient les gens du soleil. Je poursuivis mon chemin, longeant des temples, des fabriques de coton et des ateliers où l'on frappait la monnaie : le fracas des presses me faisait si mal aux oreilles que des larmes me montèrent aux yeux. Les rues de Hangzhou étaient pavées de galets sur lesquels mes pieds dérapaient ou se tordaient sans cesse : mes chaussons de soie furent bientôt tachés du sang propre aux spectres. On prétend que les fantômes ne ressentent aucune douleur physique, mais ce n'est pas vrai. Pourquoi, sinon, les chiens de l'au-delà mettraient-ils en charpie les méchants – ou les démons passeraient-ils l'éternité à manger sans répit le cœur d'un mécréant ?

Après avoir atteint l'extrémité d'une longue rue droite qui ne menait nulle part, je revins une fois encore sur mes pas et repartis cette fois-ci dans une autre direction, longeant le mur d'enceinte de notre propriété jusqu'à ce que j'aie atteint l'étendue cristalline du lac. J'aperçus la digue, les lagunes parcourues de rides scintillantes et les collines verdoyantes qui s'étendaient sur l'autre rive. J'écoutais les colombes qui roucoulaient pour appeler la pluie et les pies qui se chamaillaient. Je distinguai au loin l'île de la Solitude et reconnus l'endroit que Ren m'avait désigné, sur le mont Wushan, et où se trouvait sa maison. Mais j'ignorais comment me rendre jusque-là. Je m'assis sur un rocher. Les pans de mes vêtements de longévité s'étalaient autour de moi sur le rivage, mais j'appartenais désormais au monde des esprits : ni l'eau ni la boue ne pouvaient les atteindre et je n'avais plus à redouter que mes chaussons soient trempés. Je ne laissais aucune empreinte et ne projetais aucune ombre derrière moi. Et cela me donnait à la fois un sentiment de liberté et d'incommensurable solitude.

Le soleil disparut derrière les collines, tandis que le ciel s'empourprait et que le lac prenait une teinte lavande. Mon esprit tremblait comme un roseau secoué par la brise. La nuit était en train de descendre et d'envelopper Hangzhou. J'étais seule sur la berge, séparée de tout ce que je connaissais, et je sentais le désespoir me gagner. Si Ren n'allait pas trouver ma famille afin d'accomplir les rites funéraires appropriés – et si, limitée comme je l'étais dans mes déplacements, je ne parvenais pas à atteindre sa maison – comment allions-nous nous rejoindre ?

Dans les demeures et les établissements construits au bord du lac, les chandelles furent soufflées et les lanternes s'éteignirent peu à peu. Les vivants s'étaient endormis, mais la berge était le théâtre d'une activité incessante. Les esprits des arbres et des bambous tressaillaient de toutes parts. Des chiens qu'on avait empoisonnés se traînaient sur la rive et venaient laper une ultime gorgée d'eau avant de s'effondrer, secoués de tremblements. Les fantômes errants de tous ceux qui s'étaient noyés dans le lac ou qui avaient résisté aux Mandchous et refusé de se raser le crâne avant d'être décapités surgissaient au milieu des broussailles. J'en aperçus aussi qui venaient comme moi de mourir et erraient en attendant que les trois parties de leur âme aient rejoint le lieu de leur repos. Les nuits paisibles et bercées de rêves splendides nous étaient désormais interdites.

Je me relevai, sous l'effet d'une brusque inspiration. Ren connaissait presque aussi bien que moi *Le Pavillon des Pivoines*. C'est dans un rêve, justement, que Liniang et Mengmei se rencontrent pour la première fois. Nul doute que, depuis mon décès, Ren avait dû chercher à entrer en contact avec moi de cette manière : simplement, j'ignorais où et comment le retrouver. Mais je compris brusquement où il fallait aller. Le problème, c'est que je devais bifurquer sur la droite pour m'y rendre et je dus m'y prendre à plusieurs reprises pour contourner l'angle du mur d'enceinte, en dessinant un cercle de plus en plus large, avant d'y parvenir. Je longeai ensuite la berge, escaladant les rochers sans me soucier des flaques et écartant les obstacles qui se dressaient sur mon chemin, jusqu'à ce que j'atteigne enfin le pavillon de la Contemplation lunaire, à l'extrémité de notre propriété. Alors que le disque du soleil était sur le point d'émerger à l'horizon, derrière la ligne des montagnes, je l'aperçus qui m'attendait.

— Ren...

— J'étais venu ici dans l'espoir de te voir, me dit-il.

Il me tendit ses bras et je ne me dérobai pas. Il me garda un long moment serrée contre lui, sans prononcer un mot, puis me demanda, d'une voix où l'angoisse était tangible :

— Comment as-tu pu mourir et m'abandonner ainsi ? Nous étions si heureux. T'étais-je devenu indifférent ?

— J'ignorais qui tu étais. Comment l'aurais-je su ?

— Au début, je ne savais pas non plus qui tu étais. Je savais que je devais épouser la fille de maître Chen et qu'elle s'appelait Pivoine. Tout comme toi, j'avais fini par accepter mon destin et me résoudre à ce mariage arrangé. Lorsque nous nous sommes rencontrés, j'ai pensé que tu étais l'une des cousines ou des invitées de la famille. Je me suis alors dit : profitons de ces trois soirées et faisons en sorte qu'elles se rapprochent autant que possible de l'idée que je me fais du mariage.

— J'éprouvais le même sentiment, dis-je avant d'ajouter, brusquement prise de regret : Si seulement je t'avais dit mon nom...

— J'aurais aussi bien pu te dire le mien, dit-il d'un air lugubre. Mais dis-moi : n'as-tu pas reçu la pivoine que j'avais confiée à ton père ? Tu as dû comprendre alors qu'il s'agissait de moi.

— Il me l'a bien donnée, mais il était déjà trop tard pour me sauver.

Ren poussa un soupir.

— Pivoine...

— Je ne comprends toujours pas, dis-je, comment tu as fait pour savoir que c'était moi qui t'étais destinée.

— Je l'ai compris au moment où ton père a fait cette déclaration à la fin du spectacle, concernant notre mariage. Jusqu'alors, la femme que j'allais épouser n'avait pour moi aucun visage. Mais quand ton père a prononcé ton prénom ce soir-là et a ensuite ajouté que tu allais devoir en changer, parce que ma mère portait le même, j'ai brusquement senti – et compris – qu'il parlait bel et bien *de toi*. Tu ne ressembles pas à ma mère, physiquement parlant, mais vous avez toutes les deux la même sensibilité. Je pensais que tu m'avais vu, lorsqu'il m'a désigné de la main devant toute l'assemblée.

— J'avais fermé les yeux, lui avouai-je. Après notre rencontre, je n'avais aucune envie de voir celui qui devait être mon mari.

Je me souvins alors qu'en rouvrant les yeux, j'avais vu la petite Tan Ze pousser une exclamation de surprise. Elle avait bien vu, elle, de qui il s'agissait. Le premier soir, elle m'avait confessé que ses sentiments la portaient vers mon poète. Pas étonnant qu'elle ait eu l'air si furieux quand nous avions ensuite regagné les appartements des femmes...

Ren me caressa la joue. Il s'apprêtait à aller plus loin, mais il fallait d'abord que je comprenne ce qui s'était exactement passé.

— Tu as donc compris qu'il s'agissait de moi à la suite d'une simple intuition ? insistai-je.

Un sourire éclaira son visage et je me dis que si notre mariage avait été célébré, il aurait réagi de la même façon à mes questions.

— Les choses se sont déroulées très simplement, dit-il. Après sa déclaration, ton père a demandé aux femmes de sortir. Quand les hommes se sont levés à leur tour, je les ai laissés et me suis aussitôt précipité dans le jardin pour voir passer votre procession. Tu marchais en tête et les autres femmes te traitaient déjà comme une future épouse. (Il se pencha et chuchota à mon oreille :) Je me suis dit que nous avions de la chance, puisque nous ne serions pas de parfaits étrangers lorsque arriverait notre nuit de noces. Et j'étais heureux en te regardant. (Il se redressa et poursuivit :) Après cette soirée, j'ai longuement rêvé à la vie qui nous attendait. Notre existence allait se partager entre l'amour et la littérature. Je t'avais envoyé *Le Pavillon des Pivoines* : l'as-tu bien reçu ?

Comment aurais-je pu lui avouer que c'était mon obsession pour cet opéra qui avait causé ma perte ? J'avais commis tant d'erreurs. Et il en était résulté une telle tragédie... Je compris à cet instant-là que l'expression la plus cruelle en ce bas monde est bien : *si seulement...* Si seulement je n'avais pas quitté la représentation le premier soir, je me serais mariée comme il était prévu et j'aurais fait la connaissance de Ren lors de notre nuit de noces. Si seulement je n'avais pas fermé les yeux quand mon père l'avait désigné... Si seulement mon père m'avait donné cette pivoine le lendemain matin – ou ne serait-ce qu'un mois, une semaine plus tôt... Comment le destin pouvait-il s'être montré aussi impitoyable ?

— Ce qui a déjà eu lieu, reprit Ren, nous ne pouvons pas le changer. Mais peut-être notre sort n'est-il pas désespéré. Après tout, Mengmei et Liniang ont bien trouvé une solution.

Je ne comprenais pas encore très bien comment les choses se passaient, dans l'au-delà, ni ce que j'allais être en mesure de faire, mais je lui répondis :

— Je ne t'abandonnerai pas. Je resterai toujours auprès de toi.

Ren me serra contre lui et j'enfouis mon visage dans le creux de son épaule. C'était là que j'aurais voulu rester, mais il s'écarta soudain en me montrant le soleil qui se levait :

— Je dois y aller, dit-il.

— Mais j'ai encore tant de choses à te dire ! Ne me quitte pas, l'implorai-je.

Il esquissa un sourire.

— J'entends mon domestique qui traverse le hall pour m'apporter du thé.

Comme il l'avait fait le premier soir de la représentation, il me demanda de venir le retrouver le lendemain. Et sur ces mots, il disparut.

Je restai au même endroit toute la journée, en attendant qu'il vienne me rejoindre en rêve le soir. Cela me laissait largement le temps de réfléchir à ma situation. Dans *Le Pavillon des Pivoines*, Liniang se livre avec Mengmei au jeu des nuages et de la pluie, d'abord dans son propre rêve, puis par la suite, lorsqu'elle est devenue un fantôme. Quand elle reprend vie et redevient humaine, elle a toujours sa virginité et prend soin de la conserver jusqu'à son mariage. Mais les choses pouvaient-elles se passer ainsi pour de bon ? En dehors du *Pavillon des Pivoines*, pratiquement toutes les histoires de fantômes mettent en scène un esprit féminin qui dévore ou détruit son amant. Je me souvenais d'une histoire que ma mère m'avait racontée, dans laquelle l'héroïne fantôme se retenait de toucher le lettré qu'elle aimait, en disant : « Ces ossements qui tombent en poussière ne sont d'aucun attrait pour les vivants. Avoir une liaison avec un spectre ne peut que hâter la mort d'un homme. Je ne supporterais pas de te faire du mal ni de causer ta perte. » Je ne pouvais pas davantage mettre Ren en danger. Comme Liniang, mon destin était celui d'une épouse. Même une fois morte – *a fortiori* une fois morte – je devais me comporter à l'égard de mon mari comme une grande dame. Ainsi que le remarquait Liniang : *Un fantôme peut être aveuglé par la passion ; une femme doit toujours veiller à respecter les rites*.

Cette nuit-là, quand Ren revint en songe dans le pavillon de la Contemplation lunaire, nous parlâmes de fleurs et de poésie, de la beauté du *qing*, de l'amour éternel et de l'amour temporel, tel qu'il est pratiqué dans les maisons de thé. Lorsqu'il me quitta à l'aube, j'étais inconsolable. Tout le temps que nous étions ensemble, j'avais envie de glisser la main dans sa tunique et de toucher sa peau. Je voulais lui murmurer à l'oreille les mots que me dictait mon cœur. Je voulais voir et toucher ce qu'il dissimulait dans les plis de son pantalon, tout comme j'avais envie qu'il défasse un à un mes vêtements de longévité et pose la main sur la partie de mon corps qui languissait tant d'être étreinte, jusque dans la mort.

La nuit suivante, il amena avec lui du papier, de l'encre et des pinceaux. Nous broyâmes ensemble de l'encre sur la pierre. Puis nous marchâmes jusqu'au lac, où je recueillis de l'eau dans le creux de mes mains avant de la mélanger à l'encre.

— Dicte-moi ce que je dois écrire, me dit-il.

Je songeai à l'expérience qui avait été la mienne ces dernières semaines et commençai :

S'élever à travers ciel dans un état d'éveil constant.
Les montagnes se couvrent de rosée.
Le lac scintille.
Tu m'as rappelée à toi depuis les hauteurs
des nuages.

À peine ces derniers mots étaient-ils tombés de mes lèvres qu'il posa son pinceau et m'aida à ôter ma veste matelassée, sur les manches de laquelle étaient brodées des plumes de martin-pêcheur.

Il composa le poème suivant – sa calligraphie avait la grâce somptueuse d'une caresse – intitulé : « Visite d'une déesse » et il m'était consacré :

Inexprimable la tristesse de ton départ,
Une obscurité sans fin.
Tu es venue me voir en songe.
Submergé par la pensée de la vie qui aurait
pu être
Je la trouve ici en ta compagnie,
déesse de mon cœur.
Un brusque sanglot me tire de mon rêve.
Seul à nouveau.

Nous composâmes ainsi dix-huit poèmes ensemble. Je formulais un vers et il enchaînait avec le suivant, faisant de fréquentes allusions à l'opéra que nous aimions. Je citai ainsi Liniang, après son mariage secret : « *Je viens m'offrir à toi ce soir, pleine d'amour et prête à tes moindres désirs.* » Chaque vers contenait un détail d'ordre intime et nous rapprochait davantage. Et les poèmes s'avéraient de plus en plus brefs, à mesure que tombaient sur le sol les couches successives de mes vêtements de longévité. J'en oubliais mes soucis. Tout se ramenait à des mots tels que *plaisir, ondulation, tentation, jaillissement, nuages...*

L'aube arriva et Ren me fut enlevé. D'une seconde à l'autre, il n'était plus là. Le soleil s'éleva bientôt dans le ciel et je demeurai en bas, à peine couverte par la dernière couche de mes habits. Les morts ne souffrent pas vraiment du chaud ni du froid, contrairement aux vivants. Nous ressentons quelque chose de plus profond, lié aux *émotions* que suscitent ces sensations. Je tremblais de manière incontrôlée, mais ne me rhabillai pas pour autant. J'attendis toute la journée, puis la nuit suivante, mais Ren ne revint pas. Après cela, une force inconnue m'obligea à quitter le pavillon de la Contemplation lunaire. Je portais en tout et pour tout un petit caraco et une jupe brodée dont le motif montrait des oiseaux volant par couples au-dessus d'un parterre de fleurs.

Cela faisait cinq semaines que j'étais morte et les trois parties de mon âme étaient en train de se dissocier de manière irrémédiable. La première resterait définitivement liée à mon cadavre ; la deuxième avait entamé le voyage qui devait la conduire jusqu'à ma tablette ancestrale ; et celle qui traversait l'au-delà venait d'arriver en vue de la Terrasse des Âmes Perdues. Parvenues à cet endroit, les âmes sont si tristes et emplies d'une telle nostalgie qu'on leur accorde pour la dernière fois la possibilité de contempler leur foyer d'origine. Des hauteurs où je me trouvais, je cherchai des yeux la propriété familiale, sur les berges du lac. Au début, je n'aperçus que des scènes triviales : les servantes en train de vider les pots de chambre, les concubines qui papotaient en mangeant du poisson, la fille de Shao qui cachait ses modèles de broderie entre les pages de mon exemplaire du *Pavillon des Pivoines*. Mais je fus également témoin de la tristesse de mes parents et me sentis rongée par le remords. C'était un excès de *qing* qui m'avait emportée. J'avais quitté le monde parce que je m'étais laissé submerger par l'émotion, ce qui avait sapé mes forces et embrouillé mes pensées. En bas, sur terre, maman pleurait et je compris que c'était elle qui avait eu raison : j'aurais dû m'abstenir de lire *Le Pavillon des Pivoines*. Cela avait déclenché trop de passion, d'espoir et de détresse en moi – et je me retrouvais ici, séparée à tout jamais de ma famille et de mon mari.

C'était papa, en tant que fils aîné, qui était en charge des rites. Son principal devoir dans les circonstances présentes était de veiller à ce que je sois bien enterrée et à ce que le texte de ma tablette ancestrale soit correctement inscrit. Ma famille et nos domestiques avaient préparé de nouvelles offrandes en papier – représentant de la nourriture, des meubles, des livres ou des vêtements – destinées à être brûlées et à me servir dans ma nouvelle vie. Ils n'avaient pas prévu de palanquin parce que, même morte, maman ne voulait pas que je parte trop loin. La veille de mes funérailles, ces offrandes furent brûlées dans la rue. Depuis la Terrasse des Âmes Perdues, je vis Shao brandir un bâton pour frapper les flammes et les papiers qui se consumaient, afin de chasser les esprits qui auraient cherché à s'emparer de mes biens. Mon père aurait dû confier cette charge à mes oncles et ma mère jeter des grains de riz autour du feu pour détourner l'attention des esprits qui rôdaient dans les parages, attirés par cette manne inespérée : nullement effrayés par Shao, ils dérobèrent en effet la plupart des objets qui m'étaient destinés, sans que je puisse faire le moindre geste pour les en empêcher.

Lorsque mon cercueil arriva devant le portail de l'entrée, j'aperçus Ren et mon cœur s'emplit de joie. Au même instant, mon deuxième oncle brisa une tasse ébréchée au-dessus du cercueil, à l'emplacement de ma tête : à partir de maintenant, je ne pourrais boire que l'eau que j'avais gaspillée au cours de ma vie. On fit exploser des pétards autour de la propriété, pour chasser les effluves néfastes qui restaient associés à ma personne. Mon cercueil fut placé dans un palanquin vert – ce qui symbolisait la mort – et non pas rouge, couleur du mariage. La procession se mit en route. Mes oncles jetaient de faux billets en l'air, pour me permettre d'accéder à l'au-delà. La tête inclinée sur sa poitrine, Ren marchait entre mon père et l'Intendant Tan. Ils étaient suivis par les palanquins où avaient pris place ma mère, mes tantes et mes cousines.

Une fois au cimetière, mon cercueil fut descendu dans sa fosse. Le vent soufflait entre les peupliers, chuchotant une complainte funèbre. À tour de rôle, maman, papa, mes oncles, mes tantes et mes cousines vinrent jeter une poignée de terre sur le cercueil. Tandis que le couvercle de laque se voyait peu à peu recouvert, je sentis disparaître à tout jamais la partie de mon âme qui était restée rivée à mon corps.

Depuis la Terrasse, je suivais attentivement la scène. Aucune cérémonie de mariage fantôme ne fut célébrée. On ne déposa pas davantage au bord de la tombe un repas que j'aurais pu partager dans l'au-delà avec mes nouveaux compagnons, facilitant ainsi la bonne entente entre nous. Maman était si percluse de douleur que mes tantes durent l'aider à regagner son palanquin. Papa conduisait la procession : une fois encore, Ren et l'Intendant Tan avaient pris place à ses côtés. Pendant un long moment, personne ne prononça un mot. Quel réconfort apporter à un père qui vient de perdre son unique enfant ? À un homme dont la mort vient d'emporter celle qu'il devait épouser ?

L'Intendant Tan prit finalement la parole, s'adressant à mon père :

— Votre fille n'est pas la seule à avoir subi les effets de ce néfaste opéra.

C'était une étrange consolation...

— Mais elle l'adorait, murmura Ren. (Les autres le regardèrent et il s'empressa d'ajouter :) C'est ce que j'ai entendu dire, maître Chen. Si le destin m'avait accordé le bonheur d'épouser votre fille, je ne l'aurais pas empêchée de lire cet opéra.

Il est difficile de décrire les sentiments qui m'agitaient en le regardant ainsi, alors que nous avions récemment été dans les bras l'un de l'autre, composant des poèmes et laissant le *qing* régner entre nous. La douleur de Ren était réelle : une fois encore, je regrettais amèrement la stupidité et l'aveuglement dont j'avais fait preuve, au point d'en arriver là.

— C'est pourtant le mal d'amour qui l'a emportée, comme la malheureuse héroïne de cette pièce, lança sèchement l'Intendant Tan, qui n'avait visiblement pas l'habitude d'être contredit.

— Il est vrai que la tendance de la vie à vouloir imiter l'art n'est pas sans inconvénient, reconnut mon père. Mais ce jeune homme a raison : ma fille était incapable de vivre sans poésie. Et vous, monsieur l'Intendant, n'aimeriez-vous pas vous rendre parfois dans les appartements des femmes et expérimenter par vous-même les profondeurs du *qing* ?

Avant que l'Intendant Tan ait pu répondre, Ren intervint :

— Votre fille n'est nullement privée de poésie, maître Chen. Elle est venue me rendre visite en rêve, trois nuits de suite.

Non ! m'exclamai-je du haut de la Terrasse. Ignorait-il donc ce qu'allait impliquer une telle révélation ?

Mon père et l'Intendant Tan le dévisagèrent, intrigués.

— Je parle sérieusement, reprit Ren. La semaine dernière, nous nous sommes retrouvés à l'intérieur même de votre propriété, dans le pavillon de la Contemplation lunaire. Lorsqu'elle m'est apparue la première fois, votre fille avait encore dans les cheveux ses épingles de mariage. Les manches de sa robe étaient brodées d'un motif où j'ai reconnu les plumes bleues des martins-pêcheurs.

— Vous la décrivez à la perfection, dit mon père. Mais comment saviez-vous qu'il s'agissait d'elle, puisque vous ne l'avez jamais rencontrée de son vivant ?

Ren allait-il trahir notre secret ? Et me déconsidérer à tout jamais aux yeux de mon père ?

— Mon cœur l'a reconnue, répondit-il. Nous avons même composé des poèmes ensemble. À mon réveil, je les ai notés : il y en avait dix-huit.

— Ren, dit mon père, vous venez une fois encore de prouver la noblesse de votre caractère. Je n'aurais pu avoir de meilleur gendre.

Ren plongea la main dans sa manche et en sortit une liasse de papiers.

— J'ai pensé que vous aimeriez les lire, ajouta-t-il.

Ren était adorable mais il venait de commettre une terrible erreur. On nous dit bien, lorsque nous sommes en vie, que si un mort nous apparaît en rêve et que nous en parlons à quelqu'un – ou pire encore, que nous lui répétons les paroles du mort – cet esprit se verra irrémédiablement chassé. C'est la raison pour laquelle les fantômes, les esprits des renardes et les immortels eux-mêmes implorent les humains avec lesquels ils se lient de ne pas révéler leur existence aux autres hommes. L'esprit – quelle que soit sa forme – ne « disparaît » évidemment pas : où pourrait-il aller ? Mais la possibilité de se manifester dans les rêves des vivants lui est du coup pratiquement interdite. J'étais consternée.

Au cours de la sixième semaine qui suivit ma mort, j'aurais dû traverser le Fleuve de la Fatalité. Puis, durant la septième, pénétrer dans le Royaume du Prince de la Roue, où l'on m'aurait conduite devant les juges qui auraient décidé de mon sort. Mais il ne se passa rien de tel et je demeurai au contraire sur la Terrasse des Âmes Perdues. Je commençais à me dire que quelque chose allait vraiment de travers.

Papa s'abstint de contacter Ren au sujet d'un éventuel mariage fantôme. Il était trop occupé à préparer son départ pour Pékin, où il devait aller prendre ses nouvelles fonctions. Cela aurait dû me plonger dans le désespoir : comment pouvait-il faire ainsi allégeance à l'empereur mandchou ? J'aurais également dû me faire du souci pour son âme, puisqu'il avait renoncé à ses préceptes moraux au bénéfice de l'aisance matérielle. À vrai dire, ces sentiments ne m'étaient pas étrangers, mais je redoutais bien davantage que papa n'essaie de convaincre un autre homme que Ren de m'épouser à titre posthume. Il lui aurait été facile de jeter une poignée de pièces d'or sur la route, devant notre maison, d'attendre qu'un passant les ramasse et d'aller lui dire qu'en recueillant ainsi « le prix de la mariée », il avait accepté de me prendre pour épouse. Mais cela ne se produisit pas non plus.

Maman annonça qu'elle n'accompagnerait pas papa à Pékin et avait décidé de ne plus quitter désormais la propriété de la famille Chen. Cela me rassura un peu. Pour maman, les jours heureux où nous jouions ensemble dans le pavillon du Printemps étaient bel et bien révolus : ils avaient cédé la place à la peine et aux larmes. Elle passait des heures dans la pièce où l'on avait remisé mes affaires, à respirer l'odeur qui émanait de mes vêtements, à caresser la brosse avec laquelle je me peignais et à contempler les articles que j'avais brodés pour mon trousseau. Je m'étais si longtemps opposée à ma mère ; et maintenant, je passais mon temps à le regretter.

Quarante-neuf jours après ma mort, ma famille se rassembla dans le hall des ancêtres pour la cérémonie d'inscription de ma tablette. Une poignée de conteurs et de musiciens s'étaient réunis dans la cour. Traditionnellement, c'est à un individu d'une grande noblesse – un lettré ou un mandarin de haut rang – que revient l'honneur de faire cette précieuse inscription. Une fois cet acte accompli, la deuxième partie de mon âme viendrait s'établir à demeure dans cette tablette, d'où elle surveillerait et protégerait ma famille. L'inscription me permettrait également d'être honorée au titre d'ancêtre, m'offrant ainsi une résidence terrestre pour l'éternité. C'était à travers elle, une fois son texte inscrit, que ma famille pourrait me faire des offrandes et m'adresser tout ce dont je pouvais avoir besoin dans l'au-delà – mais aussi requérir mon aide et se concilier mes faveurs pour intervenir auprès d'éventuelles forces hostiles. J'étais certaine que ce serait à l'Intendant Tan – la personne de plus haut rang qu'il connaissait à Hangzhou – que mon père allait confier le soin de rédiger cette inscription. Mais il avait porté son choix sur celui qui comptait plus que tout au monde à mes yeux : Wu Ren.

Celui-ci paraissait plus troublé que le jour de mes funérailles. Il avait les cheveux hirsutes, comme s'il n'avait pas dormi. La peine et le regret se lisaient dans son regard. Maintenant que j'étais bannie de ses rêves, il ne comprenait que trop bien la perte qu'il avait faite. La part de moi-même qui devait résider dans ma tablette ancestrale vint se placer à ses côtés. J'aurais voulu qu'il sache que j'étais là, tout près de lui, mais nul dans la pièce – pas plus lui que les autres – ne semblait soupçonner ma présence. J'avais moins de consistance qu'une volute d'encens.

Ma tablette ancestrale était posée sur une table qui tenait lieu d'autel. On y avait déjà inscrit mon nom, ainsi que l'heure exacte de ma naissance et de ma mort. À côté de la tablette se trouvaient un pinceau et une petite coupelle contenant le sang d'un coq. Ren plongea l'extrémité du pinceau dans le sang et l'approcha de la tablette. Il hésita, reposa le pinceau et poussa un gémissement, avant de quitter précipitamment le hall. Papa et les domestiques le suivirent dans la cour. On le fit asseoir au pied d'un ginkgo, on lui apporta du thé et on essaya de le consoler. Papa s'aperçut alors que ma mère n'était pas avec eux.

Il regagna l'intérieur du hall, suivi par toute la compagnie. Maman était étendue en travers du sol et pleurait à chaudes larmes, en serrant ma tablette contre elle. Papa la regarda, désemparé. Shao s'accroupit auprès d'elle et essaya de lui retirer la tablette des mains, mais maman refusa de la lâcher.

— Permets-moi de la garder, dit-elle à mon père en sanglotant.

— Il faut qu'elle soit inscrite, lui répondit-il.

— C'est ma fille, l'implora-t-elle, laisse-moi m'en charger. Je t'en supplie...

Mais maman n'était pas une personne distinguée, elle ne faisait partie d'aucun cercle de lettrés. À ma grande stupéfaction, j'aperçus une lueur de connivence dans le regard qu'échangèrent mes parents.

— D'accord, répondit papa. Ce sera très bien ainsi.

Shao prit alors ma mère par les épaules et la reconduisit dans ses appartements. Mon père renvoya les conteurs et les musiciens. Le reste de la famille et les domestiques se dispersèrent et Ren rentra chez lui.

Ma mère pleura toute la nuit. Elle refusait toujours de lâcher ma tablette, malgré l'affectueuse insistance de Shao. Comment n'aurais-je pas vu à quel point elle m'aimait ? Était-ce pour cette raison que papa l'avait autorisée à inscrire le texte de ma tablette ? Mais c'était parfaitement absurde : ce devoir lui revenait à lui.

Le lendemain matin avant son départ, il passa voir maman dans sa chambre. Lorsque Shao ouvrit la porte, il l'aperçut au fond de son lit : elle poussait toujours des gémissements plaintifs. La tristesse envahit le regard de mon père.

— Dites-lui que je dois partir pour la capitale, murmura-t-il à Shao.

Puis, non sans réticence, il fit demi-tour et s'éloigna.

Je le suivis jusqu'au portail, où un palanquin l'attendait pour l'emmener prendre ses nouvelles fonctions. Après son départ, une fois le palanquin hors de vue, je retournai dans la chambre de ma mère. Shao était agenouillée à son chevet.

— Ma fille est morte, gémissait maman.

Shao chantonnait pour la consoler et écartait les mèches de cheveux collées à ses joues inondées de larmes.

— Donnez-moi cette tablette, dame Chen. Il faut que je l'apporte au maître, il doit accomplir le rite.

Qu'avait-elle en tête ? Mon père venait de partir…

Maman l'ignorait, mais refusait toujours de lâcher ma tablette, qu'elle gardait obstinément serrée contre elle.

— Vous connaissez les rites, poursuivit Shao.

Cela lui ressemblait bien, de s'appuyer sur la tradition pour apaiser la tristesse de ma mère…

— Allons, donnez-la-moi… C'est le rôle du père. (Voyant ma mère hésiter, elle ajouta :) Vous savez bien que j'ai raison.

Contre sa volonté, maman céda la tablette à Shao. Lorsque celle-ci quitta la pièce, ma mère plongea son visage dans ses draps et se remit à pleurer. Je suivis ma vieille nourrice, qui se rendit dans une remise située à l'arrière de la propriété. Impuissante, je la vis glisser ma tablette sur les hauteurs d'une étagère, derrière une jarre de navets qui macéraient dans du vinaigre.

— Cet affreux objet n'a déjà fait que trop de mal à notre maîtresse, grommela-t-elle entre ses dents, avant de se racler la gorge et d'ajouter : De cette façon, on n'en parlera plus.

Sans inscription, je ne pouvais pas investir la tablette. Et la part de mon âme qui aurait dû s'y établir vint me rejoindre, sur la Terrasse des Âmes Perdues.

La Terrasse des Âmes Perdues

Étant dans l'impossibilité de quitter la Terrasse, je ne pouvais aller plaider mon cas devant le tribunal des juges infernaux. À mesure que les jours passaient, je me rendis compte que je continuais d'éprouver les mêmes besoins et les mêmes envies que sur terre. Au lieu de calmer mes élans, la mort les avait plutôt aiguisés. Les Sept Émotions que nous avions évoquées, Ren et moi – la joie, la colère, le regret, la peur, l'amour, la haine et le désir – m'avaient suivie dans l'au-delà. Et je m'aperçus qu'elles avaient plus de puissance et d'endurance que n'importe quelle autre force dans l'univers : plus énergiques que le flux de la vie, plus violentes que les éléments contrôlés par les dieux, elles flottaient autour de nous, sans commencement ni fin, et je baignais en elles. Mais j'étais surtout rongée par le regret de la vie que j'avais perdue.

J'avais la nostalgie de la propriété de la famille Chen. L'odeur du gingembre, du thé vert, du jasmin me manquait – tout comme celle de la pluie d'été. Après avoir perdu l'appétit pendant de si nombreux mois, j'avais brusquement envie de racines de lotus braisées à la sauce de soja, de canard laqué, de crevettes translucides et de crabes du lac. Je regrettais le chant des rossignols, les conversations des femmes dans les appartements intérieurs, le clapotis des vagues qui venaient mourir sur la berge. Je regrettais le contact de la soie sur ma peau et la douceur de la brise qui passait par ma fenêtre ouverte. Je regrettais l'odeur de l'encre et du papier – et les livres dans lesquels je me plongeais pour accéder à un autre monde. Mais par-dessus tout, je regrettais ma famille.

Je me penchais tous les jours au-dessus de la balustrade pour regarder maman, mes tantes, mes cousines et les concubines, qui vaquaient à leurs besognes habituelles. J'étais heureuse lorsque papa revenait à la maison, pour de courtes visites. L'après-midi, il recevait des jeunes gens aux tuniques resplendissantes dans le pavillon de la Fertile Élégance ; et le soir, il buvait du thé en compagnie de ma mère. Pourtant, je ne les entendais jamais parler de moi. Maman ne faisait pas allusion au fait qu'elle n'avait rien inscrit sur ma tablette, pensant que papa l'avait fait. Et lui, de son côté, ne soulevait pas le sujet, croyant qu'elle s'en était chargée... Du coup, il s'était abstenu d'inviter Ren, pour célébrer une seconde fois cette cérémonie. Ma tablette n'étant plus exposée aux regards, je pouvais rester bloquée ici pour l'éternité. Épouvantée par cette idée, je me rassurais en me rappelant que le préfet Du était parti lui aussi après la mort de Liniang, en oubliant d'inscrire le texte de sa tablette. Attendu les nombreuses similitudes qui existaient entre le destin de Liniang et le mien, je me disais que la force de l'amour allait sans doute finir par me ramener à la vie.

Je me mis alors à chercher la maison de Ren. Au bout d'un nombre incommensurable de tentatives, je trouvai finalement le moyen d'adapter ma vision pour lui permettre de franchir l'étendue du lac. J'avais localisé le temple qui était vivement éclairé par des torches le soir de la représentation, et je n'eus alors aucun mal à trouver la propriété de Ren.

On m'avait dit jadis que j'étais placée sous le signe du jade et mon futur époux sous celui de l'or – ce qui signifiait que nos deux familles étaient de fortune et de statut équivalents. Mais la propriété de la famille Wu ne comprenait que deux ou trois cours, agrémentées de quelques pavillons, susceptibles d'accueillir tout au plus une centaine de personnes. Le frère aîné de Ren était parti occuper son poste dans une lointaine province, où il vivait avec sa femme et ses enfants. Ce qui fait que la propriété n'abritait pour l'instant que Ren et sa mère, assistés d'une dizaine de domestiques. Mais cela ne me dérangeait pas. J'étais en proie au mal d'amour et mes yeux ne voyaient que ce qu'ils voulaient voir : une demeure de taille modeste, mais arrangée avec goût. Les portes principales étaient peintes en rouge cinabre. Les toits de tuiles vertes s'harmonisaient à merveille avec les saules qui entouraient la propriété. Le prunier dont Ren m'avait parlé se dressait dans la cour centrale, mais il avait perdu ses feuilles. Et bien sûr il y avait Ren, qui écrivait à longueur de journée dans sa bibliothèque, prenait ses repas avec sa mère et déambulait le soir dans le jardin ou le long des galeries. Je passais mon temps à le regarder, au point d'en oublier ma propre famille. Mais quelle ne fut pas ma surprise de voir Shao se présenter un jour au domicile des Wu !

On conduisit ma vieille nourrice dans un vestibule où on la pria d'attendre. Puis une domestique introduisit Ren et sa mère dans la pièce. Madame Wu était veuve depuis de longues années et était revêtue, ainsi qu'il convenait, d'habits aux couleurs sombres. Ses cheveux grisonnaient par endroits et son visage affichait la douleur rentrée d'une femme qui a perdu son mari. Shao s'inclina plusieurs fois devant elle, mais ce n'était qu'une domestique : aussi madame Wu s'abstint-elle d'échanger avec elle des propos badins et de lui offrir du thé.

— Peu avant sa mort, lui dit Shao, notre petite demoiselle m'avait confié divers objets en me demandant de les remettre à votre famille. Tout d'abord...

Elle écarta l'étoffe qui couvrait son panier et en sortit un petit paquet, enveloppé de soie. Puis elle courba la tête et le tendit à madame Wu.

— Notre petite demoiselle vous le destinait, en signe de piété filiale.

Madame Wu prit le paquet et l'ouvrit lentement. Elle souleva l'un des chaussons que j'avais brodés pour elle et l'examina, avec le regard acéré d'une belle-mère. Mes pivoines brodées se détachaient nettement sur la soie bleu foncé. Elle se tourna vers son fils et déclara :

— Ton épouse savait manier l'aiguille.

Aurait-elle dit la même chose si j'avais été en vie ? Ou m'aurait-elle critiquée, comme doit le faire toute belle-mère digne de ce nom ?

Shao fouilla dans son panier et en sortit mon exemplaire du *Pavillon des Pivoines*.

Une fois mort, on finit par oublier des choses qui paraissaient autrefois importantes. J'avais demandé à Shao d'apporter ce volume dans mon nouveau foyer, trois jours après mon mariage. Pour des raisons évidentes, elle ne l'avait pas fait et j'avais entretemps oublié sa promesse, ainsi que le projet qui m'avait tant occupée. Je ne m'en étais même pas souvenue lorsque j'avais vu sa fille glisser ses modèles de broderie entre les pages du livre.

Shao leur expliqua que j'avais passé mes journées à lire et à écrire, que ma mère avait fait brûler tous mes livres et que j'avais réussi à cacher ce volume au milieu de mes draps. Ren le prit entre ses mains et l'ouvrit.

— Après avoir assisté à la représentation de cet opéra, expliqua madame Wu, mon fils avait parcouru toute la ville pour dénicher cet exemplaire.

J'avais jugé préférable de l'adresser à votre Pivoine en prétendant que c'était ma belle-fille qui lui en faisait don. Mais il y avait deux volumes. Où est le second ?

— Comme je vous l'ai dit, répéta Shao, sa mère a fait brûler tous ses livres.

Madame Wu poussa un soupir et eut une moue désapprobatrice.

Ren feuilletait le volume, s'arrêtant parfois sur certaines pages.

— Regarde, dit-il à sa mère en lui montrant des caractères que mes larmes avaient délavés. C'est son essence même qui apparaît dans la trame du papier. (Il se mit à lire et releva les yeux au bout d'un moment.) J'aperçois son visage dans chacun de ces mots. L'encre paraît vivante, on dirait que les lettres viennent d'être tracées. On sent encore la moiteur de sa main sur les pages.

Madame Wu considérait son fils d'un air bienveillant.

J'étais convaincue que Ren, en lisant mes pensées sur l'opéra, saurait ce qu'il conviendrait de faire. Et que Shao allait l'aider en lui suggérant d'inscrire le texte de ma tablette.

Mais elle ne fit pas la moindre allusion à ce sujet et Ren ne semblait nullement se réjouir. Au contraire, une tristesse de plus en plus vive se peignait sur son visage. Je ressentis une douleur aussi profonde que si l'on m'avait arraché le cœur.

— Nous vous sommes très reconnaissants, dit madame Wu à l'intention de Shao. Mon fils retrouve son épouse dans les traits de pinceau qu'a laissés votre maîtresse. De cette manière, elle continue de vivre parmi nous.

Ren referma le volume et se leva brusquement. Il donna une once d'argent à Shao, que celle-ci s'empressa d'empocher. Puis, sans un mot de plus, il quitta la pièce, mon livre sous le bras.

Ce soir-là, je l'observai dans sa bibliothèque, plongé dans une mélancolie de plus en plus profonde. Il appela ses domestiques et leur demanda du vin. Il lisait les mots que j'avais écrits, en caressant doucement les pages du livre. Il se tenait la tête, buvait et pleurait d'un même élan, laissant les larmes inonder son visage. Déroutée par son comportement – je ne m'attendais absolument pas à une telle réaction de sa part – je me mis en quête de madame Wu et la trouvai dans sa chambre. Nous portions le même prénom et partagions un profond amour pour Ren. Je pensais donc qu'elle allait faire le nécessaire pour apaiser la douleur de son fils.

Madame Wu attendit que le calme se soit installé dans la maison, puis elle traversa le couloir, sur ses pieds menus, et ouvrit la porte de la bibliothèque. Ren s'était endormi, la tête dans ses bras, assis à son bureau. Madame Wu ramassa *Le Pavillon des Pivoines* et la bouteille de vin vide, avant de souffler la bougie et de quitter la pièce. De retour dans sa chambre, elle fourra dans un tiroir le volume qui contenait mes annotations, entre deux jupes aux couleurs chatoyantes que son statut de veuve ne l'autorisait plus à porter, et le referma d'un coup sec.

Des mois passèrent. Comme je ne pouvais pas quitter la Terrasse, je voyais défiler tous ceux qui y faisaient halte, au cours du voyage qui les emmenait à travers les sept niveaux de l'au-delà. Je vis de chastes veuves, enveloppées dans leurs vêtements de longévité, retrouver les maris qui les avaient quittées depuis des décennies. Je n'aperçus en revanche aucune femme morte en couches : ces malheureuses étaient directement conduites au Lac de Sang, où elles devaient souffrir pendant l'éternité, pour ne pas avoir su mener leur grossesse à son terme. Mais pour le reste, la Terrasse des Âmes Perdues permettait à tous ceux qui passaient de jeter un dernier coup d'œil sur le monde d'en bas – tout en réfléchissant à leur nouveau statut d'ancêtres : ils pourraient par la suite revenir en ces lieux pour voir comment se comportaient leurs descendants et leur attribuer, selon le cas, récompenses et punitions. Je vis ainsi des ancêtres maudire, accabler, humilier même ceux qu'ils avaient laissés derrière eux ; et d'autres au contraire, couverts d'offrandes, accorder à leurs familles des moissons généreuses et une longue lignée de fils.

Mais je faisais surtout attention à ceux qui étaient morts récemment et qui ignoraient encore où allait se terminer leur voyage, une fois qu'ils auraient franchi les sept niveaux. Seraient-ils envoyés dans l'un des dix *yamen* et leurs ténébreux enfers ? Attendraient-ils des centaines d'années avant de pouvoir retourner sur terre et habiter un autre corps ? Se réincarneraient-ils rapidement en estimables lettrés – s'ils avaient de la chance – ou, s'ils en avaient moins, en femmes, en poissons, en vers de terre ? À moins que Guanying ne les conduise en une fraction de seconde jusqu'au Paradis de l'Ouest, à dix mille millions de *li* d'ici, où ils seraient quittes de toute réincarnation et passeraient le reste de l'éternité dans la béatitude céleste, au milieu de danses et de fêtes sans fin ?

Certaines jeunes filles dont j'avais entendu parler de mon vivant, victimes elles aussi du mal d'amour, étaient venues me trouver : l'actrice Shang Xiaoling, qui était morte sur scène ; Yu Niang, dont le décès avait inspiré à Tang Xianzu plusieurs poèmes élégiaques ; Jin Fengdian, dont l'histoire était pratiquement identique à la mienne, à ceci près que son père était un négociant en sel ; et quelques autres encore.

Nous nous apitoyions ensemble sur notre sort. Durant notre vie, nous avions toutes eu conscience du danger que représentait cet opéra – dont la lecture, comme celle de n'importe quel ouvrage, pouvait nous être fatale – mais nous avions été séduites par l'idée de mourir jeunes, dans la plénitude de notre beauté et de notre talent. Nous avions été attirées par la douleur et le plaisir mêlés que nous offrait le spectacle d'autres jeunes filles en proie au mal d'amour. Nous avions lu *Le Pavillon des Pivoines*, composé des poèmes à son sujet et nous avions fini par mourir. Nous pensions que nos écrits survivraient aux ravages du temps et à la dégénérescence de nos corps, prouvant du même coup la force de cet opéra.

Mes consœurs voulaient toutes en savoir davantage au sujet de Ren. Je leur dis que j'étais convaincue de deux choses : d'abord que notre amour avait été décidé par le Ciel, et ensuite que le *qing* finirait par nous réunir.

Elles me considérèrent avec un regard empreint de pitié, avant de chuchoter entre elles.

— Nous avons toutes rêvé d'un amoureux idéal, me confia finalement l'actrice, mais il ne s'agissait justement que de ça : d'un simple rêve.

— Je croyais que mon lettré existait pour de bon, reconnut Yu Niang. Nous étions toutes comme toi, ma pauvre Pivoine. Nous n'avions aucun mot à dire sur la conduite de notre vie. Nous devions toutes épouser un mari inconnu et aller vivre au sein d'une famille étrangère. Nous n'avions aucun espoir, mais nous désirions l'amour de toutes nos forces. Quelle est la jeune fille qui n'a pas rencontré un homme en rêve ?

— Dans mes rêves, dit une autre, je rencontrais mon amoureux dans un temple. Je l'aimais beaucoup.

— J'ai cru moi aussi avoir le même destin que Liniang, ajouta la fille du négociant en sel. Je pensais qu'après ma mort mon élu allait découvrir mon existence, tomber amoureux de moi et me ramener à la vie. Nous aurions ainsi partagé un amour véritable – et non celui que nous dictaient le devoir ou les conventions. (Elle poussa un soupir.) Mais ce n'était qu'un rêve et je me suis retrouvée ici.

Je les regardai à tour de rôle : leurs jolis visages et leur expression de tristesse m'apprenaient que chacune avait connu une histoire à peu près identique à la mienne.

— Mais moi, leur dis-je, j'ai rencontré Ren en chair et en os. Il m'a caressée avec une pivoine.

Elles me regardèrent avec incrédulité.

— Toutes les jeunes filles rêvent, reprit Yu Niang.

— Mais Ren existe pour de bon. Regardez, dis-je en désignant le royaume terrestre qui s'étendait plus bas, par-delà la balustrade. C'est lui.

Les jeunes filles – aucune n'avait plus de seize ans – se penchèrent et suivirent mes indications : Ren était chez lui, en train d'écrire dans sa bibliothèque.

— Nous voyons bien un jeune homme, me dirent-elles, mais comment savoir si c'est lui que tu as rencontré ?

— À supposer que cela soit vrai...

Dans l'au-delà, nous pouvons parfois nous transporter plusieurs années en arrière, pour revivre nos expériences ou faire en sorte que d'autres en soient témoins. C'est l'une des raisons pour lesquelles les enfers sont si terribles : les gens peuvent y revivre éternellement leurs méfaits. J'évoquais quant à moi des souvenirs plus agréables, afin que mes consœurs en mal d'amour puissent les partager : je les conduisis dans le pavillon de la Chevauchée céleste, puis dans celui de la Contemplation lunaire, et les fis enfin assister à ma dernière visite en tant qu'esprit au domicile de Ren. Toutes se mirent à pleurer, devant la beauté et la sincérité de notre histoire. Au même instant, à nos pieds, une tempête s'abattit sur Hangzhou.

— C'est en mourant que Liniang a prouvé sa passion éternelle, dis-je tandis qu'elles séchaient leurs larmes. Vous voyez : un jour prochain, Ren et moi serons réunis et nous nous marierons pour de bon.

— Comment cela pourrait-il arriver ? demanda l'actrice.

— *Comment pourrait-on puiser la lune à la surface de l'eau, ou cueillir des fleurs dans le vide ?* répondis-je en citant une réplique de Mengmei. Notre lettré ignorait comment ramener Liniang à la vie, mais il y parvint pourtant. Ren trouvera bien un moyen.

Ces jeunes filles étaient charmantes, et très gentilles avec moi, mais elles ne me croyaient visiblement pas.

— Tu as peut-être bien rencontré cet homme, me dit Yu Niang, mais ton mal d'amour était identique au nôtre. Nous nous sommes toutes laissées mourir de faim.

— Tout ce que tu peux espérer, c'est que tes parents publient tes poèmes, me dit la fille du négociant en sel pour me consoler. De cette façon, tu revivras un peu. C'est ce qui m'est arrivé.

Les autres lui firent écho, affirmant que leurs familles avaient publié leurs poèmes après leur mort.

— La plupart de nos parents ne nous font aucune offrande, m'avoua la fille du marchand. Mais nous subsistons grâce au fait que nos poèmes sont publiés. Nous ignorons pourquoi il en va ainsi, mais c'est la vérité.

Ces nouvelles n'avaient rien de rassurant. J'avais dissimulé mes poèmes dans la bibliothèque de mon père et la mère de Ren avait caché mon exemplaire du *Pavillon des Pivoines* dans l'un de ses tiroirs. Lorsque je leur expliquai la situation, les jeunes filles hochèrent la tête d'un air désolé.

— Tu devrais en parler à Xiaoqing, me suggéra Yu Niang. Elle a plus d'expérience que nous et pourrait peut-être t'aider.

— Je serais ravie de la rencontrer, dis-je avec ardeur. Et plus honorée encore, si elle me donnait son avis. Dites-lui de se joindre à vous, la prochaine fois que vous viendrez par ici.

Mais Xiaoqing ne les accompagnait pas la fois suivante. Et le grand Tang Xianzu ne se manifesta pas, lui non plus, bien que les jeunes filles m'eussent dit qu'il résidait non loin d'ici.

Je me retrouvais donc seule, la plupart du temps.

Quand j'étais encore en vie, j'avais entendu raconter bien des choses, concernant l'au-delà : certaines se révélèrent exactes, d'autres non. Beaucoup de gens utilisent le terme de monde inférieur, mais je préfère celui d'au-delà, parce qu'il n'est pas exactement situé *en dessous* du monde des hommes, même si certaines de ses régions le sont. En dehors de toute considération géographique, l'endroit où je me trouvais désormais semblait bel et bien s'étendre *au-delà* – dans la continuité du monde des vivants. La mort ne met pas un terme aux liens qui nous unissent à notre famille et notre statut y reste le même. Si vous étiez un paysan sur terre, vous continuerez ici à travailler dans les champs ; si vous étiez propriétaire terrien, mandarin ou membre d'un cercle de lettrés, vous passeriez encore vos journées à lire, à écrire de la poésie, à boire du thé et à faire brûler de l'encens. Les femmes gardent les pieds bandés, elles restent soumises et obéissantes et s'occupent essentiellement des questions familiales ; les hommes ont toujours la charge du monde extérieur et arpentent le labyrinthe des ténèbres, allant de bureau en bureau pour plaider leur cause devant les juges infernaux.

J'avais encore beaucoup de choses à apprendre, pour démêler ce que j'étais capable de faire de ce qui m'était interdit. Je pouvais me laisser flotter ou me fondre dans l'atmosphère. Shao et Branche de Saule n'étant plus là pour m'aider, j'appris à me débrouiller avec mes bandages, en utilisant ceux que ma famille avait brûlés à mon intention. Les bruits me parvenaient d'assez loin, mais ce n'était pas très gênant. Il m'était toujours impossible de tourner à angle droit. Et je distinguais beaucoup de choses par-dessus la balustrade. Pourtant, mon regard ne portait pas plus loin que les environs immédiats de Hangzhou.

Je me trouvais depuis plusieurs mois déjà sur la Terrasse lorsqu'une vieille femme s'approcha un jour de moi. Elle se présenta comme étant ma grand-mère, mais ne ressemblait en rien à la femme au visage austère dont j'avais vu le portrait dans le hall des ancêtres.

— Ah ! lança-t-elle avec un petit rire. Pourquoi représente-t-on les ancêtres de la sorte ? De mon vivant, je n'ai jamais regardé personne d'un air aussi condescendant.

Grand-mère était encore jolie. Ses cheveux étaient ornés d'épingles en jade, de perles et de bijoux en or. Sa jupe était en soie très fine et ses pieds plus menus encore que les miens. Son visage présentait quelques rides, mais son teint était encore éclatant. Ses mains restaient toujours dissimulées dans ses manches très larges, à la manière ancienne. Elle paraissait bien frêle. Pourtant lorsqu'elle s'assit près de moi je fus surprise par la pression de sa cuisse contre la mienne.

Au cours des semaines suivantes, elle vint souvent me rendre visite, mais jamais en compagnie de mon grand-père – et elle éluda toutes les questions que je lui posai à ce sujet.

— Il est retenu ailleurs, me disait-elle. (Ou bien :) Il aide ton père dans une négociation qui a lieu à la capitale. Les gens de la cour ont l'esprit retors et ton père manque d'expérience. (Ou encore :) Il est sans doute allé retrouver l'une de ses concubines… du moins en rêve. Cela lui arrive de temps en temps et le met généralement de bonne humeur, parce que dans leurs rêves les concubines se voient toujours telles qu'elles étaient dans leur jeunesse – et non comme les vieilles dindes qu'elles sont toutes devenues.

Ses commentaires acerbes sur les concubines m'amusaient, parce que j'avais toujours entendu dire qu'elle avait fait preuve d'une grande générosité et d'une certaine gentillesse à leur égard, montrant ainsi l'exemple quant à l'attitude que doit adopter une épouse principale. Mais ici, elle ne se gênait pas pour se moquer d'elles.

— Cesse donc de regarder cet homme ! me lança-t-elle un jour, plusieurs mois après sa première visite.

— Comment sais-tu que je le regarde ?

Elle me donna un coup de coude dans les côtes.

— Je suis ton ancêtre, ne l'oublie pas ! Rien ne m'échappe, ma petite ! Penses-y.

— Mais c'est mon mari, dis-je d'une voix faible.

— Tu n'as jamais été mariée, rétorqua-t-elle. Et tu devrais t'en féliciter !

— M'en féliciter ? Nous étions destinés l'un à l'autre, Ren et moi.

Grand-mère renifla d'un air méprisant.

— Quelle idée ridicule ! Rien ne vous destinait à être ensemble. Ton mariage a tout simplement été arrangé par ton père, comme il en va pour toutes les filles. Il n'y a rien d'extraordinaire là-dedans. Et au cas où tu l'aurais oublié, tu n'es plus sur terre, à présent.

— Je ne m'inquiète pas, dis-je. Papa va arranger pour moi un mariage fantôme.

— Tu ferais mieux d'observer plus attentivement ce qui se passe en bas.

— Tu me fais marcher. Je sais que…

— Ton père a d'autres projets.

— Je ne vois pas papa lorsqu'il est à la capitale, mais cela ne change rien. Même s'il n'organise pas un mariage fantôme, j'attendrai Ren. C'est pour cela que je suis confinée ici, tu ne crois pas ?

Grand-mère ignora ma question.

— Tu crois donc que cet homme t'attendra ?

Ses traits se plissèrent et elle fit la grimace, comme si elle avait débouché une jarre de tofu pourri. Elle était mon ancêtre et je ne pouvais pas la contredire.

— Ne te soucie donc pas tant de lui, reprit-elle en me tapotant la joue du bout de sa manche. Tu étais une brave petite-fille. J'ai apprécié les fruits que tu m'as offerts, pendant toutes ces années.

— Dans ce cas, pourquoi ne m'aides-tu pas ?

— Je n'ai rien contre toi.

C'était une étrange réponse, mais elle disait souvent des choses que je ne comprenais pas.

— Maintenant, écoute-moi, lança grand-mère. Il faut que tu t'interroges : pour quelle raison te retrouves-tu bloquée ici ?

Pendant tout ce temps, des dates importantes s'étaient succédé. Mes parents ne m'inclurent pas dans leurs offrandes du Nouvel An, qui avait eu lieu quelques jours après ma mort. Lors du treizième jour du premier mois, ils étaient censés déposer une lampe allumée sur ma tombe. Pour la fête du Printemps, ils auraient dû venir la nettoyer, faire exploser des pétards et brûler de faux lingots dont j'allais avoir besoin dans l'au-delà. Le premier jour du dixième mois, qui marquait officiellement le début de l'hiver, il aurait fallu brûler des images en papier représentant des vestes matelassées, des bonnets de laine et des bottines fourrées, destinés à me tenir chaud. Au fil de l'année, tous les premiers et quinzièmes jours du mois, ma famille aurait dû faire des offrandes de riz cuit, de vin, de viande et de faux lingots devant ma tablette ancestrale, afin que je puisse en bénéficier dans l'au-delà. Mais comme Shao ne l'avait pas exhumée de sa cachette et que personne ne s'était soucié de savoir où elle était passée, j'en conclus que mes parents étaient encore trop affectés par mon absence pour s'occuper du sort de ma tablette.

Puis, lors de la fête de la Lune Amère, qui a lieu pendant les jours les plus sombres et les plus froids de l'hiver, je fis une découverte qui m'ébranla profondément. Peu avant le premier anniversaire de ma disparition, mon père était revenu passer quelques jours à la maison. À cette occasion, ma mère avait préparé une bouillie spéciale, à base de diverses céréales, de fruits et de noix, parfumée aux quatre variétés de sucre. Ma famille se rassembla dans le hall des ancêtres et présenta cette bouillie à ma grand-mère et aux autres esprits défunts. Cette fois encore, nul ne se soucia d'aller chercher ma tablette sur l'étagère où Shao l'avait reléguée et je ne reçus pas la moindre offrande. Je savais pourtant qu'on ne m'avait pas oubliée : maman pleurait toutes les nuits, depuis que j'étais morte. Cette négligence devait donc avoir une autre raison.

Grand-mère, qui devait être quelque part en train de manger sa bouillie avec grand-père, aperçut la scène et vint me trouver. Elle avait l'habitude de se montrer directe, mais je n'avais aucune envie d'entendre – et moins encore d'accepter – ce qu'elle avait à me dire.

— Ta famille ne te fera jamais d'offrandes, m'expliqua-t-elle. Pour des parents, il est contre nature de rendre un culte à un enfant. Si tu avais été un fils, ton père aurait battu ton cercueil pour te punir d'être mort avant lui et d'avoir fait preuve d'une telle impiété filiale. Il aurait néanmoins fini par te pardonner et aurait veillé à ce qu'on t'honore correctement. Mais tu es une fille – qui ne s'est pas mariée, pour ne rien arranger. Tu n'auras jamais droit à la moindre offrande.

— Parce que le texte de ma tablette n'a pas été inscrit ?

Grand-mère renifla d'un air dédaigneux.

— Non, dit-elle. Parce que tu es morte avant de te marier. Tes parents t'ont élevée pour que tu entres un jour dans la famille de ton mari. C'est à elle que tu appartiens. Tu n'es pas considérée comme une Chen. Même si le texte avait été inscrit, on aurait placé ta tablette hors de vue, derrière une porte, dans un tiroir ou dans un temple plus approprié – ce qui a été le cas pour les jeunes filles qui sont venues te voir.

Je n'avais jamais entendu dire une chose pareille et, durant un instant, je crus ce que me disait grand-mère. Mais je finis par chasser ces mauvaises pensées.

— Tu te trompes, dis-je.

— Parce que personne ne t'a prévenue avant ta mort que les choses se passeraient ainsi ? Ma pauvre enfant ! s'exclama-t-elle. Si ton père et ta mère plaçaient ta tablette sur l'autel familial, ils encourraient des représailles de la part de leurs propres ancêtres. Pas de la mienne, ajouta-t-elle en tendant la main vers moi. Mais certains sont beaucoup plus stricts, en matière de traditions.

— Mes parents m'aiment, dis-je. Sinon, ma mère n'aurait pas brûlé tous mes livres pour essayer de me sauver.

— C'est vrai, concéda grand-mère. Elle ne voulait d'ailleurs pas s'y résoudre, mais le médecin espérait que cela provoquerait en toi un accès de colère suffisamment violent pour te remettre dans le droit chemin.

— Et papa n'aurait pas monté cet opéra pour mon anniversaire, si je n'avais pas été sa petite pierre précieuse.

En prononçant ces mots, je sentis moi-même qu'ils sonnaient faux.

— Ce n'était pas pour toi qu'il avait organisé ce spectacle, me dit grand-mère. C'était pour l'Intendant Tan. Ton père voulait se concilier ses faveurs, dans l'intérêt de sa carrière.

— Mais l'Intendant Tan prétend détester l'opéra.

— Dans ce cas, c'est un hypocrite – comme tant de gens qui exercent le pouvoir.

Insinuait-elle que c'était aussi le cas de mon père ?

— La loyauté publique découle naturellement de la loyauté privée, poursuivit grand-mère. Je crains que mon propre fils – c'est-à-dire ton père – ne possède ni l'une ni l'autre.

Elle n'ajouta rien d'autre, mais l'expression de son visage m'obligea à remonter en arrière. J'entrevis enfin ce que j'avais préféré ignorer jusqu'ici.

Mon père n'était ni le loyaliste fidèle aux Ming, ni l'homme intègre que j'avais toujours cru voir en lui. De mon point de vue, toutefois, il s'agissait là d'un détail mineur. Lorsque j'étais en vie, je savais que mon père regrettait que je sois une fille. Au plus profond de moi, je croyais malgré tout qu'il m'aimait, m'adorait, me chérissait... Mais ce qui s'était passé avec ma tablette – et tout ce qui en découlait – me prouvait aujourd'hui le contraire : je n'étais qu'une fille qu'on avait élevée pour qu'elle aille un jour rejoindre une autre famille. Comme personne ne se souciait plus de moi en honorant ma tablette dans le royaume terrestre, mon âme se trouvait dans une terrible situation. J'étais comme un morceau de soie déchiré, emporté par le vent. Le fait qu'on m'ait abandonnée de la sorte – telle une orpheline – expliquait sans doute que je me retrouve confinée sur la Terrasse des Âmes Perdues.

— Que va-t-il m'arriver ? demandai-je en pleurant.

Une seule année s'était écoulée, les couleurs de ma jupe avaient déjà passé et j'étais de plus en plus maigre.

— Tes parents pourraient installer ta tablette dans un temple réservé aux femmes, dit grand-mère. Mais ce ne serait pas une très bonne idée, car dans ce genre d'endroit on n'accueille pas seulement les esprits des jeunes filles mortes avant leur mariage, mais ceux des prostituées et des concubines. Un mariage fantôme, par contre, lui permettrait de quitter la propriété de la famille Chen.

— Je peux encore épouser Ren, dis-je avec un regain d'espoir. On amènera ma tablette pour la cérémonie, on inscrira son texte comme il convient et on pourra ensuite la placer sur l'autel de la famille Wu.

— Mais ton père s'est bien gardé de le faire… Réfléchis, Pivoine : je t'ai dit d'observer ce qui se passait. Qu'as-tu constaté jusqu'ici ? Que constates-tu aujourd'hui ?

Le temps se déroule étrangement, dans ces régions : parfois il s'accélère, parfois il ralentit. Plusieurs semaines avaient passé. Un groupe de jeunes gens rendaient visite à mon père.

— Papa reçoit du monde, dis-je. C'est un homme important.

— Écoute donc ce qu'ils disent, ma petite.

Ces affaires relevaient du monde extérieur des hommes et j'évitais le plus souvent d'écouter les conversations de mon père. Mais cette fois-ci, je prêtai l'oreille : il s'entretenait avec ces jeunes gens et s'apprêtait visiblement à choisir l'un d'entre eux. Je redoutai aussitôt qu'il n'ait eu l'idée d'arranger pour moi un mariage fantôme avec quelqu'un d'autre que Ren.

— Te montreras-tu loyal ? Respecteras-tu la piété filiale ? demandait-il à chacun des jeunes gens. Iras-tu nettoyer nos tombes pour le Nouvel An et faire tous les jours des offrandes dans le hall des ancêtres ? Et il me faut des petits-fils... Pourras-tu m'en donner, afin qu'ils s'occupent de nous à leur tour, après ta mort ?

En entendant ces questions, je compris évidemment les intentions de mon père : il voulait adopter l'un de ces jeunes gens. Il ne pouvait pas avoir de fils – ce qui est une source d'embarras pour n'importe quel homme, et une véritable catastrophe s'agissant du culte des ancêtres. En adopter un pour assurer la succession de la lignée était une pratique relativement courante et papa pouvait bien sûr se le permettre. Mais cela signifiait qu'il m'avait définitivement chassée de son cœur !

— Ton père a fait beaucoup de choses pour toi, me dit grand-mère. J'ai vu la sollicitude qu'il te manifestait, en t'apprenant à lire et à écrire. Mais tu n'étais pas un garçon – et il avait besoin d'un fils.

Mon père m'avait témoigné son amour, sa dévotion et une grande tendresse au fil des années. Mais je voyais bien aujourd'hui que le fait d'avoir été une fille avait limité l'affection qu'il me vouait. Je me mis à pleurer et grand-mère me serra dans ses bras.

Incapable d'accepter la réalité de la scène, je portai mes regards sur la demeure de Ren, en me disant que sa famille à lui m'avait peut-être fait une offrande de bouillie. Ce n'était évidemment pas le cas. À l'abri d'une bâche qui le protégeait de la pluie, Ren repeignait le portail de sa propriété et lui appliquait une couche de laque rouge cinabre, symbole de renaissance à l'approche du Nouvel An. Pendant ce temps, dans la bibliothèque de mon père, un jeune homme aux yeux étroits venait de signer son contrat d'adoption. Mon père lui tapota l'épaule et déclara :

— Bao, mon fils, il y a longtemps que j'aurais dû prendre une telle décision.

Le Cataclysme

On dit que la vie succède toujours à la mort et que chaque cycle qui s'achève marque un nouveau commencement. De toute évidence, il n'en allait pas ainsi pour moi. Sans que je m'en rende compte, sept années s'étaient déjà écoulées. Les célébrations et les jours de fête – particulièrement lors du Nouvel An – étaient toujours des moments pénibles pour moi. Je n'avais que la peau sur les os, lorsque j'étais morte, mais comme on ne me faisait pas d'offrandes je devenais de plus en plus squelettique à mesure que le temps passait, au point de n'avoir guère plus de consistance qu'un spectre. La robe que je portais depuis mon trépas s'était effilochée et avait perdu ses couleurs. J'étais devenue une créature pitoyable, penchée en permanence au-dessus de la balustrade et incapable de quitter la Terrasse des Âmes Perdues.

Les jeunes filles victimes du mal d'amour étaient venues me rendre visite pour le Nouvel An, sachant que j'étais particulièrement triste à cette occasion. J'appréciais leur compagnie, car il n'y avait aucune jalousie entre nous – contrairement à ce qui se passait au sein de la famille Chen. Cette fois-ci, elles avaient réussi à convaincre Xiaoqing de les accompagner. C'était une créature exquise. Elle avait le front haut, les sourcils peints en noir, des cheveux festonnés de parures et des lèvres d'une douceur extrême. Elle portait une jupe élégante, à la mode ancienne – évasée et brodée de fleurs – et ses pieds étaient si menus qu'elle semblait ne rien peser et ondoyait avec grâce en s'avançant sur la Terrasse. Elle était beaucoup trop belle pour se cantonner dans un rôle d'épouse et je comprenais pourquoi tant d'hommes s'étaient sentis attirés par elle.

— J'ai donné à mes poèmes le titre de *Manuscrits sauvés des flammes*, dit Xiaoqing d'une voix mélodieuse, mais je ne vois pas ce qu'il y avait là d'extraordinaire. Les hommes qui se sont intéressés à nous disent que nous étions en proie au mal d'amour. Ils parlent de sexe faible et prétendent que le sang que nous perdons chaque mois affecte notre organisme et nous fait dépérir. Ils en concluent que notre destin est forcément identique à celui de nos écrits, sans comprendre que ce n'est pas forcément par accident qu'ils finissent dans les flammes. Trop souvent, les femmes – et je me compte parmi elles – doutent de la valeur de leurs écrits et préfèrent les brûler. C'est la raison pour laquelle de nombreux recueils ont fini par porter ce titre.

Xiaoqing me regarda, attendant ma réponse. Les autres jeunes filles me dévisageaient elles aussi d'un air affectueux, dans l'expectative.

— Nos écrits n'ont pas toujours l'évanescence d'un rêve de printemps, dis-je. Certains perdurent, dans le royaume terrestre, où des gens versent des larmes en les lisant.

— Puissent-ils le faire pendant dix mille ans, ajouta la fille du négociant en sel.

Xiaoqing nous considéra avec douceur.

— Dix mille ans... répéta-t-elle. (Elle frissonna et l'air parut trembler autour de sa silhouette.) N'en soyez pas si sûres. On commence déjà à nous oublier. Et lorsque cela sera vraiment le cas...

Elle se leva et sa jupe ondula autour d'elle. Elle adressa un petit signe de la tête à chacune d'entre nous, avant de s'éloigner.

Les jeunes filles me laissèrent à leur tour en voyant arriver ma grand-mère, mais quel réconfort pouvait-elle m'offrir ? « L'amour n'existe pas, aimait-elle répéter, seuls comptent les obligations et le sens des responsabilités. » Lorsqu'elle parlait de son mari, il était toujours question de devoir, jamais d'amour ni d'affection.

Inconsolable, j'écoutai grand-mère me parler de choses et d'autres, tout en surveillant les préparatifs du Nouvel An dans la maison de Ren. Il avait honoré les dettes familiales, sa mère nettoyait la maison de fond en comble, les domestiques préparaient des plats de circonstance. L'image du dieu de la Cuisine, accrochée au-dessus du poêle, fut brûlée et envoyée dans l'au-delà afin d'y rapporter les bonnes et les mauvaises actions de la famille. Pas une seconde on ne pensa à moi.

Non sans réticence, je considérai alors la propriété familiale. Mon père était revenu pour quelques jours de la capitale, afin d'accomplir ses devoirs filiaux. Bao s'était marié peu après son adoption, sept ans plus tôt. Malheureusement, sa femme n'avait réussi à mettre au monde que trois garçons qui étaient morts à la naissance. Soit en raison de cet échec, soit par faiblesse de caractère, Bao passait désormais le plus clair de son temps avec les femmes de plaisir, sur les berges du lac. Cela ne semblait pas préoccuper mon père. La veille du Nouvel An, ma mère et lui se rendirent dans le cimetière familial, afin d'inviter nos ancêtres à assister aux festivités qui allaient se dérouler dans notre propriété.

Papa arborait avec beaucoup de dignité sa tenue de mandarin. L'emblème élaboré, brodé sur sa poitrine, informait tous ceux qui l'apercevaient de l'importance de son rang. Il se comportait lui-même avec beaucoup plus d'assurance que du temps où j'étais encore sa fille, à la maison.

Ma mère paraissait moins sûre d'elle. Le deuil l'avait prématurément vieillie : ses cheveux avaient blanchi et ses épaules paraissaient aussi frêles que du verre.

— Ta mère pense toujours à toi, me dit grand-mère. Elle va rompre avec la tradition, cette année. C'est une femme courageuse.

J'imaginais mal ma mère s'écarter des préceptes que lui imposaient les Quatre Vertus et la Triple Obéissance.

— Ta mort l'a laissée sans enfant, poursuivit grand-mère. Son cœur s'emplit de regret dès qu'elle voit un livre de poèmes ou perçoit le parfum des pivoines, qui lui font penser à toi.

Je ne voulais pas l'entendre tenir des propos de ce genre : quel bien cela pouvait-il me faire ? Mais grand-mère se souciait fort peu de mes états d'âme.

— J'aurais voulu que tu voies ta mère lorsqu'elle a rejoint notre famille, poursuivit-elle. Elle avait à peine dix-sept ans, après son mariage. Elle avait reçu une excellente éducation et son habileté dans les diverses activités féminines était irréprochable. C'est le rôle, le devoir et souvent le réconfort d'une belle-mère que de se plaindre de sa bru, mais ta mère me priva de ce menu plaisir – ce qui m'était d'ailleurs bien égal. J'avais eu de nombreux fils et j'étais heureuse de profiter de sa compagnie. Je finis par la considérer moins comme une belle-fille que comme une véritable amie. Tu ne peux pas imaginer ce que nous avons fait ensemble et tous les lieux que nous avons visités.

— Maman ne sort jamais de la maison, lui rappelai-je.

— À cette époque, il en allait autrement. Durant les années qui précédèrent la chute de l'empereur des Ming, nous nous sommes beaucoup interrogées ta mère et moi sur la nature exacte de la vocation féminine : concernait-elle vraiment les arts féminins traditionnels – dans lesquels elle excellait tant – ou au contraire la curiosité, l'audace et la beauté liées au monde de l'esprit ? C'est ta mère, et non ton père, qui s'est intéressée la première à la poésie féminine. Le savais-tu ?

Je hochai négativement la tête.

— Elle avait le sentiment que c'était la responsabilité des femmes que de recueillir, d'éditer et d'analyser les œuvres de leurs consœurs, poursuivit grand-mère. Nous avons accompli de nombreux voyages à la recherche de certains ouvrages – mais aussi d'expériences nouvelles.

Tout cela me semblait tiré par les cheveux.

— Et comment vous déplaciez-vous, toutes les deux ? À pied ? demandai-je pour mettre un terme à ces divagations.

— Nous nous étions exercées à marcher dans le jardin et les galeries de la propriété, répondit-elle en souriant à cette évocation. Nous avions ainsi réussi à endurcir nos pieds bandés, afin de ne pas trop souffrir. Et les douleurs qu'il nous arrivait de ressentir étaient largement compensées par le plaisir de ces expéditions et les découvertes qu'elles occasionnaient. Nous rencontrions des hommes tellement fiers de leurs mères ou de leurs épouses qu'ils avaient publié leurs écrits après leur mort, afin d'honorer leur mémoire. Comme toi, ta mère engrangeait dans son cœur tout le butin de ses lectures, mais elle était d'une grande modestie concernant sa propre écriture. Au lieu d'utiliser de l'encre et du papier, elle préférait écrire sur les feuilles des arbres et souhaitait ne laisser aucune trace de son passage derrière elle.

Sur terre, le jour du Nouvel An était arrivé. Dans le hall des ancêtres, mes parents disposaient des plateaux chargés de viande, de fruits et de légumes. Je voyais grand-mère reprendre un peu de volume, à mesure qu'on lui faisait des offrandes. Après la cérémonie, maman versa trois cuillerées de riz dans un petit bol, se rendit dans mon ancienne chambre et le posa sur le rebord de la fenêtre. C'était la première fois en sept ans qu'on m'offrait de la nourriture : un simple bol de riz et je reprenais déjà des forces.

Grand-mère me regardait et acquiesça d'un air entendu.

— Je t'avais bien dit qu'elle t'aimait encore.

— Mais pourquoi a-t-elle attendu aujourd'hui ?

Grand-mère ignora ma question et revint avec une ferveur renouvelée sur l'histoire qu'elle avait entrepris de me raconter.

— Nous assistions, ta mère et moi, à des réunions de cercles poétiques qui se déroulaient la nuit, au clair de lune. Nous voyagions pour aller voir l'éclosion des jasmins et des pruniers en fleur. Nous escaladions des montagnes et estampions les stèles qui ornaient les monastères bouddhiques. Nous louions des bateaux pour traverser le lac et remonter le Grand Canal. Nous dînions chez des femmes qui avaient appris l'art du tir à l'arc ou qui faisaient vivre leur famille grâce à leurs peintures, aussi bien qu'avec des dames de la haute société. Nous jouions de la musique, buvions tard dans la nuit et écrivions de la poésie. Nous nous amusions bien, ta mère et moi.

Voyant que je hochais la tête d'un air incrédule, grand-mère remarqua :

— Tu n'es pas la première fille à ignorer la vraie nature de sa mère. (Mon étonnement paraissait l'amuser, mais sa joie fut de courte durée.) Nous profitions du monde extérieur comme beaucoup d'autres femmes, à cette époque, mais notre ignorance à son sujet restait totale. Nous faisions de la calligraphie et organisions des soirées au cours desquelles nous riions et chantions. Mais nous ne prenions pas garde à l'avancée des Mandchous, qui arrivaient par le sud.

— Mais papa et grand-père étaient bien au courant de ce qui se passait ? l'interrompis-je.

Grand-mère croisa les bras sur sa poitrine.

— Quelle opinion as-tu de ton père aujourd'hui ? me demanda-t-elle.

J'hésitai. J'avais fini par considérer mon père comme quelqu'un qui avait manqué de loyauté, aussi bien envers l'empereur des Ming qu'envers sa propre fille. Ce manque de sentiments profonds à mon égard m'était toujours douloureux, mais ne m'empêchait nullement d'épier ses faits et gestes, bien au contraire : j'y étais poussée par une sorte de plaisir pervers – un peu comme lorsqu'on ne peut s'empêcher de gratter une plaie. Je me penchai donc pour voir ce qu'il était en train de faire.

Au fil des années, mes capacités s'étaient amplifiées et mon regard portait à présent bien au-delà de Hangzhou. Mon père était allé visiter ses terres, à la campagne, ce qui faisait partie de ses devoirs du Nouvel An. Non seulement j'avais lu la scène de la « Poussée de la Charrue », dans *Le Pavillon des Pivoines*, mais je l'avais vue représentée jadis dans le jardin familial. Ce que j'apercevais aujourd'hui en était le fidèle écho. Les paysans, les pêcheurs et les artisans qui travaillaient la soie apportaient à mon père des plats préparés par les meilleures cuisinières, dans chacun des villages. Des acrobates faisaient des pirouettes et des musiciens jouaient. Des paysannes aux grands pieds dansaient et chantaient. Mon père remerciait ses employés et leur demandait de produire beaucoup de céréales, de poisson et de soie au cours de l'année qui s'ouvrait.

Même si j'avais perdu mes illusions au sujet de mon père, j'espérais encore découvrir que je m'étais trompée et qu'il était au fond un homme bienveillant. Après tout, des années durant, je l'avais entendu parler de nos terres et des gens qui travaillaient pour lui. Mais aujourd'hui, j'apercevais surtout les signes d'une extrême pauvreté. Les femmes étaient épuisées par une vie de durs labeurs – tels que puiser de l'eau, mettre des enfants au monde, s'occuper de la maison, tisser la soie, fabriquer des vêtements ou préparer les repas. Les enfants étaient petits pour leur âge et revêtus d'habits qui avaient déjà servi à leurs aînés. La plupart d'entre eux travaillaient aussi : les garçons dans les champs et les filles à démêler les cocons des vers à soie dans l'eau bouillante. L'existence de tous ces gens avait un seul et même but : enrichir mon père et entretenir l'aisance matérielle de la famille Chen.

Mon père fit halte devant la maison du chef du village de Gudang. Le mari était du clan des Qian, comme toute la population du village, mais sa femme ne ressemblait pas au reste des habitants. Elle avait les pieds bandés et son attitude laissait à penser qu'elle avait jadis fait partie de la bonne société. Elle s'exprimait avec un certain raffinement et ne s'aplatit pas devant mon père lorsqu'il arriva. Elle avait un bébé dans les bras.

Mon père tira l'une des nattes du nourrisson et dit :

— Quel joli petit bout de chou...

Madame Qian recula, hors de portée de mon père.

— C'est la petite Yi, intervint le mari. Encore une branche inutile sur l'arbre de la famille...

— Vous avez déjà eu quatre filles, répondit mon père d'un air compatissant. En mettre au monde une cinquième, ce n'est vraiment pas de chance...

Je détestais l'entendre tenir de tels propos, mais en allait-il très différemment autrefois ? Mon père me faisait toujours de grands sourires lorsqu'il s'adressait à moi : pourtant, j'avais été moi aussi une branche inutile à ses yeux.

Aussi dépossédée qu'une orpheline, je me tournai vers grand-mère :

— Non, dis-je, je ne crois pas qu'il aurait prêté attention à ce qui ne le concernait pas directement.

Elle opina tristement.

— Ton grand-père était exactement comme lui, ajouta-t-elle.

Cela faisait des années que grand-mère me rendait visite, mais je m'étais toujours abstenue de lui poser certaines questions, d'abord parce que je redoutais ses sautes d'humeur et ne voulais pas avoir l'air de lui manquer de respect, mais aussi – et surtout – parce que je ne tenais pas vraiment à connaître ses réponses. Mais je m'abritais depuis trop longtemps derrière cette cécité volontaire. Je pris une profonde inspiration et décidai de me lancer, tout en redoutant les vérités qui risquaient d'en résulter.

— Pourquoi n'es-tu jamais venue me voir en compagnie de grand-père ? demandai-je. Est-ce parce que je suis une fille ?

Je me souvenais qu'il ne s'était jamais beaucoup soucié de moi, durant mon enfance.

— Il séjourne dans l'un des enfers, lâcha-t-elle avec sa brusquerie habituelle.

Je mis cela sur le compte d'une banale rancœur d'épouse.

— Et mes oncles ? repris-je. Pourquoi ne viennent-ils jamais ?

— Ils sont morts loin de chez eux, dit-elle d'une voix empreinte de tristesse, où ne transparaissait plus la moindre irritation. Personne ne nettoie jamais leur tombe. Ils vagabondent sur la terre, où ils sont devenus des fantômes errants.

Cette nouvelle me consterna.

— Mais les fantômes errants sont d'horribles créatures ! m'exclamai-je. Comment peut-il y en avoir au sein de notre famille ?

— Tu te décides enfin à te poser la question ?

Aurait-elle fait preuve de la même impatience sur terre, face à la jeune fille insignifiante que j'étais ? Ou se serait-elle montrée plus indulgente, en m'offrant des gâteaux au sésame et des petits bijoux ?

— Je t'aime beaucoup, Pivoine, reprit-elle. J'espère que tu le sais. J'ai écouté tes prières, quand tu étais en vie, et j'ai souvent essayé de t'aider. Mais au bout de ces sept années, je me pose des questions : es-tu simplement une jeune fille qui a succombé au mal d'amour, ou y a-t-il autre chose en toi ?

Je me mordis les lèvres et détournai les yeux. J'avais eu raison de garder mes distances : grand-mère s'était peut-être bien entendue avec ma mère mais elle me considérait, elle aussi, comme une branche inutile sur l'arbre de la famille.

— Je suis heureuse que tu sois ici, sur la Terrasse des Âmes Perdues, poursuivit-elle. Des années durant, je me suis penchée au-dessus de cette balustrade en essayant de distinguer mes fils. Ils sont quelque part, là en bas, à partager l'existence des fantômes errants. En vingt-sept ans, je ne les ai pas aperçus une seule fois.

— Que leur est-il arrivé ?

— Ils sont morts pendant le Cataclysme.

— Oui, papa me l'a dit.

— Il ne t'a pas dit la vérité.

Ses yeux s'étrécirent et elle croisa les bras, toujours cachés sous ses vastes manches. J'attendis.

— Tu ne vas pas aimer cette histoire, reprit grand-mère.

Je ne répondis pas et nous restâmes un long moment silencieuses, elle et moi.

— Le jour où nous nous sommes rencontrées, commença-t-elle, tu m'as dit que je ne ressemblais pas à mon portrait. La vérité, c'est que je n'ai guère de points communs avec la femme qu'on t'a depuis toujours décrite. Je n'avais pas la moindre tolérance pour les concubines de mon mari : je les détestais, au contraire. Et je ne me suis nullement suicidée.

Elle me jeta un regard en biais, mais mon visage demeura impassible.

— Il faut que tu comprennes, ma petite Pivoine, que la fin de la dynastie des Ming a été une époque à la fois merveilleuse et terrible. La société s'effondrait, le gouvernement était corrompu, l'argent circulait à flots et personne ne faisait attention aux femmes – ce qui nous a permis de faire toutes ces expéditions, ta mère et moi. Comme je viens de te le dire, nous avons rencontré nombre de nos consœurs : certaines avaient pris en charge les affaires de leur famille, d'autres exerçaient un métier, donnaient des leçons ou publiaient des livres. Il y avait même des courtisanes parmi elles. Le monde qui sombrait nous avait rapprochées, créant entre nous toutes une complicité sans précédent. Nous ne pensions plus guère à la broderie, ni aux autres travaux féminins, mais nous avions l'esprit rempli de poèmes et d'images splendides. Nous partagions nos joies et nos peines, nos victoires et nos tragédies avec des femmes qui vivaient parfois à l'autre bout du pays – ainsi qu'avec celles du temps jadis. La lecture et l'écriture nous permettaient d'inventer un monde qui nous appartenait en propre et qui s'opposait à celui dans lequel nos pères, nos maris et nos fils avaient voulu nous enfermer. Certains hommes – comme ton père et ton grand-père – étaient favorables à ce changement. C'est pour cela que j'ai accompagné ton grand-père lorsqu'il est allé occuper ses fonctions officielles à Yangzhou. Nous habitions dans une demeure charmante, pas aussi vaste que notre propriété familiale à Hangzhou, mais spacieuse et munie de plusieurs cours. Ta mère venait souvent nous rendre visite. Ah, nous en avons fait de belles, toutes les deux !

« Ta mère et ton père étaient venus ensemble, pour l'une de ces visites. Ils arrivèrent le douzième jour du quatrième mois et nous passâmes quatre jours merveilleux à festoyer ensemble. Aucun d'entre nous – pas même ton père ou ton grand-père – ne prêtait la moindre attention à ce qui se passait à l'extérieur. Et puis, le vingt-cinquième jour, l'armée des Mandchous pénétra dans la ville. En cinq jours, ils devaient massacrer plus de quatre-vingt mille personnes.

Tandis que grand-mère racontait son histoire, je la revivais au fur et à mesure à ses côtés. J'entendais le choc des lances et des épées, le heurt métallique des casques et des boucliers, les sabots des chevaux qui martelaient les pavés et les hurlements des habitants terrifiés qui cherchaient vainement un abri. Je sentais le relent âcre des fumées, tandis que de nombreux édifices étaient mis à feu. Et je percevais aussi l'odeur du sang.

— La panique était totale, se souvenait grand-mère. Les gens montaient sur les toits des maisons mais les tuiles s'effondraient et ils se tuaient en tombant. Certains se noyaient en voulant se cacher au fond des puits. D'autres préféraient se rendre, mais ce n'était pas un bon calcul : les hommes étaient décapités et les femmes violées jusqu'à ce que mort s'ensuive. Ton grand-père exerçait des fonctions officielles, il aurait dû se mettre au service de la population et se battre à ses côtés. Au lieu de ça, il ordonna à nos domestiques de nous procurer des vêtements ordinaires. Après les avoir enfilés, nous gagnâmes tous ensemble – tes parents, nos deux fils, les concubines, ton grand-père et moi – un petit bâtiment annexe où nous espérions nous cacher.

Mon mari avait demandé aux femmes de coudre leurs bijoux et de l'argent dans les doublures de leurs vêtements, tandis que les hommes cachaient des pièces d'or dans leurs bonnets, leurs chaussures et leurs ceinturons. La première nuit, nous restâmes terrés dans le noir, écoutant les cris des gens qu'on égorgeait – lesquels n'avaient pas tous la chance de mourir sur le coup : certains agonisaient pendant des heures, en se vidant peu à peu de leur sang.

« Le soir suivant, après que les Mandchous eurent massacré nos domestiques dans la cour principale, mon mari me rappela – ainsi qu'aux concubines – que nous devions défendre notre vertu tout autant que nos vies et que les femmes devaient se préparer à se sacrifier pour leurs fils et leurs maris. Les concubines s'inquiétaient encore du sort de leur garde-robe et de leurs onguents, mais nous n'avions nul besoin de telles recommandations, ta mère et moi. Nous connaissions notre devoir et nous étions prêtes à l'accomplir dignement.

Grand-mère marqua une pause, avant de reprendre :

— Les troupes mandchoues avaient entrepris de piller la propriété. Sachant qu'elles finiraient par pénétrer dans le bâtiment où nous avions trouvé refuge, ton grand-père nous ordonna de monter sur le toit – tactique qui s'était avérée fatale à d'autres familles avant nous. Mais nous lui obéîmes et passâmes la nuit sous une pluie battante. Lorsque l'aube se leva, les soldats nous aperçurent sur le toit. Comme nous refusions de descendre, ils mirent le feu au bâtiment et nous fûmes bien obligés de regagner la terre ferme.

« Ils auraient pu nous tuer sur-le-champ, poursuivit grand-mère, mais ils ne le firent pas – et nous devons en savoir gré aux concubines. Leurs cheveux s'étaient défaits et, n'ayant pas l'habitude des vêtements grossiers que nous avions dû enfiler, elles les avaient mal ajustés. Elles étaient trempées, comme nous tous, et leurs habits bâillaient par endroits, révélant leur nudité. Outre les larmes qui sillonnaient leurs visages, ce spectacle les rendait si attendrissantes que les soldats décidèrent de nous laisser en vie. Les hommes furent conduits dans une cour adjacente. Les soldats nous passèrent une corde autour du cou et nous emmenèrent en file indienne le long des rues, comme des poissons suspendus à un fil. Des nourrissons éventrés gisaient de tous côtés. Nos pieds bandés glissaient dans des mares de sang, parmi les corps démembrés de tous ceux qu'on avait battus à mort et piétinés. À un moment donné, nous longeâmes un canal où flottaient des centaines de cadavres. Des montagnes de satin, de soieries et d'étoffes pillées dans les maisons s'entassaient aux carrefours. Nous atteignîmes enfin une autre propriété. Une fois à l'intérieur, nous aperçûmes des dizaines de femmes entièrement nues qui se lamentaient, trempées et couvertes de boue. Les soldats venaient les extraire une à une de ce conglomérat humain et se livraient sur elles à toutes sortes d'exactions – et cela en plein air, devant nous toutes, sans égard pour l'appartenance ou le rang de chacune.

J'écoutais ce récit horrifiée. Je ressentis une terrible honte lorsqu'on ordonna à ma mère, à ma grand-mère et aux concubines de se dévêtir. La pluie humiliait leur nudité. Je vis ma mère, qui marchait en tête, entraîner leur petit groupe et aller se mettre à l'abri au milieu de cette foule apeurée, la corde toujours autour du cou. Je me rendis compte que dans ces terribles circonstances, les femmes n'étaient plus confrontées à un monde véritablement humain. Elles pataugeaient dans la boue et les excréments, dont ma mère se barbouilla le visage et le corps, imitée par les concubines et ma grand-mère. Toute la journée elles se serrèrent les unes contre les autres, en ayant soin de rester au centre de ce troupeau humain, tandis que les soldats saisissaient celles qui étaient au premier rang et les violaient l'une après l'autre, avant de les tuer.

— Les soldats étaient ivres et avaient largement de quoi s'occuper, reprit grand-mère. Si j'en avais eu la possibilité, je me serais tuée, car on m'avait enseigné à placer ma vertu au-dessus de tout. Dans d'autres quartiers de la ville, des femmes préféraient se pendre ou se trancher la gorge, plutôt que de tomber aux mains des Mandchous. D'autres se barricadaient dans leur chambre avant d'y mettre le feu. Des maisonnées entières – depuis les nourrissons et les fillettes, jusqu'aux mères et aux grands-mères – périrent ainsi dans les flammes. On devait par la suite les honorer comme autant de martyres. Certaines familles se disputèrent même le suicide vertueux de telle ou telle, sachant les honneurs que les Mandchous devaient leur octroyer.

« Seule la mort, nous dit-on, est susceptible de préserver notre vertu et notre intégrité ; mais ta mère raisonnait autrement. Elle n'avait pas l'intention de mourir ni de laisser les Mandchous la violer, pas plus qu'aucune d'entre nous. Elle parvint à nous guider, rampant au milieu de cet amas de corps féminins dont nous émergeâmes enfin, à l'autre bout de la salle, avant de prendre la fuite par l'arrière de la propriété. Nous nous retrouvâmes à l'air libre. Les rues étaient éclairées par des torches et nous détalâmes comme des souris, passant d'une ruelle obscure à l'autre. Lorsque nous nous estimâmes en sécurité, nous fîmes halte et ôtâmes la corde qui nous liait encore. Puis nous nous rhabillâmes, après avoir dépouillé quelques-uns des cadavres qui jonchaient le sol autour de nous. À plusieurs reprises, pour ne pas être capturées, nous dûmes nous jeter à terre et feindre d'être mortes, en nous recouvrant des entrailles qui s'étalaient de tous côtés.

Ta mère voulait absolument que nous allions à la recherche de ton père et de ton grand-père. « C'est notre devoir », répétait-elle, alors même que je sentais mon courage faiblir et que les concubines ne cessaient de geindre et de pleurer.

Grand-mère s'interrompit à nouveau, à mon grand soulagement. J'avais la tête qui tournait, après tout ce que je venais d'entendre. Je refoulai les larmes qui me montaient aux yeux, en pensant à ma mère qui avait fait preuve d'un tel courage et avait tant souffert, sans jamais m'en avoir soufflé mot.

— Le matin du quatrième jour, reprit grand-mère, nous rejoignîmes notre propriété et réussîmes par miracle à nous faufiler jusqu'à un pavillon réservé aux femmes et situé à l'écart qui, comme ta mère l'avait prévu, était inoccupé. Nous nous y installâmes, en ayant soin de ne pas nous faire remarquer, tout en surveillant ce qui se passait à l'extérieur. Ta mère plaqua ses mains sur ma bouche pour étouffer mes cris lorsque nous vîmes les soldats mettre en pièces à grands coups de sabre mon sixième et mon septième fils, avant de traîner les débris de leurs corps dans la rue, devant la maison, où ils les piétinèrent jusqu'à ce qu'il n'en reste plus qu'une bouillie informe de chair et d'os.

C'était donc pour cette raison que mes oncles étaient devenus des fantômes errants dans l'autre monde... Leurs corps mis en pièces n'avaient pu être enterrés et les trois parties de leurs âmes erraient toujours, incapables d'achever leur voyage et de trouver la paix. Des larmes inondaient les joues de grand-mère et je ne retins plus les miennes. Un peu plus bas, dans le royaume terrestre, une terrible tempête s'abattit sur Hangzhou.

— Ta mère ne tenait pas en place, se rappelait grand-mère. Il fallait qu'elle fasse quelque chose – ne serait-ce que pour occuper ses mains. Ce fut du moins ce que je crus au début. Elle nous dit de découdre les doublures contenant les bijoux que nous avions pu sauver. Nous lui obéîmes et elle recueillit bientôt dans le creux de ses mains un petit tas scintillant. « Restez ici, nous dit-elle, je vais chercher du secours. » Avant que nous ayons pu l'arrêter – nous étions paralysées par la peur – elle se leva et quitta le pavillon.

Je l'écoutais, pleine d'appréhension.

— Une heure plus tard, poursuivit-elle, ton père et ton grand-père étaient parmi nous. Ils avaient été battus et paraissaient terrifiés. Les concubines se jetèrent au sol, sanglotant et rampant aux pieds de ton grand-père. Tout ce qu'elles étaient capables de faire, c'était d'attirer l'attention sur nous en faisant tout ce bruit... Je n'avais jamais aimé ton grand-père, notre mariage avait été arrangé : il faisait son devoir, j'accomplissais le mien et il me laissait libre de suivre ma propre voie en s'occupant de ses affaires de son côté. Mais ce jour-là, je n'éprouvai que du mépris pour lui, car je voyais bien que même dans les terribles circonstances que nous traversions, il jouissait de voir ces jolies filles ramper devant lui comme des serpents visqueux.

— Et papa ? demandai-je.

— Il n'avait pas desserré les dents au début, mais affichait une expression qu'aucune mère ne devrait jamais voir sur le visage de son fils – un air de culpabilité, où se mêlait un désir de survie. « Dépêchons-nous, finit-il par dire, il faut partir d'ici au plus vite. » Et nous lui obéîmes, parce que nous étions des femmes et que les hommes étaient à nouveau là pour nous dire ce qu'il fallait faire.

— Où était donc passée maman ?

Mais grand-mère revivait déjà la suite des événements. Tout en l'écoutant, je cherchais ma mère des yeux mais elle n'était pas là. Apparemment, je ne pouvais suivre cette histoire qu'à travers le regard de grand-mère.

— Nous rampâmes jusqu'en bas. Ta mère était parvenue à faire libérer ton père et ton grand-père, mais nous n'étions pas tirés d'affaire pour autant. Nous longeâmes un couloir jonché de têtes coupées et finîmes par rejoindre l'arrière de la propriété, où se dressaient plusieurs étables : c'était là qu'étaient parqués nos chevaux. Nous rampâmes pour aller nous cacher sous le ventre des bêtes, dans la crasse et le sang. Nous ne voulions pas nous risquer dans les rues, aussi attendîmes-nous à cet endroit. Plusieurs heures plus tard, nous entendîmes des hommes arriver. Prises de panique, les concubines se glissèrent à nouveau au milieu des bêtes. Le reste de notre troupe alla se cacher dans une meule de paille.

L'amertume imprégnait la voix de ma grand-mère.

— Ton grand-père s'approcha de moi et me dit : « Je sais que ton premier souci est ma survie et celle de ton fils aîné. Je souhaite profiter quelques années encore de cette vie. Il est donc préférable que tu te sacrifies, afin de sauver à la fois ta vertu, ton fils et ton mari. »

Elle se racla la gorge et cracha sur le sol.

— *Profiter quelques années encore de cette vie*... Je connaissais mon devoir et je l'aurais accompli, de toute façon, sans que cet égoïste ait besoin de me sermonner de la sorte ! Il alla se terrer tout au fond de la meule, où ton père le suivit. En tant qu'épouse et que mère, j'eus l'insigne honneur de les protéger en faisant écran de mon corps, avant de me couvrir de paille du mieux que je pouvais. Les soldats arrivèrent. Ils n'étaient pas totalement idiots, d'autant que cela faisait quatre jours qu'ils massacraient la population. Ils se servirent donc de leurs lances, dont ils frappèrent la meule à d'innombrables reprises. Je reçus tellement de coups que je fus tuée sur-le-champ, mais j'avais sauvé mon fils et mon mari, préservé ma vertu et appris ma propre valeur à mes dépens.

Grand-mère desserra sa tunique et releva pour la première fois les larges manches qui dissimulaient ses mains et ses avant-bras : ils étaient couverts de hideuses cicatrices.

— Puis je m'envolai dans le ciel, dit-elle avec un infime sourire. Ton père et ton grand-père restèrent encore cachés une journée et une nuit entières, planqués derrière mon cadavre. Les concubines étaient sorties de leur cachette et contemplaient la meule muette et ensanglantée. Enfin, les exactions des Mandchous prirent fin. Ton père et ton grand-père émergèrent de la paille. Les concubines lavèrent et enveloppèrent mon corps. Les rites appropriés furent accomplis et on me ramena en temps voulu à Hangzhou pour les funérailles, où je fus honorée comme une martyre. (Elle émit un reniflement de mépris.) C'était une idée des Mandchous, que ton grand-père s'empressa d'accueillir comme une bénédiction. Mais je me sens beaucoup mieux ici, ajouta-t-elle en contemplant d'un air satisfait la Terrasse des Âmes Perdues.

— Mais ils se sont servis de ton sacrifice ! m'exclamai-je avec indignation. Ils ont laissé les Mandchous faire de toi une sainte, pour ne pas avoir à avouer la vérité.

Grand-mère me regarda comme si je ne comprenais décidément rien.

— Ils ont fait ce qu'il convenait, admit-elle. Ton grand-père a pris la bonne décision, dans l'intérêt de toute la famille, étant donné que les femmes n'ont aucune valeur – ce que tu refuses obstinément d'admettre.

Mon père me décevait une fois encore. Il ne m'avait jamais rien dit qui approchât un tant soit peu de la vérité, concernant les événements advenus lors du Cataclysme. Même le dernier jour, lorsqu'il était venu me supplier d'intercéder auprès de ses frères, il ne m'avait pas révélé que sa mère lui avait sauvé la vie. Pas plus qu'il ne m'avait chargée de la remercier ou de lui demander son absolution.

— Mais ne crois pas que je me sois réjouie du résultat, ajouta-t-elle. Le soutien impérial que mes vertus féminines ont valu à mes descendants leur a conféré de nombreux avantages. La famille est plus riche qu'elle ne l'a jamais été et ton père occupe aujourd'hui un poste très élevé, mais notre lignée attend toujours ce qui lui fait désespérément défaut. Et je suis loin de vouloir accéder à sa requête.

— Tu fais allusion à la naissance d'un fils ? demandai-je.

Grand-mère avait-elle réellement refusé d'accorder à notre famille ce plus précieux des trésors ?

— Cela n'a rien à voir avec une quelconque idée de revanche, m'avoua-t-elle. Il se trouve simplement que dans notre famille les personnes de valeur ont toujours été des femmes. Pendant trop longtemps, nos filles ont été mises à l'écart. J'avais pensé que les choses changeraient peut-être avec toi.

J'étais consternée. Comment grand-mère pouvait-elle avoir la cruauté de priver notre lignée d'une descendance masculine ? J'oubliai mes bonnes manières et lui demandai :

— Où est grand-père ? Pourquoi n'est-il pas intervenu pour que notre famille ait un fils ?

— Je te l'ai dit : il se trouve dans l'un des enfers. Mais même s'il était aujourd'hui à mes côtés, il ne pourrait strictement rien faire sur ce plan. Les affaires des appartements intérieurs relèvent exclusivement des femmes. Les autres ancêtres féminines de notre lignée – y compris ma belle-mère – m'ont approuvée sur ce point, parce que je suis respectée jusqu'ici pour mon sacrifice.

Le regard de grand-mère était clair et serein. Mais j'étais quant à moi tiraillée entre des sentiments contradictoires. Tout cela, à vrai dire, me dépassait un peu. J'avais des oncles qui vagabondaient sur terre en tant que fantômes errants, un grand-père qui souffrait dans un lointain enfer et une grand-mère tellement bienveillante qu'elle refusait d'accorder le moindre fils à notre lignée… Mais surtout, je pensais à ma mère.

— Tu as dû revoir maman après ta mort, intervins-je.

— La dernière fois que je l'ai vue, ce fut lorsqu'elle nous a quittées au cours de cette terrible nuit, les mains remplies de bijoux. Et je ne l'ai revue qu'une fois arrivée sur cette Terrasse, cinq semaines après ma mort. Mais tout le monde avait alors regagné la propriété de la famille Chen et ta mère avait changé. Elle était devenue la femme que tu as connue, stricte adepte de la tradition, trop effrayée pour s'aventurer à nouveau dans le monde extérieur, se tenant volontairement à l'écart des livres et incapable de ressentir ou d'exprimer désormais le moindre sentiment d'amour. Depuis ce temps-là, ta mère n'a jamais évoqué le Cataclysme et je n'ai donc pas pu m'insinuer dans son esprit pour partager ses souvenirs à ce sujet.

Mes pensées revinrent au motif qui avait poussé grand-mère à venir me trouver aujourd'hui. Des larmes coulaient le long de mes joues, tandis que je pensais à la mort affreuse de mes deux oncles. Grand-mère saisit ma main et m'adressa un regard d'une grande douceur.

— Ma petite Pivoine, si tu te poses la question, je puis t'aider à trouver la réponse…

— Pour savoir quel est mon état ?

— Je crois que tu l'entrevois déjà.

Mes oncles n'avaient pas trouvé la paix parce qu'ils n'avaient pas été correctement enterrés. Je n'étais pas en mesure de quitter la Terrasse des Âmes Perdues parce que le texte de ma tablette n'avait pas été inscrit comme il l'aurait fallu. Nous n'avions pas eu droit, eux et moi, aux rites funéraires appropriés. Du coup, même l'accès des enfers nous était interdit. L'ultime écran de ma cécité se dissipa tandis que je déclarais lentement :

— Je suis un fantôme errant.

Le palanquin rouge

Je ne pouvais aller nulle part. J'étais seule et dépossédée de tout. Je n'avais pas la moindre broderie à faire et il y avait bien longtemps que je ne disposais plus de pinceaux, de papier ni d'encre pour écrire. Malgré ma faim, je n'avais strictement rien à manger. Je n'avais plus guère envie de meubler ces longues heures de solitude en observant le royaume terrestre, du haut de la Terrasse. Le spectacle de ma mère m'était pénible, car je ne voyais plus en elle que la souffrance qui la rongeait secrètement ; quant à mon père, il me rappelait que je n'avais jamais été aussi précieuse à ses yeux que je le croyais jadis. Lorsque je pensais à Ren, mon cœur se serrait de douleur. Privée d'amour et de toute relation, j'étais en proie à une solitude qu'aucun être humain et aucun esprit ne pouvaient connaître. Je passais des semaines entières à pleurer, à geindre et à soupirer : la mousson fut terrible cette année-là, dans ma province natale.

Lentement, par étapes, je commençai néanmoins à me sentir mieux. Accoudée à la balustrade, je me penchais à nouveau pour regarder le monde d'en bas, délaissant la propriété familiale pour observer les jeunes filles qui filaient la soie et les paysans qui travaillaient dans les champs de mûriers de mon père. Je m'intéressais en particulier à la famille du chef du village de Gudang. Je me sentais proche de madame Qian, dont le raffinement n'avait d'égal que la bonne éducation. En d'autres temps, jamais elle n'aurait épousé un paysan ; mais dans les terribles mois qui avaient suivi le Cataclysme, elle s'était estimée heureuse de trouver un mari et un foyer. Les cinq filles qu'elle avait eues n'avaient été qu'une source de déception pour elle. Elle n'avait pas jugé utile de leur apprendre à lire, étant donné qu'elles allaient passer leur vie à produire de la soie. Elle disposait de bien peu de temps libre, mais il lui arrivait d'allumer une chandelle le soir et de lire quelques pages du *Livre des odes*, le seul objet qu'elle avait pu préserver et qui témoignait de sa vie antérieure. De nombreux désirs l'habitaient, mais elle n'avait aucun moyen de les satisfaire.

Pour être tout à fait honnête, la contemplation de son existence était pour moi une simple distraction. Je l'observais jusqu'à ce que ce spectacle finisse par me devenir insupportable. Je suivais alors la pente de mes désirs et tournais mes regards vers la demeure de Ren, m'imprégnant de chacune des images que je distinguais : le prunier qui refusait obstinément de fleurir, les pivoines qui ployaient déjà sous l'élan de la passion, le clair de lune qui venait jouer sur les lis du bassin – jusqu'à ce que j'aperçoive enfin Ren, qui avait maintenant vingt-cinq ans et n'était toujours pas marié.

Je me livrais un matin à mon examen habituel lorsque j'aperçus soudain la mère de Ren qui se dirigeait vers le portail de l'entrée, jetant des regards furtifs autour d'elle pour s'assurer que nul ne la voyait. Elle fixa ensuite quelque chose à la paroi, au-dessus de la porte. Une fois son geste accompli, elle s'assura de nouveau que personne ne l'observait : puis elle joignit les mains et fit plusieurs révérences successives, en direction des quatre points cardinaux. Ce rituel effectué, elle se hâta de retraverser la cour intérieure et de rejoindre ses appartements, en jetant des regards inquiets autour d'elle. De toute évidence, elle ne souhaitait pas que son geste ait le moindre témoin : malheureusement, ses pauvres actions humaines n'avaient aucun secret pour moi.

Je me trouvais fort loin du théâtre des opérations, mais mon regard s'était à présent exercé : il était devenu aussi précis et perçant qu'une aiguille. Je me concentrai sur le point situé au-dessus de la porte et m'aperçus que la mère de Ren y avait fixé l'extrémité d'une branche de fougère. Je reculai, à la fois surprise et inquiète, car il est de notoriété publique que les fougères sont susceptibles d'aveugler les esprits. Je me passai la main sur les yeux, en me demandant s'ils n'avaient pas été touchés : mais ils n'avaient apparemment pas souffert. À vrai dire, je ne ressentais pas la moindre douleur. Je rassemblai mon courage et regardai à nouveau la branche, mais n'éprouvai rien non plus cette fois-ci. De toute évidence, ce malheureux feuillage était sans effet sur moi.

J'examinai les parages à mon tour, d'un regard soupçonneux. Madame Wu souhaitait apparemment protéger sa maison contre les fantômes – ou contre un esprit bien particulier – mais je n'en voyais aucun qui s'intéressât de près ou de loin à sa propriété, en dehors de moi. Savait-elle que je l'observais ? Voulait-elle protéger son fils contre moi ? Mais je n'avais aucune intention de lui faire du mal ! Et même si j'en avais eu le pouvoir, pourquoi l'aurais-je fait, étant donné que je l'aimais ? Non, si elle voulait me tenir ainsi à l'écart, ce devait être pour m'empêcher d'assister à un événement bien précis. Après ces longues semaines d'abattement, j'étais à nouveau rongée par la curiosité.

Je passai le reste de la journée à scruter la propriété des Wu. Des gens allaient et venaient. Des tables et des chaises avaient été installées dans les cours et des lanternes suspendues dans les arbres. À la cuisine, les domestiques découpaient de l'ail et du gingembre, écossaient des pois, débitaient de la viande de porc, vidaient des canards et des poulets. Des jeunes gens débarquèrent : ils jouèrent aux cartes et burent en compagnie de Ren jusque tard dans la nuit. Ils faisaient de nombreuses plaisanteries concernant ses prouesses sexuelles et je ne pus m'empêcher de rougir, malgré la distance, tout en sentant le désir se réveiller en moi.

Le lendemain matin, de larges bandes de papier rouge où étaient calligraphiés différents distiques furent placardées sur le portail de l'entrée. De toute évidence, une cérémonie allait être célébrée. Il y avait longtemps que je ne me souciais plus de mon apparence, mais en voyant cela je me brossai les cheveux et me fis un chignon, lissai ma tunique et me pinçai les joues pour me redonner des couleurs, comme si je devais moi-même participer à la fête.

Je venais de reprendre place devant la balustrade pour observer la suite des événements lorsque je sentis une légère pression sur mon bras. Grand-mère était venue me voir.

— Regarde ! m'exclamai-je. Tout le monde a l'air de se réjouir, là en bas.

— C'est bien pour cela que je suis ici, dit-elle en fronçant les sourcils.

Elle contempla un moment d'un air songeur la scène qui se déroulait plus bas, avant de reprendre :

— Dis-moi ce que tu as vu.

Je lui parlai des décorations, des préparatifs culinaires et des réjouissances de la veille. Je souriais en lui racontant tout cela, comme si j'étais l'invitée d'honneur de toutes ces festivités et non une simple observatrice.

— Je suis heureuse, grand-mère. Est-ce que tu me comprends ? Quand mon poète est en joie, je me sens si…

— Ah, Pivoine…

Grand-mère hocha la tête et les décorations de sa coiffure émirent un léger tintement, semblable au gazouillis des oiseaux. Elle me prit par le menton et m'obligea à détourner les yeux du monde des vivants pour la regarder en face.

— Tu es trop jeune pour subir un pareil outrage, ajouta-t-elle.

J'essayai de me dégager, irritée qu'elle cherche ainsi à gâcher mon plaisir et à me pousser vers des pensées visiblement plus sombres, mais ses doigts maintenaient mon menton avec une vigueur surprenante.

— Ne regarde pas ça, ma petite, me lança-t-elle.

Après m'avoir ainsi prévenue, elle me relâcha et je m'écartai d'elle. Mes yeux se reposèrent sur la propriété de la famille Wu à l'instant même où un palanquin tendu de soie rouge et soutenu par quatre porteurs s'immobilisait devant le portail. Un pied parfaitement bandé et gainé d'un chausson rouge émergea du véhicule et la silhouette d'une jeune fille se profila bientôt, revêtue de la tête aux pieds de sa tenue de mariage. Sa tête ployait sous le poids d'une coiffe incrustée de perles, de jade, de cornaline et d'autres pierres précieuses. Un voile dissimulait son visage. Une servante brandit un miroir et dirigea sur la jeune fille les reflets du soleil, afin d'éloigner les esprits malfaisants qui auraient pu l'accompagner jusqu'ici.

J'essayai désespérément de trouver une autre explication au spectacle qui se déroulait sous mes yeux et dont ma grand-mère semblait avoir compris la teneur.

— Le frère de Ren va probablement se marier aujourd'hui, dis-je.

— Il est déjà marié, répondit doucement grand-mère. C'est son épouse qui t'avait envoyé l'édition originale du *Pavillon des Pivoines*.

— Peut-être a-t-il décidé de prendre une concubine…

— Il ne vit plus ici. Sa famille et lui sont établis dans la province de Shangxi, où il occupe une charge officielle. Seuls madame Wu et son fils cadet habitent encore dans cette maison. Regarde : quelqu'un a placé une branche de fougère au-dessus de la porte.

— C'est madame Wu qui l'a mise là.

— Elle cherche à protéger quelqu'un qui lui est cher.

Mon corps se mit à trembler, refusant d'accepter la réalité de ce que grand-mère essayait de me dire.

— Elle veut protéger son fils et sa jeune épouse – contre toi.

Des larmes jaillirent de mes yeux, ruisselèrent le long de mes joues et tombèrent par-dessus la balustrade. Plus bas, sur la rive nord du lac, des nuages se formèrent, dissimulant du même coup la cérémonie qui se déroulait. Je séchai mes yeux et ravalai l'émotion qui s'était emparée de moi. Le soleil dissipa aussitôt les nuages et je revis dans toute leur netteté le palanquin rouge et la jeune fille qui était venue prendre ma place. Elle avait franchi le seuil de la propriété et ma belle-mère lui avait fait traverser la première cour, puis la seconde, avant de la conduire dans la chambre nuptiale où elle devait la laisser, pour qu'elle reprenne ses esprits. Madame Wu, comme toutes les belles-mères, allait ensuite lui transmettre un ouvrage confidentiel, une sorte de manuel où elle trouverait exposées les grandes lignes de ce qui l'attendait pendant sa nuit de noces, confrontée à un homme qu'elle ne connaissait pas. Mais c'était à moi que tout cela aurait dû arriver !

J'aurais voulu tuer cette fille sur-le-champ, je le reconnais. Et arracher son voile, pour apercevoir les traits de celle qui osait ainsi prendre ma place. Je l'aurais obligée à contempler mon visage spectral avant de lui arracher les yeux, de mes propres ongles... Je repensai à l'histoire que ma mère me racontait jadis, à propos d'un homme qui avait pris une concubine et se moquait de sa première épouse en disant qu'elle était devenue bien laide au fil des ans. L'épouse se changeait en tigre et dévorait le cœur et les entrailles de la concubine, n'abandonnant que sa tête et ses membres derrière elle afin que son mari les découvre. C'était exactement ce que j'aurais voulu faire : mais il m'était impossible de quitter la Terrasse des Âmes Perdues.

— De notre vivant, dit grand-mère, nous tenons pour vraies beaucoup de choses dont nous ne comprenons la fausseté qu'une fois arrivés ici.

Je ne l'écoutais pas. J'étais totalement pétrifiée par le spectacle auquel j'étais en train d'assister. Les choses ne pouvaient pas se passer ainsi... Et pourtant, c'était bien le cas.

— Pivoine, reprit abruptement grand-mère. Je peux t'aider, tu sais.

— C'est impossible, dis-je en pleurant. Je n'ai plus aucun espoir...

Grand-mère éclata de rire. Sa réaction était si inattendue qu'elle me tira de mes douloureuses considérations. Je me tournai vers elle : une étrange expression avait gagné son visage – une sorte de gaieté, imprégnée de méchanceté. Je n'avais jamais rien vu de tel, mais j'étais trop abattue pour m'indigner qu'une vieille femme se moque ainsi de mes malheurs.

— Écoute-moi, reprit-elle, visiblement indifférente aux tourments que je ressentais. Tu sais que je n'ai jamais cru à l'amour...

— Épargne-moi tes sarcasmes, dis-je.

— Je m'apprêtais au contraire à te dire que j'avais peut-être eu tort de penser ainsi. Tu aimes réellement cet homme, je m'en aperçois aujourd'hui. Et sans doute t'aime-t-il, lui aussi – sinon sa mère ne chercherait pas à protéger cette jeune fille contre toi.

Elle jeta un coup d'œil par-dessus la balustrade et ajouta avec un sourire entendu :

— Tu as vu ça ?

Je l'imitai et vis madame Wu qui tendait à sa future belle-fille un miroir à main, cadeau que l'on fait traditionnellement aux jeunes mariées pour les protéger contre les assauts des esprits malveillants.

— Maintenant que j'ai vu ce qui s'est passé, poursuivit grand-mère, mes yeux se sont dessillés et tout est devenu clair. Tu dois aller reprendre la place qui te revient.

— Je ne pense pas être en mesure de le faire, dis-je.

Je commençais déjà à échafauder des plans pour me venger de cette jeune fille vêtue de rouge qui attendait sagement dans son coin d'être présentée à son mari.

— Réfléchis, ma petite. Réfléchis bien. Tu es un fantôme errant. Maintenant que tu as conscience de ta condition, tu peux te rendre où bon te semble.

— Mais je suis bloquée sur cette Terrasse...

— Ici, tu ne peux ni avancer, ni revenir sur tes pas. Mais cela ne signifie pas que tu ne puisses pas redescendre sur terre. Normalement, tu aurais déjà pu le faire, mais je suis égoïstement intervenue auprès des juges infernaux, car je voulais profiter de ta compagnie. Avec les hommes, tout est toujours affaire de bureaucratie et il n'en va pas différemment dans l'au-delà. Je les ai soudoyés en leur donnant une partie des offrandes que j'avais reçues pour le Nouvel An.

— Pourrais-tu aller les revoir, pour plaider mon cas devant eux ?

— Seulement lorsque le texte de ta tablette ancestrale aura été inscrit. Sinon... tu resteras confinée là-bas, ajouta-t-elle en désignant le monde qui s'étendait à nos pieds.

Elle avait raison, une fois encore... En tant que fantôme errant, j'aurais déjà dû parcourir le royaume terrestre au cours des sept dernières années.

J'étais tellement préoccupée par l'envie de me venger de cette fille que pendant un instant je ne compris pas ce qu'elle me disait. Je finis par détacher les yeux de la promise vêtue de rouge et dévisageai grand-mère.

— Insinuerais-tu que je pourrais faire en sorte que quelqu'un s'occupe de ma tablette ? lui demandai-je.

Grand-mère se pencha vers moi et prit mes mains dans les siennes.

— Tout ce que tu peux espérer, dit-elle, c'est que cela finisse par arriver, car tu pourras dès lors revenir dans l'au-delà avec le statut d'ancêtre. Mais tu ne pourras obliger personne à accomplir ce geste. Tu vas disposer de nombreux pouvoirs, mais ils resteront sans effet concernant ta tablette. Tu te souviens des histoires qu'on te racontait, quand tu étais petite ? Après leur mort, les gens peuvent se trouver réduits à l'état de fantômes de bien des manières : mais si toutes ces créatures étaient en mesure d'obliger les humains à s'occuper de leurs tablettes, il n'y aurait plus beaucoup d'histoires à raconter à leur sujet, tu ne crois pas ?

J'acquiesçai, tout en réfléchissant à la meilleure manière de me venger. Je me dis tout d'abord que je pourrais empêcher ce mariage, faire en sorte que Ren se souvienne de moi et l'obliger à se rendre chez mon père afin qu'il se charge de ma tablette. Nous pourrions alors célébrer un mariage fantôme et puis... Je secouai la tête. L'idée de vengeance et la perplexité où j'étais plongée m'embrouillaient tellement l'esprit que j'en perdais toute lucidité. La vérité, c'est que j'avais effectivement entendu beaucoup d'histoires de fantômes durant mon enfance, comme venait de le dire grand-mère, mais qu'elles se terminaient toutes très mal – sauf lorsque les humains parvenaient à massacrer ces horribles créatures…

— Mais n'est-ce pas dangereux ? demandai-je. Maman me disait autrefois qu'elle pouvait écharper avec ses ciseaux tous les esprits malfaisants qui risquaient de s'approcher de moi. Et qu'il suffisait que je porte des charmes ou des amulettes pour être protégée quand je sortais dans le jardin. Que puis-je faire contre des branches de fougère ? Ou contre des miroirs ?

Grand-mère éclata à nouveau de rire, ce qui était au moins aussi étrange que la première fois.

— Ce ne sont pas quelques feuilles de fougère qui protégeront les vivants d'une créature comme toi ! Quant aux miroirs… (Elle renifla d'un air méprisant.) Ils pourront éventuellement te blesser, si tu t'en approches trop. Mais ils ne risquent pas de te détruire.

Elle se leva et m'embrassa.

— Tu ne pourras plus revenir ici avant d'avoir réglé ta situation dans le monde terrestre, ajouta-t-elle. Tu l'as bien compris ?

J'acquiesçai en silence.

— Appuie-toi sur ce que tu as appris de ton vivant, lança-t-elle en s'éloignant de moi. Fais appel à ton bon sens et ne commets pas d'imprudence. Je te surveillerai depuis le monde d'en haut et te protégerai dans la mesure de mes moyens.

L'instant d'après, elle avait disparu.

Je regardai en bas. Madame Wu était en route vers sa chambre, où elle allait sans doute chercher le manuel qu'elle devait confier à sa future belle-fille.

Je jetai un dernier regard autour de moi, sur la Terrasse, enjambai la balustrade et me précipitai dans le vide – atterrissant presque aussitôt dans la cour principale de la demeure des Wu. Je me dirigeai immédiatement vers la chambre de Ren et l'aperçus, de l'autre côté de la fenêtre : il observait un petit bosquet de bambous agités par la brise. J'étais convaincue qu'il allait tourner les yeux vers moi, mais il n'en fit rien. Je virevoltai autour de lui avant d'aller flotter à côté des bambous, en le dévisageant. La lumière soulignait ses pommettes saillantes. Ses cheveux d'un noir de jais lui tombaient sur le col et ses mains étaient posées sur le rebord de la fenêtre. Il avait de longs doigts effilés, idéals pour tenir son pinceau. Ses yeux – aussi noirs et limpides que les eaux du lac – fixaient le décor à travers la fenêtre avec une expression que je ne parvenais pas à déchiffrer. J'étais en face de lui, mais il ne me voyait pas. Il n'avait même pas conscience de ma présence.

Un orchestre se mit à jouer : Ren n'allait plus tarder à être présenté à son épouse. Si je voulais interrompre les festivités, il fallait que je m'en prenne à quelqu'un d'autre. Je me rendis aussitôt dans la chambre où attendait la future mariée, assise sur sa chaise, la main refermée sur la poignée du miroir posé sur ses genoux. Bien qu'étant seule dans la pièce, elle n'avait pas soulevé son voile. Cette jeune fille connaissait ses devoirs et démontrait son obéissance : il y avait toutefois de la volonté en elle. Je n'aurais su dire pourquoi, mais je percevais derrière son immobilité parfaite la lutte qu'elle venait d'engager avec moi – comme si elle avait su que je me trouvais là.

Je me hâtai de gagner la chambre de madame Wu, que je découvris agenouillée devant un petit autel. Elle avait allumé de l'encens et priait en silence, s'inclinant de temps en temps en heurtant le sol du front. Son attitude n'avait rien d'effrayant – je me sentais au contraire plus résolue que jamais et gagnée par une sorte de paix intérieure que je n'avais plus éprouvée depuis bien longtemps. Madame Wu finit par se relever et se dirigea vers son armoire, dont elle ouvrit un tiroir. Deux livres gisaient à l'intérieur : à droite, le manuel contenant les instructions réservées aux jeunes mariées ; à gauche, le premier volume du *Pavillon des Pivoines*. Elle tendit la main et s'empara du manuel.

— Non ! m'écriai-je.

Si je n'étais pas en mesure d'empêcher ce mariage, je pouvais au moins m'arranger pour gâcher la nuit de noces...

Madame Wu retira vivement sa main, comme si le livre l'avait brûlée. Elle refit sur-le-champ une nouvelle tentative. Cette fois-ci, je me mis à chuchoter :

— Non, non, non...

Le fait de me trouver ici, alors que le mariage allait être célébré dans quelques minutes, était tellement inattendu – et tout s'était déroulé si vite – que j'agissais sans réfléchir aux conséquences de mes actes.

— Prenez l'autre, murmurai-je sous le coup d'une brusque impulsion. Prenez-le !

Madame Wu recula d'un pas et jeta un coup d'œil autour d'elle.

— Allons, insistai-je. Prenez-le !

Ne voyant rien, elle rajusta une épingle dans ses cheveux. Puis, feignant la plus totale indifférence, elle s'empara de mon livre comme si c'était bien celui-ci qu'elle était venue chercher, avant de quitter sa chambre et de regagner la pièce où se trouvait la future mariée. Celle-ci était toujours sagement assise.

— Ma fille, lui dit-elle, cet ouvrage m'a été utile lors de ma nuit de noces. Je suis sûre qu'il te servira aussi.

— Merci, mère, répondit la mariée.

Quelque chose dans son intonation me fit vaguement frissonner, mais je ne m'y attardai pas. Grisée par les pouvoirs que je me découvrais, j'avais la conviction que ma revanche n'allait plus tarder.

Madame Wu quitta la pièce. La jeune fille regarda la couverture du livre, sur laquelle j'avais représenté ma scène préférée – celle du « Rêve interrompu », où Du Liniang rencontre son lettré et où ils deviennent amants. Cet épisode devait fréquemment illustrer les manuels destinés aux jeunes mariées car elle ne parut pas surprise en l'apercevant.

Maintenant que l'ouvrage était entre ses mains, je compris que je n'avais pas été très maligne en ordonnant à madame Wu de le lui apporter. Je n'avais aucune envie que cette jeune fille découvre mes pensées les plus intimes. Mais un plan se forma peu à peu dans mon esprit : j'allais peut-être pouvoir me servir de ces commentaires pour l'effrayer et la faire renoncer à son mariage. Je me mis à lui chuchoter, comme je l'avais fait avec madame Wu :

— Ouvre ce livre et tu comprendras qui se trouve à tes côtés... Ouvre-le et enfuis-toi. Ouvre-le et tu découvriras qu'il te sera à jamais impossible d'accomplir ton devoir d'épouse.

Mais elle n'ouvrait pas le livre. Je haussai le ton et renouvelai mes injonctions, mais la jeune fille demeurait aussi figée qu'un vase sur une table de nuit. Même si je n'étais pas intervenue, elle n'aurait visiblement pas consulté le manuel destiné aux jeunes mariées. Sans tenir compte de mes pulsions destructrices, quel genre d'épouse espérait-elle être, en s'abstenant ainsi de lire les instructions nécessaires au bon déroulement de sa nuit de noces ?

Je m'étais installée sur une chaise, à l'autre bout de la pièce. La jeune fille ne bougeait toujours pas. Elle ne soupirait pas, ne pleurait pas, ne priait pas. Elle n'avait même pas écarté son voile pour observer la pièce où elle se trouvait. Je voyais bien qu'elle suivait le rituel à la lettre, ce qui signifiait qu'elle venait d'une famille aisée. Sa tunique en soie était d'un rouge étincelant et ornée de broderies d'une extrême finesse, qu'elle n'avait probablement pas réalisées elle-même.

— Ouvre ce livre, essayai-je à nouveau. Ouvre-le et enfuis-toi...

Voyant que mes efforts étaient vains, je me levai, traversai la pièce et m'agenouillai devant elle. Nos deux visages se touchaient presque, à peine séparés par l'opacité de son voile écarlate.

— Si tu restes ici, repris-je, tu ne seras jamais heureuse.

Un léger frisson parcourut son corps.

— Va-t'en, chuchotai-je.

Elle prit une profonde inspiration, puis expira lentement, mais ne fit pas le moindre geste. Je regagnai ma chaise. Je n'avais pas plus de succès avec cette fille qu'avec Ren.

J'entendis soudain l'orchestre, de l'autre côté de la porte. Quelqu'un pénétra dans la pièce. La jeune fille prit le livre et le déposa sur la table, avant de quitter la chambre pour aller à la rencontre de son futur époux.

Durant la cérémonie de mariage et les festivités qui s'ensuivirent, j'essayai d'intervenir de multiples manières, sans le moindre succès. J'étais tellement convaincue jadis que nous étions destinés l'un à l'autre, Ren et moi... Comment le destin pouvait-il faire preuve d'une telle injustice – et d'une telle cruauté ?

Après le banquet, Ren et son épouse furent escortés jusqu'à la chambre où devait se dérouler la nuit de noces. Des cierges rouges, hauts de près d'un mètre, répandaient dans la pièce une lueur dorée. S'ils n'étaient pas entièrement consumés d'ici la fin de la nuit, ce serait de bon augure. La cire qui s'écoulait était à l'image des larmes que verserait la mariée, une fois seule en compagnie de son époux. Si jamais l'un des cierges s'éteignait – fût-ce accidentellement – cela présagerait la mort prématurée de l'un des époux. L'orchestre jouait bruyamment et j'étais terrifiée par le fracas des cymbales. Chaque roulement de tambour me glaçait davantage. Les orchestres jouent toujours très fort lors des mariages ou des funérailles, afin d'effrayer et de chasser les esprits malfaisants. Mais je n'étais pas un esprit malfaisant : j'étais une jeune fille au cœur brisé, qui s'était vue privée du destin qui l'attendait. Je restai aux côtés de Ren jusqu'à ce que les pétards ne se mettent à exploser. Leurs détonations me secouèrent bientôt dans tous les sens. C'était plus que je n'en pouvais supporter et j'allai me réfugier dans les hauteurs de la pièce.

D'où j'étais, je vis mon poète tendre les mains vers le voile de son épouse, ôter les épingles qui le maintenaient et le soulever afin de faire apparaître son visage, que je reconnus aussitôt.

Tan Ze !

J'étais doublement furieuse. Le premier soir de la représentation, bien des années plus tôt, cette gamine m'avait dit qu'elle demanderait à son père de se renseigner au sujet de Ren. Et aujourd'hui, elle avait obtenu ce qu'elle convoitait. Comme j'allais la faire souffrir ! Mon esprit n'aurait de cesse de venir la hanter, j'allais rendre ses journées infernales et l'accabler de toutes les misères. J'avais beaucoup souffert, ces dernières années, mais la vue de Ze – dont les seins d'une blancheur parfaite se révélaient à présent, dans toute leur nudité – me plongeait dans un désespoir et une rage incommensurablement supérieurs. Comment la mère de Ren avait-elle pu porter son choix sur cette petite peste ? Je l'ignorais, mais le fait était là : parmi toutes les femmes de Hangzhou, elle s'était arrangée pour que son fils épouse celle qui était le mieux à même de me faire souffrir. Était-ce pour cela que Ze était restée d'une telle immobilité dans la chambre nuptiale ? S'était-elle protégée à l'avance, sachant que je serais là ? *Le Livre de la piété filiale à l'usage des filles* prétend que la jalousie est la pire des émotions qui peuvent s'emparer de nos ancêtres – et j'en étais l'illustration parfaite.

Ren défit les nœuds qui retenaient la jupe de Ze. Je regardai ses mains, en me rappelant combien j'avais désiré qu'elles se posent sur moi lorsque nous étions seuls dans le jardin. Bouleversée par ce spectacle, je m'arrachai les cheveux et déchirai mes vêtements avant de fondre en larmes – honteuse à l'idée d'être le témoin d'une pareille scène, mais ne voulant pas en perdre une miette. Aucun nuage ne se forma au-dessus du lac, aucun orage ne s'abattit sur la région. Dans la cour, les musiciens n'eurent pas à remballer leurs instruments pour courir se mettre à l'abri. Les invités n'interrompirent ni leurs plaisanteries ni leurs éclats de rire. Et mes larmes se contentèrent de mouiller ma tunique.

Un peu plus tôt dans la soirée, j'avais souhaité que le calme revienne pour pouvoir me tenir à nouveau aux côtés de Ren. Mais ce silence était bien pire, parce qu'il donnait une densité et une tension supplémentaires à la scène qui se déroulait dans la chambre nuptiale. Si j'avais été à la place de Ze, j'aurais déboutonné la tunique de Ren, écarté l'étoffe et posé la main sur son torse, avant de laisser mes lèvres effleurer la douceur de sa peau. Mais Ze ne fit rien de tel. Elle restait immobile, aussi passive que lorsqu'elle s'était abstenue de lire le manuel d'instructions, un peu plus tôt dans la soirée. J'étudiai son regard et n'y décelai pas la moindre émotion. Une idée me vint alors, liée peut-être au fait que j'étais déjà dans l'au-delà. Elle avait voulu épouser Ren, mais elle ne l'aimait pas. Se trouvant plus belle et plus intelligente que moi, elle avait pensé qu'elle le méritait davantage. Elle avait gagné son pari : elle était en vie et venait d'obtenir à l'âge de seize ans ce qui aurait dû me revenir. Mais maintenant que Ren était à elle, elle ne savait pas quoi en faire. Peut-être même n'avait-elle plus envie de lui.

Je me forçai à les regarder, tandis qu'ils se mettaient au lit. Ren saisit la main de Ze et l'insinua sous les draps afin qu'elle puisse le caresser, mais elle la retira aussitôt. Il voulut l'embrasser, mais elle se tourna sur le côté et ses lèvres n'effleurèrent que sa joue. Il se hissa sur elle, mais Ze était trop effrayée – ou trop ignorante – pour ressentir quoi que ce soit ou pour lui donner du plaisir. Cela aurait dû renforcer ma rancœur à son égard, mais un autre sentiment ne tarda pas à naître en moi. J'étais désolée pour Ren : il méritait mieux que ça.

Son visage se crispa lorsque l'issue approcha. Pendant un bref instant, il resta en appui sur ses coudes, essayant de déchiffrer les sentiments de Ze, mais le visage de la jeune fille était aussi pâle et inexpressif que du fromage de soja. Sans un mot, il se retira d'elle. Elle s'écarta aussitôt et lui tourna le dos. Ren eut alors l'expression que je lui avais déjà vue lorsqu'il contemplait le bosquet de bambou à travers la fenêtre. Comment n'avais-je pas reconnu ce sentiment de solitude et d'éloignement – par rapport à sa famille et à la vie en général – alors que je l'avais éprouvé moi-même, des années plus tôt ?

Je reportai mon attention sur Ze. Ma haine à son égard était toujours aussi vive, mais peut-être allais-je pouvoir me servir d'elle, comme d'une marionnette, pour rejoindre Ren et réussir à le rendre heureux. En tant que fantôme, je parviendrais sans doute à me glisser dans le corps de Ze et à faire en sorte qu'elle se comporte en épouse exemplaire. Et si je m'appliquais, Ren finirait par sentir ma présence, par reconnaître mes caresses et par comprendre que je l'aimais toujours.

Ze gardait les yeux obstinément fermés. Je voyais bien qu'elle attendait que le sommeil l'envahisse, espérant sans doute que cela lui permettrait de fuir... mais quoi, au juste ? Son mari ? Le plaisir physique ? Ses devoirs d'épouse ? Sa belle-mère ? Ma présence ? Si elle me redoutait vraiment, elle commettait une terrible erreur en croyant trouver refuge dans le sommeil. Je n'avais pas été en mesure de l'atteindre dans le royaume terrestre – peut-être portait-elle une amulette ou avait-elle reçu une bénédiction particulière, à moins que l'égoïsme obstiné dont elle faisait preuve de mon vivant fût une simple carapace, destinée à la protéger de ses propres émotions – mais dans le monde des rêves, elle allait être à ma merci.

À peine Ze eut-elle sombré dans le sommeil que son âme quitta son corps et se mit à dériver au loin. Je la suivis, à une distance respectable, afin de voir où elle allait et de déchiffrer ses intentions. Je mentirais si je n'avouais pas qu'une partie de moi-même continuait à vouloir se venger d'elle. J'envisageai même les divers moyens de l'attaquer pendant son sommeil, c'est-à-dire lorsqu'elle était la plus vulnérable. Peut-être pouvais-je me transformer en « fantôme coiffeur »... Tout le monde redoute la visite de ces démons, qui viennent raser pendant la nuit une partie du crâne de leur victime, dont les cheveux ne repoussent plus jamais. On craint également de s'aventurer trop loin en rêve : plus on s'éloigne de son foyer, plus on risque d'avoir du mal à retrouver son chemin. Il ne m'aurait pas été très difficile d'effrayer Ze et de l'entraîner dans une forêt profonde, m'arrangeant ensuite pour qu'elle n'échappe jamais aux ténèbres des bois.

Mais je ne fis rien de tel. Je restai au contraire à la périphérie de son champ de vision, cachée derrière une colonne du temple où elle se rendit, puis dans les profondeurs de l'étang où elle alla contempler son reflet – retirée enfin dans la pénombre lorsqu'elle regagna sa nouvelle chambre et se mit à l'explorer, en se croyant sous l'illusoire protection de son rêve. Elle regarda par la fenêtre et aperçut un rossignol perché sur un camphrier, ainsi qu'un lotus en fleur. Elle ramassa le miroir que sa belle-mère lui avait donné et sourit à son reflet, plus séduisante qu'au cours de la journée. Puis elle alla s'asseoir sur le bord du lit, tournant le dos à son mari. Même dans son rêve, elle refusait de le voir ou de le toucher. Mais je vis brusquement ce qu'elle regardait : ses yeux s'étaient posés sur l'exemplaire du *Pavillon des Pivoines* qu'elle avait laissé sur la table un peu plus tôt.

Je refrénai l'envie qui me poussait à émerger de l'ombre, en me disant qu'un minimum de prudence pouvait s'avérer utile et servir mes desseins à plus long terme. Mon esprit fonctionnait à toute allure. Comment pouvais-je m'y prendre pour attirer son attention, sans l'effrayer pour autant ? Souffler me parut la meilleure solution. Depuis ma cachette, en essayant de rester parfaitement immobile, j'expédiai un petit souffle d'air en direction de Ze. Aussi léger fût-il, il traversa la pièce et vint effleurer sa joue. La jeune fille porta la main à son visage. Je ne pus retenir un sourire, dans l'obscurité. J'avais réussi à établir le contact – tout en comprenant que je devais faire preuve d'une extrême prudence.

— Reviens, formulai-je intérieurement. Éveille-toi. Va chercher ce livre. Tu sauras quelle page il convient de lire.

Aucun son n'était sorti de mes lèvres, mais un simple souffle qui, comme le précédent, traversa la pièce et atteignit Ze : son corps frissonna tandis que mes paroles flottaient autour d'elle.

Ayant regagné le royaume terrestre, Ze s'agita dans le lit, s'éveilla et se redressa brusquement. Une fine pellicule de sueur brillait sur son visage et son corps tremblait sans qu'elle parvienne à le contrôler. On aurait dit qu'elle ne savait plus où elle était : son regard fouilla l'obscurité, avant de se poser enfin sur son mari. Instinctivement, elle eut – me sembla-t-il – un mouvement de recul, surprise et inquiète à la fois. Pendant quelques instants, elle demeura parfaitement immobile, craignant sans doute de le réveiller. Puis, aussi lentement que possible, elle s'extirpa du lit. Ses pieds bandés semblaient trop menus pour la soutenir et ses jambes d'une blancheur d'albâtre, émergeant de ses chaussons rouge vif, vacillèrent un instant sous l'effort. Elle se dirigea vers l'endroit où ses vêtements gisaient en tas sur le sol. Elle ramassa sa tunique, l'enfila et serra ses bras autour d'elle, comme pour mieux protéger sa nudité.

Elle traversa la pièce sur ses jambes frêles et s'assit devant la table, en rapprochant l'un des cierges. Elle considéra un moment la couverture du *Pavillon des Pivoines*, comme si elle repensait à son propre rêve interrompu. Puis elle ouvrit le livre et le feuilleta. Elle arriva bientôt à la page que je souhaitais et la lissa de la main. Après avoir jeté un coup d'œil furtif derrière elle, pour s'assurer que Ren dormait toujours, elle lut à mi-voix les mots que j'avais tracés jadis.

— « *L'amour de Liniang et de son lettré est de nature divine, et non d'ordre charnel. Mais cela ne peut ni ne doit les empêcher de goûter aux plaisirs de la chair. Dans sa chambre, Liniang sait se comporter en femme suscitant le désir, le plaisir et la satisfaction de son amant : toutes choses qui relèvent du devoir d'une respectable épouse.* »

Comment avais-je entrevu une vérité pareille, sans avoir été mariée, j'aurais été bien incapable de le dire. Mais telles étaient les pensées que j'avais notées – et je les partageais plus que jamais.

Ze frissonna, referma le livre et souffla la flamme du cierge. Elle plongea ensuite son visage dans ses mains et se mit à pleurer. Elle n'avait pas beaucoup de jugeote et manquait de surcroît des quelques connaissances qui lui auraient permis de satisfaire son mari. Avec le temps – et c'était tout ce dont je disposais – j'allais pouvoir me montrer plus pressante à son égard que je ne l'avais été aujourd'hui.

Nuages et pluie

Le Livre des rites nous apprend que le devoir le plus important, dans le cadre du mariage, consiste à engendrer un fils, seul à même d'honorer ses parents une fois que ceux-ci auront rejoint l'au-delà. En dehors de ça, le mariage permet à deux familles de s'unir et d'accroître leur prospérité grâce à la dot et au trousseau de la mariée, aux échanges de cadeaux traditionnels – sans parler des relations mutuelles que cela peut favoriser. *Le Pavillon des Pivoines* aborde quant à lui un sujet bien différent : l'attraction sexuelle et la passion charnelle. Au début de l'histoire, Liniang est une timide jeune fille ; mais l'amour l'épanouit et elle devient ouvertement sensuelle, une fois devenue fantôme. Étant morte vierge, elle a emporté dans la tombe ses désirs inassouvis. Au pire moment de mon propre mal d'amour, le docteur Zhao avait affirmé que le jeu des nuages et de la pluie aurait suffi à me rétablir. Sur ce dernier point, il n'avait pas tort. Si j'avais vécu assez longtemps, ma nuit de noces aurait dissipé tous mes troubles et j'aurais été guérie. Mais à présent, le désir charnel que j'avais réussi à contenir sur la Terrasse des Âmes Perdues me rongeait davantage que mon estomac ne criait famine. Je n'étais pas une créature malveillante, je ne cherchais à effrayer ni à agresser personne : j'avais tout simplement besoin de l'affection, de la protection et des caresses d'un mari. Le désir que j'éprouvais pour Ren était aussi intense que la nuit où nous nous étions rencontrés – aussi fort que la lune qui perçait les nuages et étendait son reflet sur l'eau avant d'apparaître aux yeux de celui que j'aurais dû épouser. Sauf que je n'avais évidemment pas les pouvoirs de la lune... Puisqu'il m'était impossible d'entrer directement en contact avec Ren, je me servis de Ze pour y parvenir. Elle résista, au début, mais comment une jeune fille qui appartenait encore au monde des vivants aurait-elle pu lutter contre une créature de l'au-delà ?

Les fantômes, comme les femmes, relèvent du *yin* – ce sont des êtres terrestres, féminins, apparentés au froid et à l'obscurité. Pendant quelques mois, je m'adaptai peu à peu à cette situation. Je m'étais installée dans la chambre de Ren, où je ne risquais pas d'être brutalement réveillée par le lever du soleil et n'avais pas à élaborer des itinéraires compliqués pour éviter de tourner à angle droit. J'étais une créature nocturne et passais mes journées nichée sous les poutres du plafond ou dans un recoin de la pièce. Une fois le soleil couché, je faisais preuve d'une plus grande audace et allais m'allonger sur le lit conjugal, en attendant que mon mari vienne me rejoindre en compagnie de sa seconde épouse.

Le fait de rester dans cette pièce m'évitait également d'avoir trop souvent affaire à Ze. Le montant de sa dot avait notablement accru l'aisance de la famille Wu – raison pour laquelle la mère de Ren avait accepté cette alliance – mais n'avait en rien altéré son détestable caractère. Comme je l'avais entrevu des années plus tôt, elle avait conservé en grandissant sa mesquinerie et sa mauvaise humeur. Je l'entendais se plaindre à longueur de journée. « Mon thé n'a aucun goût, lançait-elle à une servante dans la cour. Ne me sers jamais le thé que vous utilisez ici. Mon père m'a envoyé la variété la plus raffinée, à mon usage personnel. Et ne t'avise pas d'en donner à ma belle-mère ! Attends, je n'en ai pas fini avec toi... Arrange-toi pour que mon thé soit chaud, la prochaine fois. Et que je n'aie pas à te le répéter ! »

Après le repas de midi, madame Wu et elle se retiraient dans les appartements des femmes où elles étaient censées lire, peindre et composer des poèmes. Ze refusait de prendre part à ces activités et ne voulait même pas jouer de la cithare, dont elle était pourtant une fervente adepte. Elle n'avait pas assez de patience pour les travaux de broderie et il lui arrivait souvent de jeter ses aiguilles par terre, d'un geste rageur. Madame Wu essayait bien de la reprendre, mais cela ne faisait qu'aggraver la situation.

— Je ne vous appartiens pas ! s'exclama un jour Ze, à l'intention de sa belle-mère. Vous n'avez pas à me dire ce que je dois faire ! Mon père est l'Intendant des Rites impériaux !

Dans des circonstances ordinaires, Ren aurait pu décider de renvoyer Ze dans sa famille d'origine, de la vendre à une autre famille ou même de la battre jusqu'à ce que mort s'ensuive, étant donné qu'elle manifestait une telle impiété filiale. Mais la jeune femme avait raison : son père était un personnage important et sa dot avait été plus que conséquente... Aussi madame Wu s'abstenait-elle de réprimander sa belle-fille ou de la dénoncer à son mari. Le silence qui régnait parfois dans les appartements des femmes était lourd de reproches et d'amertume rentrés.

En fin d'après-midi, Ze débarquait dans la bibliothèque de Ren et lui lançait d'une voix perçante, si forte que je l'entendais depuis la chambre :

— Je t'ai attendu toute la journée ! Qu'est-ce que tu peux bien fabriquer ici à longueur de temps ? Tu passes ta vie enfermé. Je me moque de tes poèmes, j'ai besoin d'argent. Un marchand de soie doit venir aujourd'hui, il rapporte des échantillons de Suzhou. J'ai suffisamment de robes, en ce qui me concerne, mais tu admettras que les tentures de l'entrée ont bien besoin d'être changées. Si tu travaillais un peu plus, nous n'aurions pas à puiser sans arrêt dans mon trousseau.

Lorsque les domestiques servaient le repas du soir, c'était un flot continu de reproches :

— Il est hors de question que je mange les poissons du lac. Les eaux ne sont pas assez profondes, ils ont un goût terreux.

Elle picorait quelques morceaux d'oie sautée au citron et dédaignait le canard bouilli aux racines de lotus. Ren mangeait ces racines – dont les vertus aphrodisiaques sont de notoriété publique – et en servait plusieurs cuillerées dans le bol de Ze, mais celle-ci les ignorait délibérément. J'étais la seule à savoir qu'elle faisait brûler en secret des feuilles de lotus et en avalait les cendres, pour éviter de tomber enceinte – la même plante possédant deux vertus opposées... Je me félicitais d'ailleurs de son attitude concernant ce dernier point : sa position aurait été renforcée si elle avait mis un fils au monde.

Tous les mariages sont régis par six catégories d'émotions : l'amour, l'affection, la haine, l'amertume, la déception et la jalousie. Où étaient l'amour et l'affection de Ze ? Tout ce qu'elle disait, le moindre de ses gestes était une insulte permanente à sa belle-mère et à son mari. Elle était apparemment incapable de se contrôler. Nul n'osait protester, parce que les filles des hommes haut placés ont le droit de houspiller leur mari et de regarder leur famille avec dédain. Mais le mariage, ce n'était pas ça.

Les parents de Ze vinrent un jour lui rendre visite. Elle se jeta à leurs pieds en les suppliant de la reprendre chez eux.

— Ce mariage était une erreur, pleurnicha-t-elle. Cette maison et ces gens me sont beaucoup trop inférieurs. J'étais un phénix, pourquoi m'avoir unie à un corbeau ?

Était-ce ainsi qu'elle considérait mon poète ? Dans ce cas, pourquoi avait-elle tant voulu l'épouser ?

— Tu as repoussé toutes les autres propositions, lui répondit froidement l'Intendant. J'avais pratiquement conclu l'affaire avec le fils du préfet de Suzhou. Ils possèdent une propriété immense et un jardin splendide, mais tu n'as même pas voulu en entendre parler. C'est le devoir d'un père de trouver le mari susceptible de convenir à sa fille. Mais toi, tu avais décidé qui tu souhaitais épouser à l'âge de neuf ans. A-t-on jamais entendu parler d'une fille qui choisit son mari à travers l'interstice d'un paravent ? Mais toi, tu as voulu, tu as même exigé d'épouser un individu médiocre qui menait une vie médiocre. Pour quelle raison ? Je n'en ai pas la moindre idée. Je me suis contenté de te donner ce que tu m'avais demandé.

— Mais tu es mon père ! Et je n'aime pas Ren ! Ramène-moi à la maison et arrange-moi un autre mariage !

L'Intendant Tan ne se laissa pas attendrir.

— Tu as toujours été une enfant gâtée, égoïste et têtue comme une mule. J'en tiens d'ailleurs ta mère pour responsable.

Cette remarque me parut injuste. Il arrive qu'une mère finisse par gâter sa fille en lui manifestant une trop grande affection, mais seul un père dispose du pouvoir et de l'argent nécessaires pour offrir à sa fille ce qu'elle exige de lui.

— Tu as été un fléau pour notre famille dès l'instant où tu es née, ajouta-t-il en repoussant sa fille du pied. Le jour de ton mariage a été une bénédiction, pour ta mère comme pour moi.

Madame Tan n'émit pas la moindre protestation et n'essaya même pas de défendre sa fille.

— Lève-toi et cesse de te comporter de manière aussi ridicule, lui lança-t-elle d'un air dégoûté. Tu as voulu ce mariage, et maintenant tu l'as. C'est toi qui as choisi ton destin. Désormais, comporte-toi comme une épouse digne de ce nom. L'obéissance est la seule voie possible. C'est le *yang* qui domine, le *yin* lui est inférieur.

Voyant que les plaintes et les larmes s'avéraient inefficaces, Ze sombra dans une rage folle. Son visage devint écarlate et elle proféra une bordée d'injures. Elle se comportait comme un fils aîné – sûr de sa position et de ses droits – mais l'Intendant se montra inflexible.

— Je ne vais pas perdre la face pour ton bon plaisir, dit-il à sa fille. Nous t'avons élevée de notre mieux, afin que tu prennes la place qui te revient dans la famille de ton mari. C'est à elle que tu appartiens à présent.

L'Intendant et sa femme recommandèrent à leur fille de se comporter correctement, donnèrent à madame Wu des cadeaux destinés à compenser la charge que représentait cette belle-fille acariâtre et quittèrent les lieux. L'attitude de Ze ne s'améliora pas pour autant, bien au contraire. Pendant la journée, alors qu'elle traitait les membres de la maisonnée avec le plus parfait mépris, je ne me mêlais pas de ses affaires. Mais le soir, c'était moi qui prenais les choses en main.

Au début, je ne savais pas trop comment faire et Ze me résistait souvent. Toutefois, mes pouvoirs étaient tellement supérieurs qu'elle n'avait guère le choix et se voyait obligée de m'obéir. Procurer du plaisir à Ren était encore une autre affaire. Je finis par l'apprendre, à force de tentatives, d'échecs et de succès réitérés. Je me contentais dans les premiers temps de réagir à ses soupirs, à ses frissons, aux mouvements imperceptibles de son corps. Je guidais les doigts de Ze le long de ses membres. Je la poussais à frotter ses seins contre le torse ou les lèvres de Ren, à le titiller du bout de la langue, à embrasser son ventre et ce qui se trouvait juste en dessous. Je finis par comprendre ce que Tang Xianzu voulait dire quand il écrivait que Liniang « jouait de la flûte ». Quant à la région humide et secrète du corps de Ze que Ren désirait tant, j'avais à cœur qu'elle soit toujours offerte et prête à l'accueillir.

Parallèlement, je lui chuchotais à l'oreille tout ce que j'avais appris au sujet du mariage dans *Le Pavillon des Pivoines* – et comment une épouse se devait d'être « accommodante, docile et complaisante ». Dans mon enfance, lorsque j'écoutais les recommandations infinies que ma mère et mes tantes nous faisaient, concernant le mariage, je me disais que jamais je ne me comporterais comme elles. Je voulais rejeter le passé, m'insurger contre la rigidité et le poids de la tradition, et adopter une attitude plus moderne. Mais comme toutes les jeunes filles qui viennent de s'établir dans la demeure de leur époux, je m'empressais bien sûr d'imiter ma mère et mes tantes, en utilisant toutes les recettes contre lesquelles je m'élevais jadis. Si j'avais été en vie, nul doute que j'aurais fini par avoir mon propre trousseau de clefs, caché dans les replis de ma tunique, et par exiger de mes filles qu'elles suivent scrupuleusement les règles des Quatre Vertus et de la Triple Obéissance. Je serais devenue en tous points semblable à ma mère. Attendu les circonstances, je me contentais pour l'heure de chuchoter ses préceptes à l'oreille de Ze.

— Ne sois pas toujours derrière ton mari, lui recommandais-je. Aucun homme n'aime que sa femme passe son temps à le surveiller. Ne mange pas trop, les hommes n'aiment pas voir leur femme s'empiffrer. Respecte ses biens. Se montrer généreux, ce n'est pas jeter l'argent par les fenêtres. Seule une concubine considère son mari comme une planche à billets.

Ze se laissait peu à peu convaincre par mes leçons, tandis que je me défaisais pour ma part du romantisme juvénile qui m'avait autrefois fait sombrer dans le mal d'amour. Je finis par penser que l'amour véritable, c'était l'amour physique. J'adorais faire endurer à mon époux les affres du désir. Je passais des heures à imaginer de nouvelles stratégies destinées à prolonger cette douce agonie. Je me servais à cet effet du corps de Ze sans le moindre scrupule, ni l'ombre d'un remords. Je l'obligeais à accomplir ce qui était d'ailleurs son devoir d'épouse : je contemplais leurs ébats en souriant – et en y participant de toute mon âme – tandis que Ren trouvait enfin le bonheur et jouissait du corps de Ze, de ses lèvres à sa grotte la plus secrète. Je savais désormais que le plus grand désir de mon mari était de tenir dans ses mains les petits pieds bandés de Ze, recouverts de leurs chaussons de soie rouge : il appréciait aussi bien leur délicatesse que leur parfum – ou l'idée de la douleur qu'elle avait dû affronter jadis, dans le seul but de lui procurer ce plaisir. Lorsque j'eus compris que Ren pouvait également s'en servir d'une autre manière, je convainquis Ze de ne pas décevoir son attente. Ce fut ainsi – par l'intermédiaire de Ze – que j'expérimentais l'amour sexuel.

Le fait qu'elle n'éprouvait elle-même aucun plaisir à ces divers exercices ne me préoccupait pas outre mesure. Je me servais d'elle, un point c'est tout, y compris lorsqu'elle était lasse, apeurée, voire embarrassée par les gestes que je la forçais à accomplir. Le corps de Ze était là pour répondre aux désirs de Ren – pour qu'il le goûte, le caresse, le taquine, le lutine et le pénètre. Mais au bout de quelque temps, je vis que son expression indifférente et son manque de réaction embarrassaient mon mari. Lorsqu'il lui demandait ce qui lui ferait plaisir à elle, elle fermait les yeux et détournait la tête. En dépit de mes efforts, elle était encore moins présente dans le lit conjugal que le soir de leur nuit de noces.

Ren prit l'habitude de s'enfermer dans sa bibliothèque jusqu'à ce que Ze soit endormie. Lorsqu'il regagnait leur chambre et se glissait dans leur lit, il ne la serrait pas contre lui pour chercher sa chaleur et le réconfort de sa présence pendant son sommeil. Il restait allongé de son côté, et elle du sien. Au début, cela me convenait fort bien car je pouvais envelopper le corps de Ren de ma forme spectrale, tel un drap mortuaire. Je passais ainsi le reste de la nuit blottie contre lui, bougeant à son rythme et laissant sa chaleur imprégner peu à peu ma froideur éternelle. Mais il exigea bientôt qu'on ferme les fenêtres et qu'on dispose des couvertures supplémentaires, car il avait trop froid... J'allai donc rejoindre mon perchoir dans les hauteurs du plafond, au-dessus de son lit.

Il se mit à fréquenter les maisons de thé, sur les berges du lac. Je l'accompagnais et restais constamment à ses côtés, y compris lorsqu'il jouait ou buvait de trop, ou lorsqu'il lui arrivait de se distraire en compagnie des femmes dont l'activité consiste à assouvir les désirs des hommes. Je les regardais, fascinée, et j'appris ainsi beaucoup de choses. Notamment que Ze était encore plus égoïste que je ne l'avais cru : comment pouvait-elle refuser de tenir son rôle, aussi bien de femme que d'épouse ? N'éprouvait-elle aucun sentiment, aucun désir physique ? Sans même parler du plaisir de Ren, avait-elle oublié qu'il risquait de tomber amoureux de l'une de ces femmes et de l'installer chez lui en tant que concubine ?

Les soirs où elle s'était livrée au jeu des nuages et de la pluie avec mon mari, je voyageais ensuite dans les rêves de Ze. Depuis sa nuit de noces, elle ne parcourait plus des contrées agréables : ses rêves l'entraînaient au contraire dans des lieux obscurs, emplis d'ombres et de brumes. La lune était cachée, mais Ze refusait d'allumer des bougies ou des lanternes. Cela me convenait à merveille. De l'endroit où je me terrais – cachée derrière les arbres, sous les colonnes des temples ou dans l'obscurité des grottes – je hantais son esprit et l'obligeais à écouter mes conseils. Le lendemain, elle restait éveillée une fois la nuit venue, pâle et tremblante, jusqu'à ce que son mari vienne la retrouver. Elle faisait alors avec lui tout ce que je lui avais recommandé de faire, mais l'expression de son visage démentait ses gestes et ne plaisait pas à Ren.

Finalement, une nuit où elle s'était aventurée en rêve dans un sombre jardin, j'émergeai de l'ombre pour lui parler en face. Elle poussa évidemment des hurlements et chercha à s'enfuir, mais où aurait-elle pu aller ? Même dans ses rêves, elle se lassait vite. Et moi, je ne me lassais jamais : cela m'était impossible.

Elle tomba à genoux et se frotta vigoureusement les cheveux, dans l'espoir de produire des étincelles susceptibles de m'effrayer. Mais nous étions dans son rêve, où j'étais à l'abri de ce genre de phénomènes.

— Va-t'en ! s'exclama Ze. Laisse-moi tranquille !

Elle se mordit l'extrémité de l'index en cherchant à se faire saigner, pour pouvoir ensuite pointer son doigt vers moi, sachant que le sang effraie les fantômes. Mais là encore, nous étions dans un rêve et ses dents ne pouvaient entamer sa chair. Toutes ses tentatives de conjuration – qui auraient pu s'avérer efficaces dans le royaume terrestre – étaient ici sans le moindre effet sur moi.

— Je regrette, lui dis-je d'une voix aimable, mais je n'ai nullement l'intention de te laisser en paix.

Elle porta les mains à ses lèvres, étouffant un cri pétrifié. De par ma nature de fantôme, j'avais conscience de tout ce qui se déroulait parallèlement dans le royaume terrestre : Ze s'agitait en gémissant sous ses couvertures.

Dans son rêve, je reculai de quelques pas.

— Je ne suis pas là pour te faire du mal, dis-je.

Je tendis la main et lançai dans sa direction une poignée de pétales : des fleurs se mirent aussitôt à pousser autour de nous. Je me dirigeai ensuite vers elle en souriant, dissipant l'ombre et les ténèbres comme si nous avions été deux jeunes filles qui se retrouvent dans un jardin fleuri, par un bel après-midi de printemps.

Dans son lit, la respiration de Ze se calma et ses traits se détendirent. Ici, dans son rêve, le soleil se reflétait sur ses cheveux. Ses lèvres étaient pleines de promesses, ses mains blanches et fines, ses pieds bandés d'une délicatesse extrême – à laquelle j'étais moi-même sensible. Je ne comprenais pas ce qui l'empêchait de révéler au grand jour, dans le royaume terrestre, cette dimension cachée de sa personnalité.

Je m'accroupis devant elle.

— Les gens disent que tu es égoïste, commençai-je. (Ze ferma les yeux à l'énoncé de cette vérité et son visage se renfrogna.) Mais moi, je te demande de l'être et de penser à toi. En particulier dans ce domaine.

Je posai le doigt sur son cœur, là où siégeait sa conscience. Sous ma pression, je sentis quelque chose s'ouvrir en elle, à l'intérieur de sa poitrine. Je songeai aux femmes que j'avais observées dans les maisons de plaisir. Enhardie, je tendis les bras et empoignai ses seins à travers l'étoffe de sa robe : je sentis aussitôt leurs extrémités durcir sous mes doigts. Dans le royaume terrestre, Ze commençait à s'agiter. Je savais quelle partie de mon corps avait éprouvé le plus de plaisir, lorsque Ren m'avait caressée jadis avec ces pétales de pivoine. Nous étions dans un rêve et Ze ne pouvait m'échapper : je laissai donc mes doigts descendre, de plus en plus bas, jusqu'à ce qu'ils aient atteint cette source cachée du plaisir. Je sentis sa chaleur irradier à travers la soie, tandis que Ze frissonnait et poussait un soupir. Elle s'était mise à trembler dans son lit.

— Sois donc égoïste sur ce plan, lui murmurai-je à l'oreille. (Me souvenant de ce que m'avait dit ma mère à propos du jeu des nuages et de la pluie, j'ajoutai :) Les femmes ont droit au plaisir, elles aussi.

Avant de la libérer et de lui permettre de se réveiller, il fallait que je lui arrache une promesse.

— Ne parle à personne de notre conversation, lui dis-je. Ne révèle même pas que tu m'as vue. (Elle devait garder nos rencontres secrètes, sinon je ne pourrais plus rentrer en contact avec elle.) Nul ne se soucie de tes rêves, surtout pas ton mari. Ren te considérera comme une jeune femme ignorante et superstitieuse si tu lui racontes des bêtises au sujet de sa première épouse.

— Mais c'est mon mari ! s'exclama-t-elle. Je ne dois rien lui cacher.

— Toutes les femmes cachent des choses à leurs maris, lui dis-je. Les hommes aussi ont leurs secrets, qu'ils ne révèlent pas à leurs épouses.

Cela correspondait-il à la vérité ? À vrai dire, je l'ignorais. Heureusement, Ze avait aussi peu d'expérience que moi et ne me posa pas d'autres questions. Mais elle était toujours réticente.

— Mon mari rêve d'une autre épouse, dit-elle. D'une femme qui serait comme une compagne pour lui.

En entendant ces propos – qui ressemblaient tant à ceux que Ren m'avait tenus jadis – une colère inhumaine s'empara de moi. Durant une fraction de seconde, je pris une apparence aussi hideuse que terrifiante. Après cela, je n'eus plus de problèmes avec Ze : je m'insinuais toutes les nuits dans ses rêves et elle cessa rapidement de me résister.

C'est ainsi que Tan Ze devint ma « sœur épouse ». J'attendais tous les soirs qu'elle regagne la chambre, lovée entre les poutres du plafond. Je descendais alors de mon perchoir et rejoignais à mon tour le lit conjugal pour guider ses mouvements, l'aider à cambrer les reins, à agiter ses hanches et à s'ouvrir pour accueillir notre mari. Je savourais chacun des gémissements qui sortaient de ses lèvres et me plaisais autant que Ren à l'exciter. Lorsqu'elle résistait, il me suffisait de tendre la main et de caresser telle ou telle partie de son corps : la chaleur et la fébrilité la gagnaient alors, elle n'était plus qu'une onde de désir et s'agitait, les cheveux en désordre, éparpillant sur le lit ses peignes et ses bijoux, et atteignait enfin l'apogée de cette fusion qui libérait en elle une pluie salvatrice.

La brusque ferveur de Ze ramena notre mari à la maison. Il cessa de fréquenter les maisons de plaisir et finit par aimer son épouse terrestre. À chaque nouveau plaisir qu'elle lui procurait – et ils étaient nombreux, car j'imaginais toujours de nouveaux moyens de lui plaire – il réagissait avec une ingénuité touchante. Il y avait beaucoup de régions à explorer sur le corps de Ze et il finit par les connaître toutes. Elle ne lui opposait aucune résistance, car je ne l'aurais pas permis. Désormais, lorsqu'elle quittait la chambre, je ne l'entendais plus se plaindre ni émettre des propos amers ou injurieux, concernant notre demeure. Elle prit l'habitude de boire le thé avec Ren dans la bibliothèque. Les centres d'intérêt de son mari étaient devenus les siens et elle traitait à présent les domestiques avec douceur et gentillesse.

Ren était enchanté. Il lui ramenait de petits cadeaux et demandait aux domestiques de préparer des plats susceptibles de lui plaire. Après s'être livré au jeu des nuages et de la pluie, il restait allongé sur elle, contemplait son beau visage et l'accablait de mots tendres et de déclarations enflammées. Il l'aimait comme j'avais espéré jadis qu'il m'aimerait. Et il l'aimait même tant qu'il finit par ne plus penser à moi. Pourtant, une partie de Ze demeurait froide et distante : en dépit des frissons dont j'agitais son corps, des soupirs que je lui faisais pousser et du plaisir dont je lui permettais généreusement de jouir – après tout, c'était moi l'épouse en titre… – il y avait une chose que je n'arrivais pas à obtenir d'elle. Elle refusait toujours de regarder Ren en face.

Mais cela ne me fit pas dévier d'un pouce : j'étais déterminée à faire d'elle l'épouse que j'avais rêvé d'être. Ren m'avait dit jadis qu'il voulait que sa femme soit aussi sa compagne : j'obligeais donc Ze à se plonger dans d'innombrables ouvrages, aussi bien d'histoire que de poésie. Elle devint ainsi une lectrice assidue, au point d'avoir toujours quelques volumes sur sa coiffeuse, à côté de son miroir, de ses pots d'onguents et de ses bijoux.

— Ta soif de connaissances égale le soin que tu mets à être belle, remarqua Ren un matin.

Ces paroles me poussèrent à persévérer dans mes efforts. J'obligeais Ze à s'intéresser au *Pavillon des Pivoines* : elle s'absorba dans la lecture du premier volume, qui avait échappé aux flammes, et qu'elle ne tarda pas à transporter constamment avec elle. Elle fut bientôt capable de réciter par cœur des passages entiers des commentaires que j'avais rédigés autrefois.

— Pas un mot ne t'échappe, lui disait Ren avec admiration.

Et cela me rendait heureuse.

Ze commença même à noter sur des bouts de papier diverses pensées relatives à cet opéra : s'agissait-il de ses propres réflexions ou était-ce moi qui les lui soufflais ? Un peu des deux sans doute… Me souvenant de ce qui s'était passé lorsque Ren avait révélé à mon père qu'il m'avait rencontrée dans ses rêves et que nous avions même composé des poèmes ensemble, je pris soin de rappeler à Ze qu'elle ne devait jamais parler à personne de ce qu'elle écrivait ainsi – pas plus que de ma présence. Sous cet angle, elle s'avérait une seconde épouse docile, toujours respectueuse des volontés de l'épouse en titre.

Les choses se passaient donc au mieux, mais je n'en avais pas moins un gros problème : j'étais un fantôme errant et je dépérissais de jour en jour.

La fête des Fantômes errants

De notre vivant, un certain nombre de choses se produisent de manière récurrente, que cela nous plaise ou non. Devenues jeunes filles, nous saignons une fois par mois. La lune croît puis décroît dans le ciel. Le Nouvel An arrive, suivi par la fête du Printemps, puis par celles du Double Sept, des Fantômes errants et de la Lune d'automne. Nous n'avons aucune prise sur ces événements, mais ils ne sont pas sans effets sur notre existence. Pour le Nouvel An, nous nettoyons nos maisons de fond en comble, nous préparons des plats particuliers et faisons des offrandes – non seulement par devoir ou par respect de la tradition, mais parce que le changement de saison nous y invite. À bien des égards, le même phénomène se produit pour les fantômes. Libres de vagabonder où bon nous semble, nous sommes également mus par l'instinct de survie et le poids des coutumes. J'aurais voulu passer chaque instant de ma vie en compagnie de Ren, mais au cours du septième mois la faim se mit à me tenailler si fort que je ne tardai pas à souffrir le martyre. Et même lorsque j'étais lovée sur mon perchoir, au-dessus du lit de ma « sœur épouse », une force invincible me poussait à sortir.

Ainsi tiraillée par une faim qui devenait insupportable, je finis par quitter l'abri de la chambre et traversai à toute allure les cours intérieures, suivant deux domestiques chargés de pots et de papiers jusqu'au portail de la propriété des Wu. À peine l'avais-je franchi que je l'entendis se refermer derrière moi. Je me retournai et aperçus, horrifiée, les deux domestiques qui placardaient des talismans sur les battants du portail et les barricadaient hermétiquement, afin de protéger les habitants contre des créatures en mon genre. Nous étions le quinzième jour du mois qui correspond à la fête des Fantômes errants. Pas plus que ma « sœur épouse », je n'échappais à la pulsion de mes désirs : mes actions étaient aussi incontrôlées et incontrôlables que les siennes.

— Laissez-moi entrer ! lançai-je en martelant le portail.

Tout autour de moi, j'entendis des plaintes et des gémissements qui répétaient en écho :

— Laissez-moi entrer ! Laissez-moi entrer !

Je fis volte-face et découvris une cohorte de créatures en haillons aux visages livides, décharnés, sillonnés de rides, dont les corps semblaient ployer sous le poids de la solitude, du deuil et des regrets. Certains n'avaient plus tous leurs membres, d'autres respiraient l'angoisse ou la rancœur. Ceux qui étaient morts noyés ruisselaient de liquides infects et dégageaient une odeur de poisson pourri. Quant aux enfants... Il y en avait des dizaines, principalement des fillettes qui avaient été abandonnées, vendues, abusées, avant d'être oubliées par leurs familles : elles se serraient les unes contre les autres comme une colonie de souris, le regard empreint d'une épouvantable tristesse. Toutes ces créatures étaient mues par deux pulsions communes : la colère et la faim. Horrifiée, je me tournai à nouveau vers le portail et tambourinai de toutes mes faibles forces.

— Laissez-moi entrer ! répétai-je.

Mais mes poings ne pouvaient strictement rien contre les amulettes et les formules de protection que les domestiques avaient affichées pour empêcher les créatures de mon espèce de franchir le seuil de la demeure. Oui, j'ai bien dit : *de mon espèce*... Je posai le front contre le portail, fermai les yeux et laissai cette réalité s'imprégner en moi. J'étais bien l'un de ces êtres répugnants et j'étais tenaillée par une faim terrible, féroce, impitoyable.

Je pris une profonde inspiration, m'écartai du mur d'enceinte et me forçai à faire demi-tour. Les autres spectres ne me prêtaient déjà plus la moindre attention et se concentraient sur la tâche qui les avait amenés jusqu'ici, s'empiffrant sans retenue avec les offrandes déposées par la famille Wu. J'essayai de me frayer un chemin au milieu de cet enchevêtrement de corps qui se disputaient âprement la nourriture, mais ils n'eurent aucun mal à me repousser.

Je me mis à marcher le long de la route, en m'arrêtant devant chaque maison où un autel avait été dressé. Mais soit j'arrivais trop tard, soit les autres fantômes, plus robustes que moi, m'empêchaient d'approcher. J'avais donc toujours le ventre vide...

Les hommes rendent un culte aux dieux et aux ancêtres parce qu'ils les considèrent comme socialement supérieurs à eux. Ils sont susceptibles de les protéger et d'exaucer leurs vœux. L'aspect céleste de leur âme est associé à la croissance et à la procréation. Les offrandes qui leur sont destinées sont préparées avec soin et servies dans de la vaisselle de qualité, agrémentées de nombreux ingrédients. Les fantômes, quant à eux, sont traités avec le plus grand mépris. Aux yeux des hommes, nous sommes des êtres inférieurs, pires que les lépreux ou les mendiants. Nous ne sommes susceptibles d'amener que le malheur, le désastre et l'infortune. On nous rend responsables des accidents, de la stérilité, des maladies, des mauvaises récoltes, de la malchance au jeu ou dans les affaires – et bien évidemment de la mort d'autrui. Est-il étonnant, dans ces conditions, que les offrandes qui nous sont destinées lors de la fête des Fantômes errants s'avèrent aussi peu ragoûtantes ? Au lieu de plateaux chargés de pêches bien mûres, de riz parfumé cuit à la vapeur et de poulets entiers à la sauce de soja, nous avons droit à du riz cru, à des légumes tout juste bons pour les cochons et à des platées de viande infectes – tout cela, bien sûr, servi sans bols ni baguettes. Nous sommes obligés de nous accroupir, de plonger le visage dans ces auges et d'attraper la nourriture à pleines dents, comme des chiens, avant d'aller manger à l'écart dans quelque recoin obscur de l'enfer.

Les gens ne comprennent pas qu'il y a parmi nous de nombreux descendants de familles distinguées, dont ils ont été cruellement séparés et auxquelles ils pensent souvent. En tant que fantômes, nous ne pouvons pas échapper à notre nature profonde, mais cela ne signifie pas que nous cherchions délibérément à faire du mal aux hommes. Nous sommes dangereux comme peut l'être un poêle incandescent, dont on s'approche par mégarde. Jusqu'ici, je n'avais pas profité de ma condition pour blesser ni estropier quiconque, que je sache, ni pour commettre un seul acte de cruauté. Mais en poursuivant mon chemin le long du lac, je chassai d'autres créatures plus timides que moi pour m'emparer d'une vieille épluchure d'orange et d'un malheureux éclat d'os dont on n'avait pas encore sucé la moelle. J'errai ainsi de maison en maison, ramassant ce que je pouvais et m'empiffrant des restes laissés sur les autels par les spectres qui m'avaient précédée. Je finis par arriver au pied du mur qui entourait la propriété de la famille Chen.

Sans m'en rendre compte, j'avais fait le tour du lac, poussée par ma faim inassouvie.

Je ne m'étais jamais trouvée à l'extérieur de la propriété familiale à l'occasion de cette fête, mais je me rappelais que les domestiques passaient chaque année des journées entières à la préparer, parlant entre eux des quantités de nourriture impressionnantes entreposées sur l'autel, devant notre portail : des poulets, des canards – aussi bien morts que vivants – des côtelettes et des têtes de cochon, du poisson, des gâteaux de riz et des montagnes d'ananas, de bananes et de melons. Une fois la fête achevée – et les fantômes rassasiés par cette nourriture – les mendiants et les indigents des environs étaient conviés à en partager les reliefs, sous la forme d'un vaste banquet offert par la famille Chen.

Comme devant toutes les maisons, la lutte était rude entre les esprits qui se disputaient les offrandes. Mais nous étions ici *chez moi* et je m'avançai d'un pas décidé, écartant les autres sur mon passage. Un fantôme revêtu d'une tunique de mandarin en lambeaux, dont l'insigne brodé indiquait qu'il avait eu le grade des lettrés de cinquième rang, voulut m'écarter d'un coup de coude. Mais j'étais petite et me faufilai sous son bras.

— Ces offrandes sont à nous ! rugit-il. Tu n'y as pas droit. Va-t'en !

Je m'agrippai à l'autel – comme si cela pouvait s'avérer efficace pour quelqu'un qui n'avait pas de substance – et m'adressai à lui avec le respect dû à son rang :

— Nous sommes devant la propriété de ma famille, dis-je.

— Le statut que tu avais de ton vivant n'a désormais plus cours, grommela une créature sur ma droite.

— Si tu avais eu le moindre statut, tu aurais été enterrée de manière appropriée, me lança une femme dont la chair était si putréfiée que son crâne apparaissait par endroits. Encore une branche inutile, ajouta-t-elle d'un air méprisant.

L'homme en tenue de mandarin se pencha vers moi et planta devant mon visage sa bouche béante, d'où émanaient des relents fétides.

— Ta famille t'a oubliée, dit-il, comme elle nous oublie. Cela fait des années que nous venons ici, mais regarde ce qu'on nous donne à présent : de malheureux rogatons... Ton frère adoptif n'a pas l'air de comprendre son erreur... (Il cracha de nouveau et je perçus les effluves putrides des offrandes qu'il venait d'ingurgiter.) Comme ton père réside dans la capitale, Bao juge inutile de célébrer cette fête. Il a mis les meilleurs morceaux de côté pour les partager avec ses concubines.

Sur ces mots, la créature à la tunique de mandarin me saisit par la peau du cou et me rejeta sans ménagement sur le côté : j'allai heurter le mur d'enceinte, de l'autre côté de la rue, avant de m'écrouler sur le sol. Un peu étourdie, je contemplai les autres spectres qui continuaient de manger, se partageant ces médiocres offrandes. Je me relevai et contournai leur groupe, avant d'aller frapper bien vainement au portail conçu pour résister au feu. De mon vivant, mon plus cher désir avait été de sortir de cette enceinte pour aller faire une excursion – et aujourd'hui, j'aurais donné n'importe quoi pour y pénétrer.

Il y avait bien longtemps que je n'avais pas repensé à ma famille. Lotus et Fleur de Genêt devaient être établies de leur côté à présent, mais mes tantes étaient toujours là, ainsi que les concubines. Ma petite cousine Orchidée n'allait sans doute plus tarder à se marier. Je pensai aux centaines de personnes qui vivaient à l'intérieur de ces murs : aux *amah*, aux cuisiniers, aux nombreux domestiques –

et bien sûr à ma mère. Il devait y avoir moyen de l'apercevoir...

Je fis le tour de la propriété, en dessinant de grands cercles pour éviter les angles droits. Mais c'était inutile : la demeure de la famille Chen ne possédait qu'une entrée et elle était fermement défendue contre les fantômes errants. Maman se trouvait-elle en cet instant dans le pavillon de L'Éclosion des Lotus ? Pensait-elle à moi ? Je levai les yeux vers le ciel, en essayant d'apercevoir la Terrasse des Âmes Perdues. Grand-mère me regardait-elle ? Était-elle en train de hocher la tête, en se moquant de ma stupidité ?

Tout comme les vivants, les fantômes n'aiment guère reconnaître la vérité. Nous nous mentons à nous-mêmes pour sauver la face, y compris lorsque nous nous trouvons dans une position indéfendable. Il ne m'était pas agréable d'admettre que j'étais un fantôme errant et que j'aurais volontiers plongé mon visage dans une écuelle remplie de fruits avariés pour apaiser la faim qui me tenaillait. Je poussai un soupir. Il fallait absolument que je me nourrisse correctement aujourd'hui, si je voulais tenir bon pendant le reste de l'année.

Du temps où j'étais sur la Terrasse des Âmes Perdues, j'observais fréquemment la famille Qian, dans le village de Gudang où mon père s'était rendu après ma mort, à l'occasion du Nouvel An. Je me mis en route dans cette direction, écartant d'autres créatures semblables à moi et traçant de grands cercles lorsque cela s'avérait nécessaire. Mais je ne tardais pas à me perdre dans le réseau des sentiers qui s'entrecroisaient à travers les rizières, comme les paysans l'escomptaient.

La nuit tomba, ce qui signifiait que d'autres créatures allaient bientôt apparaître, soucieuses elles aussi de se remplir le ventre. Mais je croisais peu de fantômes au milieu de cette campagne. Par ici, les gens décédaient des suites des tremblements de terre, des inondations, de la famine ou des épidémies de toutes sortes. Mais ils mouraient près de chez eux, ce qui signifiait que leurs familles pouvaient s'occuper de leurs corps. Il était rare qu'un cadavre disparaisse pour de bon, lorsqu'un incendie décimait par exemple une famille entière – ou qu'un pont s'effondrait pendant la saison des pluies, emportant un paysan qui allait vendre son cochon au marché. À la campagne, la plupart des morts étaient enterrés selon les règles, et les trois parties de leur âme rejoignaient sans encombres leurs résidences respectives.

Je rencontrai néanmoins quelques malheureux esprits errants : une mère qui n'avait pas été enterrée dans la bonne position et dont le cadavre avait été transpercé par les racines d'un arbre, lui causant d'atroces souffrances ; un homme dont le cercueil avait été éventré à la suite d'une inondation et dont le cou s'était brisé, empêchant son âme de se réincarner. Ces divers esprits étaient dans un état d'extrême agitation : en cherchant du secours, ils avaient causé bien des problèmes à leurs familles. Personne n'aime entendre des gémissements lugubres au moment de s'endormir, d'allaiter son enfant ou de se livrer avec son mari au jeu des nuages et de la pluie. Mais en dehors de ces quelques âmes, mon voyage solitaire s'effectua sans encombre.

J'atteignis la demeure de la famille Qian. Ces gens étaient pauvres, mais ils avaient bon cœur : leurs offrandes étaient modestes mais de bien meilleure qualité que tout ce que j'avais pu ingurgiter jusque-là. Une fois rassasiée, je m'approchai de leur maison : je voulais me reposer un peu avant de rejoindre la ville, profitant de l'agréable sensation liée au fait d'avoir enfin le ventre plein, ainsi que de la présence d'une famille qui avait été si étroitement liée à la mienne.

Mais pendant la fête des Fantômes errants, des volets en bois protégeaient les fenêtres des Qian et leurs portes étaient barricadées de l'intérieur. La lueur d'une lanterne passait sous le chambranle de l'entrée et je percevais le murmure étouffé des voix. Je tendis l'oreille et distinguai parmi elles madame Qian qui psalmodiait : « *Depuis que je ne ramasse plus les plumes des martins-pêcheurs le long du fleuve d'émeraude, je reste confinée dans mon humble demeure, me contentant de chanter mes complaintes.* » Je connaissais ce poème, qui m'emplit brusquement de nostalgie. Mais que pouvais-je faire ? J'étais seule, séparée de ma famille et privée non seulement de toute relation, mais aussi des bienfaits de l'écriture et du langage. Je plongeai mon visage dans mes mains et me mis à sangloter. À l'intérieur de la maison, j'entendis aussitôt des chaises racler le sol et les occupants s'agiter avec inquiétude. J'avais trouvé le réconfort auprès de ces humbles gens et je trouvais le moyen de les terroriser, avec mes gémissements d'outre-tombe.

Une fois la fête passée, je pus regagner la chambre de Ren et de Ze. Je me sentais étrangement ragaillardie : pour la première fois depuis des années – cela datait même d'avant ma mort – le fait d'avoir le ventre plein ravivait en moi un appétit d'une autre sorte, d'où était né jadis le projet que j'avais élaboré autour du *Pavillon des Pivoines*. Ne serait-il pas possible d'ajouter dans les marges de l'ouvrage de nouveaux commentaires à ceux d'autrefois et d'esquisser ainsi une sorte d'autoportrait, où Ren ne manquerait pas de reconnaître la marque de ma nature profonde ?

Je ne tardai pas à faire preuve d'un égoïsme aussi effréné que celui de ma « sœur épouse ». J'enseignai à Ze tout ce qu'il convenait de savoir au sujet du *Pavillon des Pivoines*. J'intervenais dans ses pensées pour l'obliger à noter mes remarques sur des bouts de papier, qu'elle dissimulait dans notre chambre. Elle allait enfin pouvoir m'être utile.

Je préférais désormais que Ze passe ses journées avec moi dans la chambre, plutôt que de rejoindre son mari et sa belle-mère au moment des repas. Je n'aimais pas la lumière, aussi lui demandais-je de garder les portes fermées et les rideaux tirés. Pendant l'été, la pièce restait fraîche, ce qui me convenait. À l'automne, on sortait les édredons. En hiver, Ze portait des vestes matelassées ou bordées de fourrure. Le Nouvel An arriva, suivi du printemps. Au cours du quatrième mois, les fleurs s'épanouirent, offrant leurs corolles au soleil, mais nous préférions l'obscurité de cette chambre dont l'atmosphère était souvent glaciale, même pendant la journée.

Je contraignis Ze à lire et à relire ce que j'avais écrit dans le premier volume. Je l'envoyai ensuite mener son enquête dans la bibliothèque de Ren, jusqu'à ce qu'elle ait retrouvé les sources des trois pastiches que je n'avais pas réussi à identifier. Je l'aidai à noter le résultat de ses recherches – ainsi que mes commentaires à leur sujet – en regard de mes notes anciennes. J'avais précédemment réussi à convaincre Ze de « jouer de la flûte » pour mon mari : l'obliger à saisir son pinceau et à écrire sous ma dictée était un jeu d'enfant, à côté…

Mais je n'étais pas pleinement satisfaite, car j'aurais eu besoin du second volume, qui commence au moment où Mengmei et le fantôme de Liniang se jurent un amour éternel. Le lettré inscrit alors sa tablette ancestrale, déterre le corps de sa bien-aimée et la ramène à la vie. Si j'obtenais de Ze qu'elle note mes pensées sur cet épisode de la pièce et les fasse lire à Ren, cela ne le pousserait-il pas à suivre l'exemple de Mengmei ?

La nuit, dans les rêves de Ze, nous nous retrouvions toutes les deux au bord de son bassin favori et je lui disais : « Tu as besoin de ce deuxième volume. Il faut absolument te le procurer. » Je lui serinai la même chose des semaines durant, comme un perroquet. Mais Ze était une épouse, il lui était impossible de quitter sa demeure pour se mettre en quête du volume : j'aurais été dans le même cas qu'elle, si j'avais été en vie. Elle devait s'en remettre à ses ruses, à son charme et à l'amour de son époux pour convaincre ce dernier d'en rapporter un exemplaire à la maison. Ze disposait de mon soutien mais n'était pas sans ressources, de son côté. Elle pouvait se mettre à bouder et se comporter comme une enfant gâtée : notre mari marchait toujours quand elle faisait son cinéma.

Elle pouvait lui dire par exemple, en lui servant une tasse de thé :

— J'aimerais tant posséder le deuxième volume du *Pavillon des Pivoines*... J'ai vu cet opéra il y a des années, cela me ferait plaisir de lire aujourd'hui les répliques de ce grand écrivain et d'en parler avec toi. (Et tandis que Ren boirait son thé, elle ajouterait en le regardant dans les yeux et en caressant sa manche :) Je ne comprends pas toujours ses métaphores ou ses différentes allusions. Toi qui es un poète distingué, tu pourrais me les expliquer.

Ou bien, le soir, alors que Ren était couché entre nous, bien au chaud sous les édredons, elle pouvait lui murmurer à l'oreille :

— Je pense tous les jours à ma « sœur épouse ». Le fait de ne pas posséder la deuxième partie de cet opéra me rappelle cruellement son absence. Elle te manque sûrement, à toi aussi. Si seulement nous pouvions la rappeler auprès de nous...

Puis, du bout de la langue, elle lui titillerait l'oreille avant de passer à un autre sujet.

Je m'enhardissais de jour en jour. Lorsque l'été arriva, je commençai à quitter l'abri de la chambre en m'accrochant aux épaules de Ze et en me laissant glisser derrière elle, de pièce en pièce : de cette manière, je n'avais plus à me soucier des angles droits. Lorsque nous arrivions dans la salle où se déroulaient les repas, madame Wu refermait son éventail et demandait aux domestiques de fermer les portes et d'allumer un brasero pour chasser le froid brutal qui venait de s'abattre, alors que nous étions pourtant dans la période la plus chaude de l'année.

— Tu es bien pâlichonne, lui dit un soir madame Wu.

Reproche traditionnel des belles-mères... Chacun sait ce qu'il faut entendre derrière une assertion pareille : *où est le petit-fils que j'attends ?*

Ren prit la main de Ze, l'air brusquement soucieux.

— Ta main est glacée, dit-il. Nous sommes pourtant en été. Demain, viens donc te promener avec moi. Nous irons nous asseoir près du bassin pour regarder les fleurs et les papillons. Le soleil te réchauffera.

— Ces temps-ci, murmura Ze, les fleurs me répugnent et les papillons me font penser aux âmes mortes. Quand j'aperçois une étendue d'eau, je ne peux m'empêcher de voir une femme en train de se noyer.

— Cela ne lui sera pas d'un grand secours, observa ma belle-mère d'un air sarcastique. Où qu'elle aille, elle transporte la froidure avec elle. Imagine que le soleil s'enfuie à son tour en la voyant...

Des larmes se mirent à briller dans les yeux de Ze.

— Il vaut mieux que je regagne ma chambre, dit-elle. J'ai de la lecture qui m'attend.

Madame Wu resserra son châle autour de ses épaules.

— Peut-être est-ce préférable, en effet. Je demanderai au médecin de venir établir un diagnostic demain matin.

Ze serra aussitôt les cuisses.

— Ce n'est pas nécessaire, dit-elle.

— Comment veux-tu engendrer un fils dans l'état où tu es ?

Un fils ? Ze était bien trop précieuse à mes yeux pour que je me préoccupe de sa fertilité potentielle. Elle m'aidait à réaliser mon projet. Nous n'avions nullement besoin d'un fils !

Mais telle n'était pas l'opinion du docteur Zhao lorsqu'il vint nous rendre visite. Je ne l'avais pas revu depuis mon décès et je ne peux pas dire que j'étais enchantée de le trouver à nouveau sur ma route.

Il écouta attentivement les pulsations, selon sa bonne habitude, et regarda la langue de Ze, avant de prendre Ren à part :

— J'ai rencontré bien des fois ce genre de symptômes, lui dit-il. Votre épouse a cessé de s'alimenter et elle passe des heures à broyer du noir, enfermée dans sa chambre. Une seule conclusion s'impose, maître Wu : votre femme est en proie au mal d'amour.

— Que puis-je faire ? s'enquit Ren, alarmé.

Le médecin et lui allèrent s'asseoir sur un banc, dans le jardin.

— Généralement, une nuit passée en compagnie de son mari suffit à guérir une épouse de ce genre de mal, dit le médecin. S'est-elle dérobée ces derniers temps au jeu des nuages et de la pluie ? Est-ce pour cette raison qu'elle n'est pas tombée enceinte ? Voilà plus d'un an que vous êtes mariés à présent…

J'étais absolument outrée que le médecin puisse avancer une pareille hypothèse. Je regrettai de ne pas avoir les pouvoirs d'un esprit vengeur, car je lui aurais fait payer très cher une aussi monstrueuse accusation.

— Sur ce plan, répondit Ren, je pourrais difficilement me plaindre de mon épouse.

— N'avez-vous pas… (Le médecin hésita un instant, avant de reprendre.) N'avez-vous pas retenu votre essence vitale ? Une femme doit la recevoir et la conserver en elle pour se maintenir en bonne santé. Évitez en particulier de la répandre dans la douce étreinte de ses pieds bandés.

Pressé par le médecin, Ren lui raconta par le menu ce qui se passait dans la chambre conjugale, aussi bien de jour que de nuit. Une fois sa confession achevée, le docteur Zhao reconnut qu'il ne pouvait effectivement blâmer personne.

— Peut-être le mal d'amour de votre épouse a-t-il une autre cause, reprit-il. Vous réclame-t-elle parfois quelque chose de particulier ?

Le lendemain, Ren quitta la maison. Je ne tentai pas de le suivre, car il fallait que je reste aux côtés de Ze. Sur les conseils du médecin, madame Wu pénétra dans la chambre, ouvrit les battants des portes et débarrassa les fenêtres des lourds rideaux qui les obstruaient. La chaleur et l'humidité, fréquentes à Hangzhou pendant les mois d'été, se répandirent aussitôt dans la pièce. C'était absolument affreux mais nous fîmes de notre mieux, en belles-filles obéissantes et respectueuses de leurs devoirs, pour refouler nos exigences et nos sentiments personnels. Je restai le plus près possible de Ze, pour l'aider à supporter cette intrusion. Je fus heureuse de la voir enfiler un manteau par-dessus sa veste. Les belles-mères peuvent bien nous dire ce que nous devons faire – et nous, faire mine de leur obéir – mais elles ne peuvent tout de même pas passer leur temps à nous surveiller.

Ren revint trois jours plus tard.

— J'ai visité tous les villages situés entre la Tiao et la Zha, dit-il. À Shaoxi, mes efforts ont enfin été récompensés. Je regrette de ne pas avoir entrepris cette démarche plus tôt.

Il sortit de derrière son dos un exemplaire complet, en un seul volume, du *Pavillon des Pivoines*.

— Je ne pouvais pas te faire de plus beau cadeau, ajouta-t-il. (Il hésita un instant, car il devait penser à moi.) Maintenant, tu disposes de l'ensemble de l'histoire.

Ze et moi nous jetâmes dans ses bras, tellement nous étions heureuses. Ce qu'il déclara ensuite me démontra que j'étais encore chère à son cœur :

— Je ne veux pas que tu souffres du mal d'amour. Il faut que tu te rétablisses.

Oui, oui, pensai-je, je vais me rétablir. Merci, mon cher et tendre époux.

— Oui, oui, répéta Ze en écho, avant de pousser un soupir.

Il fallait célébrer ça.

— Célébrons cela, dit-elle.

C'était encore le matin, mais les domestiques apportèrent une bouteille de vin et des coupes de jade. Ma « sœur épouse » n'avait pas l'habitude de boire et je n'avais moi-même jamais avalé une seule goutte de vin, mais nous étions heureuses. Elle vida la première coupe avant même que Ren ait levé la sienne. Chaque fois qu'elle reposait sa coupe, je touchais le bord et elle la remplissait à nouveau. Il faisait grand jour et les fenêtres grandes ouvertes laissaient passer la chaleur. Mais une chaleur d'un autre ordre commençait à gagner l'épouse et son mari… Les coupes se succédaient : Ze en vida neuf au total et ses joues étaient en feu, sous l'effet du vin. Ren se montra plus raisonnable, mais il avait rendu son épouse heureuse et elle sut lui manifester sa gratitude, de notre part à toutes deux.

Ils s'endormirent côte à côte, au début de l'après-midi. Le lendemain, Ren se leva à son heure habituelle et partit travailler dans sa bibliothèque. Je laissai dormir ma « sœur épouse », qui n'avait pas l'habitude de boire : il valait mieux qu'elle se repose, car j'allais encore avoir besoin d'elle.

Rêves de cœur

Lorsque les rayons du soleil vinrent frapper les crochets qui retenaient les rideaux du lit, je m'empressai de réveiller Ze. Je lui demandai de rassembler tous les petits bouts de papier sur lesquels elle avait noté nos pensées, au cours des derniers mois, et l'envoyai trouver Ren dans la bibliothèque. Elle s'inclina devant lui et lui montra les feuillets qu'elle tenait à la main.

— M'autorises-tu à recopier mes notes ainsi que celles de ma « sœur épouse » dans notre nouvel exemplaire du *Pavillon des Pivoines* ? lui demanda-t-elle.

— Je te le permets, répondit-il sans même lever la tête.

Je me dis que j'avais de la chance, car le mariage n'avait nullement entamé l'ouverture d'esprit de mon époux. Et l'amour que je ressentais pour lui s'en trouvait accru.

Mais que les choses soient claires : l'idée que Ze recopie mes commentaires dans ce nouveau volume venait de moi. Tout comme c'était moi qui l'avais poussée à ajouter ses propres commentaires aux miens et à poursuivre de la sorte le travail que je n'avais pu achever, puisque ma mère avait livré aux flammes le deuxième tome de mon édition. Il me paraissait plus logique – et en tout cas plus rationnel – de tout regrouper ainsi dans le même exemplaire.

Il fallut deux semaines à Ze pour recopier l'ensemble de mes commentaires dans ce nouveau volume – et deux autres encore pour classer ses notes éparses et les transcrire dans les marges de la seconde partie. Ce travail achevé, nous pouvions commencer à ajouter de nouvelles annotations à travers l'ensemble de l'ouvrage.

Le Tao nous enseigne que chacun doit écrire à partir de sa propre expérience et qu'il faut quitter la prison de l'esprit pour aller au contact des êtres et des objets réels. Je croyais également à ce qu'affirmait Ye Shaoyuan, dans l'introduction qu'il avait rédigée au recueil des écrits posthumes de sa fille : « *Il est possible que l'esprit mystérieux des mots ne s'éteigne pas, une fois qu'ils sont écrits, et qu'il parvienne de la sorte à prolonger la vie au-delà de la mort.* » Lorsque je poussais Ze à écrire dans ce sens, les formules qu'elle employait pour commenter la structure et l'intrigue de l'opéra étaient plus approfondies que celles dont je me servais jadis, du temps où le mal d'amour me clouait au lit. J'espérais que Ren percevrait néanmoins ma voix, sous les phrases de Ze, et qu'il comprendrait ainsi que je lui appartenais encore.

Trois mois passèrent. Le soleil restait caché derrière les nuages et se couchait de plus en plus tôt. Les fenêtres étaient fermées et les rideaux tirés, les portes restaient closes et les braseros allumés pour chasser la fraîcheur constante qui imprégnait l'atmosphère. Ce changement de climat me convenait parfaitement et stimulait mon esprit. Pendant des semaines, je me consacrai exclusivement à mon projet, monopolisant la présence de Ze auprès de moi dans la pièce. Mais je suivis attentivement la conversation que Ren eut un soir avec ma « sœur épouse » avant de se retirer. Il s'était assis au bord du lit, le bras passé autour de ses épaules. Ze paraissait minuscule, à côté de lui.

— Tu es bien pâle, lui dit-il. Et tu as encore maigri.

— Je vois que ta mère t'a encore fait des reproches à mon sujet, lui répondit-elle sèchement.

— Oublie un peu ta belle-mère. C'est ton mari qui te parle. (Il effleura du doigt les cernes qui traçaient des demi-lunes sombres sous ses yeux.) Tu ne les avais pas au moment de notre mariage et cela m'attriste de les voir aujourd'hui. Es-tu malheureuse avec moi ? Veux-tu rendre visite à tes parents ?

Je soufflai à Ze la réponse appropriée.

— Une fille n'est jamais qu'une invitée dans la maison de ses parents, dit-elle d'une voix exsangue. Ma place est ici désormais.

— Aimerais-tu faire une excursion ?

— Je suis heureuse ici avec toi. (Elle poussa un soupir.) Demain, je ferai davantage attention à ma toilette et j'essayerai de me montrer d'une compagnie plus agréable...

— Il ne s'agit pas de m'être agréable, l'interrompit-il. (Voyant qu'elle s'était mise à trembler, il se mit à parler d'une voix plus douce.) Je voudrais te rendre heureuse, mais quand je t'aperçois au repas du matin, tu ne manges rien et tu ne dis pas un mot. Je ne te vois plus guère durant la journée. Auparavant, tu m'apportais du thé et nous discutions ensemble dans la bibliothèque. Tu t'en souviens ?

— Je viendrai te servir du thé demain, promit-elle.

Ren hocha la tête.

— Je n'ai pas besoin que tu me serves, dit-il. Tu es mon épouse et je m'inquiète à ton sujet. Tu touches à peine aux repas qu'on te sert. Je crains qu'il ne faille demander au médecin de revenir.

Je ne supportais pas sa détresse. Je quittai mon abri, dans les hauteurs de la pièce, et vins me placer derrière Ze. Nous étions devenues si proches à présent – et si intimes – qu'elle suivit mes instructions à la lettre, sans opposer la moindre résistance. Elle tourna son visage vers Ren et écrasa sa bouche contre la sienne. Je voulais couper court à ses craintes.

La méthode que j'avais employée jusqu'alors pour le réduire au silence s'avérait généralement efficace, mais elle échoua ce soir-là. Ren se dégagea et dit :

— Je parle sérieusement. Je croyais que le fait de t'offrir cet exemplaire du *Pavillon des Pivoines* allait hâter ta guérison, mais ton état ne fait qu'empirer. Telle n'était pas mon intention, je te prie de me croire. J'irai chercher le médecin demain. Apprête-toi donc à le recevoir.

Lorsqu'ils furent couchés, Ren enveloppa Ze dans ses bras et la serra contre lui d'un geste protecteur.

— À partir de demain, dit-il, nous allons procéder différemment. Je te ferai la lecture. Je vais demander qu'on nous serve les repas dans cette pièce et nous mangerons ici tous les deux. Je t'aime, Ze. Et je vais faire en sorte que tu ailles mieux.

Les hommes sont tellement sûrs d'eux-mêmes... Ils croient sincèrement pouvoir changer les choses par la seule vertu de leurs paroles. Et il arrive parfois qu'il en aille ainsi. J'aimais Ren pour cette raison, tout comme j'aimais constater l'effet de sa persuasion sur ma « sœur épouse ». En le voyant communiquer au sien la chaleur de son corps, je pensai au geste de Mengmei, caressant le cadavre glacé de Liniang pour le ramener à la vie. Quand la respiration de Ren s'accélérait, celle de Ze lui faisait écho. J'avais hâte qu'il s'endorme, une fois la chose accomplie : dès que ce fut le cas, je tirai Ze du lit conjugal et l'obligeai à allumer une bougie, à mélanger de l'encre et à s'atteler derechef à notre ouvrage. Je me sentais à la fois excitée et revigorée. C'était ma manière de rejoindre Ren et de poursuivre notre vie commune.

Je ne retins pas Ze trop longtemps, juste le temps de noter quelques phrases.

> Le personnage le plus étonnant, dans cet opéra, ce n'est pas Liniang, c'est le lettré. Beaucoup de femmes rêvent d'amour de par le monde, au point d'en perdre la vie, mais jamais elles ne ressuscitent. Elles n'ont pas la chance de connaître un Mengmei, qui déroule le portrait de Liniang et lui voue un véritable culte ; qui fait l'amour avec son spectre en croyant étreindre un être de chair et de sang ; qui conspire ensuite avec la vieille nonne pour ouvrir son cercueil et enlever son corps ; puis qui fait un long voyage pour implorer son beau-père avant de se plier à sa loi. Ce rêve avait tant de réalité pour lui qu'il n'a même pas tremblé au moment d'ouvrir sa tombe. Il pleurait sans honte en l'invoquant et il a accompli toutes ces actions sans l'ombre d'un regret.

Je souris, satisfaite de mes formulations, avant d'autoriser Ze à retrouver le réconfort et la chaleur des bras de son mari. Quant à moi, je regagnai mon perchoir, sous les poutres du plafond. Il fallait que je m'arrange pour que Ren soit rassuré au sujet de sa femme, sinon je n'allais plus pouvoir continuer à me servir d'elle pour noter mes pensées – et il ne les connaîtrait donc jamais. Je fouillai dans mes souvenirs, cherchant tout ce que maman et mes tantes avaient pu me raconter jadis, concernant les devoirs d'une épouse. « Tous les matins, lève-toi une demi-heure avant ton mari », m'avait longtemps répété ma mère. Le lendemain, je tirai donc Ze de son sommeil alors que Ren dormait encore.

— Ce n'est pas une demi-heure de sommeil en moins qui va ruiner ta santé ou entacher ta beauté, lui chuchotai-je à l'oreille, tandis qu'elle s'asseyait devant sa coiffeuse. Crois-tu que ton mari apprécie de te voir encore endormie lorsqu'il se lève ? Assurément pas. Consacre donc un peu de temps à ta coiffure et à ta toilette, avant qu'il ne se réveille.

Je l'aidai de mon mieux à mélanger sa poudre et à étaler le rouge sur ses joues, puis à nouer ses cheveux et les orner d'une coiffure en plumes. Je veillai également à ce qu'elle enfile ensuite une tunique rose.

— Le temps qui reste, mets-le à profit pour préparer les vêtements de ton mari et les disposer près de son oreiller. Dès qu'il se réveillera, présente-lui une vasque d'eau fraîche, une serviette et un peigne.

Lorsque Ren eut quitté la chambre, je poursuivis la liste de mes recommandations :

— Garde toujours à l'esprit que tu dois améliorer tes attributs proprement féminins. En franchissant le seuil de notre demeure, abandonne ta rudesse, ton entêtement et ta jalousie. Tous ces défauts, ton mari en est témoin à longueur de journée, dans le monde extérieur. En revanche, ne renonce jamais à apprendre. La lecture enrichira ta conversation, l'art de servir le thé réchauffera son cœur, ton talent dans les arts musicaux ou la manière de disposer les fleurs renforcera tes capacités émotives et le stimulera par la même occasion. (Me souvenant de ce que ma mère m'avait dit le jour où je l'avais aidée à bander les pieds d'Orchidée, j'ajoutai :) Ton époux est le Ciel. Comment pourrais-tu refuser de le servir ?

Ce jour-là, pour la première fois, je la poussai à quitter la chambre et l'entraînai aux cuisines – où, inutile de le dire, elle n'avait jamais mis les pieds. Elle s'écarta aussitôt des servantes, d'un air méprisant, mais je la saisis par les paupières et l'obligeai à garder les yeux ouverts. Elle avait certes été une enfant gâtée et une épouse négligente, mais sa mère avait tout de même dû lui apprendre quelque chose. Je l'obligeai à rester dans la pièce jusqu'à ce qu'une idée lui vienne enfin à l'esprit. Les domestiques la regardèrent avec inquiétude mettre une bassine d'eau à chauffer, y jeter une poignée de riz et surveiller la cuisson en remuant la bouillie avec une cuillère jusqu'à ce qu'elle soit devenue bien crémeuse. Elle fouilla dans les coffres et les placards, dénicha des petits pois frais et des cacahuètes qu'elle râpa et disposa dans des bols séparés. Elle versa ensuite la bouillie dans un plat de service et la déposa sur un plateau, à côté des condiments, des bols et des cuillères. Puis elle porta le tout dans la pièce où avait lieu le repas du matin. Madame Wu et son fils la regardèrent les servir en silence, la tête penchée et les joues toutes roses sous l'effet conjoint de la vapeur et des reflets de sa tunique. Un peu plus tard, Ze suivit sa belle-mère dans les appartements des femmes, où elles s'assirent côte à côte et se mirent à broder, tout en conversant de concert. Je fis en sorte qu'aucun propos désobligeant ne soit échangé à cette occasion. À la vue de cette scène, Ren n'estima plus utile de faire venir le médecin.

J'insistai pour que Ze respecte ce rituel, afin d'apaiser l'inquiétude de son mari et de gagner l'estime de sa belle-mère. Quand elle faisait la cuisine, elle vérifiait que les saveurs étaient compatibles et l'assaisonnement suffisant. Lorsqu'elle avait préparé un poisson du lac pour le dîner, elle s'assurait que les convives l'appréciaient et resservait du thé à sa belle-mère et à son mari quand leurs tasses étaient vides. Une fois ces devoirs accomplis, je la reconduisais dans la chambre et nous nous remettions au travail.

J'en savais long à présent sur la vie de femme mariée et sur l'amour sexuel. Il ne s'agissait plus de cette activité honteuse dont parlait la vieille nonne ou à laquelle l'Esprit de la Fleur faisait une allusion grivoise dans *Le Pavillon des Pivoines*. Je comprenais maintenant qu'il s'agissait d'un moyen de communion spirituelle, par le biais de l'échange physique. Je dictai donc à Ze :

> Liniang affirme que « les fantômes peuvent se montrer insouciants dans leurs passions, mais les humains doivent feindre de respecter les règles de la bienséance ». Liniang ne peut et ne doit pas être considérée comme « perdue » pour s'être livrée en rêve au jeu des nuages et de la pluie avec Mengmei. Sa condition de fantôme et le fait que la scène avait lieu en rêve l'empêchaient doublement de tomber enceinte. Le jeu des nuages et de la pluie s'avère sans conséquence, lorsqu'il est accompli en songe : il n'est pas source de honte et n'implique aucune responsabilité. Toutes les jeunes filles font des rêves de ce genre. Elles n'en sont pas souillées pour autant, bien au contraire. Une jeune fille qui rêve au jeu des nuages et de la pluie se prépare à vivre l'accomplissement du *qing*. Comme le dit Liniang : « Les fiançailles engendrent l'épouse, la fugue n'engendre que la concubine. » Entre un mari et sa femme, ce que certains considèrent comme lascif peut s'avérer d'une rare élégance.

Mais le *qing* ne se limitait pas aux rapports entre les épouses et leurs maris. Il concernait aussi l'amour maternel. Ma mère me manquait toujours et je pensais souvent à elle. De l'autre côté du lac, elle aussi devait penser à moi. Cela ne relevait-il pas du *qing* ? J'obligeai Ze à se reporter à la scène de « la Grande Réunion » entre la mère et la fille, lorsque Liniang – après avoir rejoint le monde des vivants – rencontre sa mère par hasard dans une auberge de Hangzhou. Autrefois, je considérais ce passage comme un simple pause au milieu des batailles et des intrigues politiques qui occupent le dernier tiers de l'opéra. Aujourd'hui, en le relisant, j'étais sensible à l'atmosphère propre au *qing* – c'est-à-dire féminine, émotive, lyrique – dont il était baigné.

Madame Du et Saveur de Printemps sont horrifiées en voyant Liniang surgir ainsi de l'ombre, la prenant évidemment pour un spectre. Liniang se met à pleurer, tandis que les deux femmes se reculent, aussi apeurées que dégoûtées. La vieille nonne pénètre alors dans la pièce, une lampe à la main. Comprenant la situation, elle saisit le bras de madame Du : *Que la lueur de ma lampe se joigne à celle de la lune pour vous révéler les traits de votre fille*. Émergeant des ténèbres de l'erreur, madame Du comprend alors que la créature qui se tient devant elle est bien sa fille, et non un simple fantôme. Elle se souvient du désespoir qui l'avait étreinte, à la mort de Liniang. Il lui a fallu surmonter cette fois-ci l'effroi qu'on éprouve face à une créature de l'au-delà. Telle est la profondeur de son amour maternel – mais cela va plus loin.

Je tenais la main de Ze tandis qu'elle écrivait :

> En reconnaissant que la créature qui se trouve devant elle est humaine, madame Du n'admet pas seulement que Liniang est un être de chair et de sang : elle lui permet de reprendre place dans le monde des hommes.

Pour moi, il s'agissait de la définition la plus pure de l'amour maternel. Quels que soient la douleur, la souffrance ou les désaccords entre les générations, une mère donne à son enfant la place qui lui revient dans le monde – en tant que fille aussi bien qu'en tant que future épouse, mère, tante ou grand-mère.

Nous passions notre temps à écrire, Ze et moi. Lorsque le printemps arriva, au bout de six mois de travail frénétique, je finis par m'arrêter, totalement vidée. J'avais formulé tout ce que j'étais capable d'écrire au sujet de l'amour. Je regardai ma « sœur épouse » : ses yeux étaient cernés, ses cheveux tombaient en désordre sur ses épaules et sa peau était devenue livide à cause de cet interminable labeur, de ces nuits sans sommeil et du rôle qu'elle avait dû assumer pour satisfaire sa belle-mère et son mari. Je devais reconnaître qu'elle m'avait été d'un grand secours dans l'exécution de mon projet. Je soufflai doucement sur elle : elle frissonna et saisit son pinceau d'un geste automatique.

Sur les deux pages blanches qui figuraient au début de l'ouvrage, j'aidai Ze à composer un court essai expliquant dans quelles conditions notre commentaire avait été rédigé, en ayant soin d'écarter tout ce qui aurait pu paraître étrange ou improbable selon les critères du royaume terrestre.

Il y avait jadis une jeune fille en proie au mal d'amour, qui vouait un culte particulier au *Pavillon des Pivoines*. Cette jeune fille, nommée Chen Tong, devait épouser le poète Wu Ren : chaque soir, elle avait noté ses pensées sur l'amour dans les marges de cet opéra. Après sa mort, Wu Ren avait épousé une autre jeune fille. Cette seconde épouse découvrit l'exemplaire du livre où celle qui l'avait précédée avait inscrit ses plus tendres pensées. Elle eut aussitôt envie de poursuivre le travail entrepris par sa « sœur épouse », mais ne possédait pas le deuxième volume de la pièce. Le jour où son mari revint et lui offrit une édition qui contenait le texte complet de l'opéra, elle but jusqu'à s'enivrer, tant elle était heureuse. Après cette mésaventure, lorsque Wu Ren et Tan Ze se promenaient en admirant les fleurs, il arrivait au poète de rappeler à son épouse cette fois où elle avait bu plus qu'il ne le fallait et s'était endormie comme une souche pour se réveiller le surlendemain. Tan Ze se montra par la suite aussi diligente que réfléchie : elle compila l'ensemble des commentaires et décida de les offrir à toutes celles qui embrassaient les idéaux du *qing*.

C'était une explication simple, sans forfanterie et fidèle à la vérité, dans ses grandes lignes. Il suffisait à présent que Ren la découvre et en prenne connaissance.

J'avais tellement pris l'habitude que Ze m'obéisse au doigt et à l'œil que je ne m'inquiétai pas lorsqu'elle s'empara de mon exemplaire original du *Pavillon des Pivoines*, un jour où Ren était allé retrouver des amis dans une maison de thé, au bord du lac. Je ne m'alarmai pas davantage quand elle quitta la maison, le volume à la main : je pensais qu'elle voulait relire mes commentaires au calme et réfléchir à tout ce que je lui avais appris. Et je n'eus pas l'ombre d'un soupçon lorsqu'elle franchit le pont en zigzag qui permettait d'accéder au pavillon d'été, construit au milieu du plan d'eau dans la propriété des Wu. Il m'était pourtant impossible de la suivre jusque-là, car la structure du pont comportait plusieurs angles droits. Mais je n'étais nullement inquiète. Je m'assis sur une jardinière, sous le prunier qui refusait de fleurir et de porter des fruits, et me préparai à jouir du paysage en toute sérénité. Nous étions dans le cinquième mois de la onzième année du règne de l'empereur Kangxi et j'appréciais le calme de cette journée, à la fin du printemps. Face à moi, accoudée à la balustrade du pavillon, Ze contemplait les fleurs de lotus à la surface immobile du bassin.

Mais lorsqu'elle sortit une bougie de sa manche et l'alluma, alors que nous étions en plein jour, je me relevai brusquement et me mis à arpenter la berge, en l'observant avec une certaine anxiété. Glacée d'horreur, je la vis arracher une page de mon livre et l'approcher délibérément de la flamme. Elle eut un sourire sardonique en voyant le papier noircir, puis s'embraser. Incapable de le tenir plus longtemps, elle lâcha par-dessus la balustrade le petit morceau qui restait : celui-ci virevolta et acheva de se consumer, avant de toucher la surface de l'eau.

Ze arracha trois autres pages du volume et les livra aux flammes de la même façon, avant de les laisser tomber par-dessus la rambarde du pavillon. Je voulus me précipiter, mais mes pieds bandés ne me permettaient pas de courir et je m'affalai lourdement. Je me relevai aussitôt, frottai mes mains et me hâtai de rejoindre le pont. À peine engagée, je me retrouvai bloquée au premier angle droit : il m'était impossible de passer. On construit justement des ponts en zigzag pour que des esprits tels que moi ne puissent pas les franchir.

— Arrête ! m'exclamai-je.

Pendant une fraction de seconde, le monde entier trembla. Les carpes s'immobilisèrent dans le bassin, les fleurs perdirent leurs pétales et les oiseaux se turent. Mais Ze ne releva même pas les yeux. Elle arracha méthodiquement les pages suivantes et y mit le feu.

Je regagnai la berge au plus vite, trépignant sur place et poussant des hurlements, tout en expédiant de grandes rafales de vent contre le pavillon, dans l'espoir d'éteindre cette flamme maudite. Ze avait toutefois plus d'un tour dans son sac. Elle prit la bougie, qui était posée sur la rambarde, et s'agenouilla sur le sol du pavillon, se mettant ainsi à l'abri des flux et des ondes que je lançais dans sa direction. Une fois installée de la sorte, une idée encore plus cruelle lui traversa l'esprit. Elle arracha toutes les pages du livre, les froissa et en fit un petit monticule. Elle eut un instant d'hésitation, tandis que la cire s'écoulait sur cet amas de papier, et regarda autour d'elle – tant du côté de la berge que des autres bâtiments – afin de s'assurer que nul ne la voyait. Rassurée sur ce point, elle approcha enfin la flamme des pages déchirées.

Nous entendons souvent parler de tel ou tel manuscrit qui a miraculeusement échappé aux flammes. Dans ce cas précis, il ne s'agissait pas d'un accident : c'était un acte délibéré, de pure malveillance, commis à mon encontre par celle que j'avais fini par considérer comme ma « sœur épouse ». Je me mis à hurler à la mort, comme si j'avais pris feu à mon tour, mais Ze s'en moquait bien. Je tourbillonnai sur moi-même en agitant les bras, soulevant une bourrasque qui arracha toutes les feuilles des arbres, telle une tempête de neige. C'était toutefois la pire des choses à faire, car cela eut pour principal effet d'attiser les flammes. Si je m'étais trouvée dans le pavillon, j'aurais pu absorber la fumée et préserver à l'intérieur de moi les phrases que j'avais écrites. Mais j'étais à genoux sur la berge, secouée de sanglots, sachant que ces mots tracés de ma propre main – et que mes larmes avaient humectés jadis – venaient de partir en fumée et n'étaient désormais plus qu'un tas de cendres.

Ze attendit dans le pavillon que les cendres aient refroidi et les dispersa ensuite dans le bassin. Puis elle franchit le pont et regagna la berge, sans manifester le moindre remords – ni même un soupçon d'inquiétude – mais avec une hâte qui souleva en moi une nouvelle appréhension. Je la suivis jusqu'à la chambre conjugale. Elle ouvrit l'exemplaire du *Pavillon des Pivoines* dans lequel elle avait transcrit mes annotations et ajouté les siennes. À chaque page qu'elle tournait, j'avais un nouveau frisson. Allait-elle également détruire ce volume ? Elle revint finalement au début de l'ouvrage, où était nommément désigné le « véritable » auteur des commentaires. D'un geste aussi bref et précis qu'un coup de poignard, elle arracha ces deux pages. J'étais encore plus malheureuse que le jour où ma mère avait brûlé mes livres. Il n'allait bientôt plus rester la moindre trace de mon existence sur terre, en dehors d'une tablette ancestrale dont le texte n'avait pas été inscrit et qui gisait sur une étagère, au fond d'une remise... Ren ne lirait jamais les mots que je lui avais adressés et j'allais définitivement sombrer dans l'oubli.

Ze plia les deux pages et les glissa à l'intérieur d'un autre ouvrage.

— Simple mesure de précaution, murmura-t-elle pour elle-même.

J'étais donc sauvée... Oui, tel était le sentiment que j'éprouvais.

Mais je n'en avais pas moins été sérieusement touchée, aussi bien moralement que physiquement. Il avait suffi des quelques minutes au cours desquelles Ze avait commis son hideux forfait pour m'anéantir presque entièrement. Je me traînai en rampant hors de la chambre et remontai tant bien que mal la galerie couverte. Lorsque je sentis que je n'avais pas la force d'aller plus loin, je me laissai glisser à l'extérieur et me fis aussi petite que possible avant de me faufiler entre les interstices, sous les fondations de la maison.

J'émergeai de mon abri deux mois plus tard, au moment de la fête des Fantômes errants, afin de me mettre en quête de nourriture. Pas question cette fois-ci de me lancer dans de grandes équipées ni de traverser les terres de mon père pour profiter des offrandes de la famille Qian. J'avais à peine la force de me hisser hors de ma cachette, de me traîner jusqu'au bassin et de happer les boulettes que le jardinier destinait aux carpes. Cela fait, je remontai le long de la berge et allai de nouveau chercher refuge dans mon antre humide et ténébreux.

Comment se faisait-il que tant de malheurs m'accablent, moi qui étais née dans une famille honorable, qui avais reçu une bonne éducation et qui n'étais ni disgracieuse ni sotte ? Payais-je aujourd'hui les mauvaises actions commises dans une vie antérieure ? Subissais-je toutes ces infortunes pour le bon plaisir et la distraction des déesses et des dieux ? Ou était-ce simplement mon destin de souffrir, puisque j'étais une femme ? Je n'obtins pas la réponse à ces questions au cours des mois suivants, mais je retrouvai peu à peu mes forces et ma détermination, me souvenant que comme toutes les jeunes filles – et les femmes en général – j'avais peut-être avant tout besoin d'être écoutée.

L'épouse exemplaire

Cinq autres mois passèrent. Je perçus un jour les échos d'une agitation inhabituelle dans la galerie couverte, au-dessus de moi : de nombreux bruits de pas, des gens qui se précipitaient pour accueillir des invités, des vœux échangés – tout cela accompagné de l'odeur des offrandes transportées sur des plateaux pour célébrer le Nouvel An. Le heurt des cymbales et le fracas des pétards me poussèrent à sortir de mon trou et je clignai des yeux, éblouie par l'intensité du soleil et de la lumière du jour. Mes membres étaient engourdis, d'être restés si longtemps repliés. Quant à mes vêtements, ils étaient dans un état si pitoyable qu'il vaut mieux ne pas en parler.

Le frère de Ren et son épouse étaient venus de la province de Shanxi à l'occasion des festivités. C'était sa belle-sœur qui m'avait envoyé l'édition originale du *Pavillon des Pivoines*, bien des années plus tôt. Je n'avais pas vécu assez longtemps pour faire sa connaissance mais je la découvrais aujourd'hui, aussi gracieuse que menue. Shen, sa fille – qui venait d'avoir seize ans et était déjà mariée à un propriétaire terrien de Hangzhou – accompagnait ses parents à l'occasion de cette visite. Leurs robes étaient ornées de broderies exquises, représentant des scènes de l'Antiquité, où l'on reconnaissait la personnalité et la sensibilité, tant de la mère que de la fille. La douceur avec laquelle elles s'exprimaient témoignait de leur éducation, de leur raffinement et de leur amour de la poésie. Elles s'assirent en compagnie de madame Wu et lui parlèrent des excursions qu'elles avaient faites en cours de route. Elles avaient visité des monastères nichés dans les collines, traversé la Forêt de Bambous et arpenté Longjing, où elles avaient assisté à la récolte du thé. Tout cela me fit amèrement regretter la vie dont j'avais été privée.

Ze les rejoignit bientôt. Au cours des sept derniers mois, terrée sous la galerie, je n'avais guère eu de ses nouvelles. Je m'attendais à la voir arborer un visage impassible, des lèvres pincées et un air dédaigneux : *je souhaitais* en fait qu'elle adopte cette attitude – ce qu'elle fit d'ailleurs, dans un premier temps. Mais lorsqu'elle se mit à parler, elle n'eut que des mots charmeurs.

— Shen, dit-elle en s'adressant à la nièce de Ren, il faut que ton mari soit fier de ton comportement. Une épouse doit toujours afficher un maintien élégant et des goûts raffinés. J'ai cru comprendre que tu étais une hôtesse accomplie et que tu avais l'art de recevoir les lettrés.

— Nous accueillons en effet de nombreux poètes, reconnut Shen. J'aimerais beaucoup que vous puissiez venir nous rendre visite un jour, mon oncle et vous.

— Quand j'étais une enfant, répondit Ze, ma mère m'emmenait souvent en voyage. Mais aujourd'hui, je préfère rester à la maison et préparer les repas pour mon mari et ma belle-mère.

— Je comprends, tante Ze, mais…

— Une épouse doit toujours faire preuve d'une extrême prudence, poursuivit Ze. Qui prendrait le risque de traverser le lac après les premières gelées ? Et en plein soleil, il y a toujours des gens susceptibles de vous critiquer. Je ne tiens ni à me faire humilier, ni à devenir une source de honte pour mon mari. Le seul endroit où nous sommes en sécurité, c'est à l'intérieur de nos appartements.

— Ce sont des gens importants qui viennent voir mon mari, répondit calmement la jeune Shen en ignorant les arguments que Ze venait d'avancer. Il pourrait être dans l'intérêt d'oncle Ren de les rencontrer.

— Je n'ai rien contre de telles excursions, intervint madame Wu, si mon fils en profite pour nouer de nouvelles relations.

Ze poussa un soupir.

— Puisque Mère est d'accord, nous irons donc vous voir. Je ferais n'importe quoi pour satisfaire ma belle-mère et mon mari.

Que se passait-il ? Les leçons que j'avais administrées à Ze avaient-elles porté leurs fruits pendant que j'étais terrée dans mon abri ?

Au cours de ce long week-end, les quatre femmes passèrent les matinées ensemble, dans les appartements intérieurs. Inspirée par sa belle-fille et sa petite-fille, madame Wu invita d'autres membres de la famille et quelques-unes de ses connaissances à venir se joindre à elles. Li Shu, la cousine de Ren, arriva en compagnie de Lin Yining, dont la famille était liée à celle des Wu depuis des générations. Les deux femmes étaient des poètes reconnues. Li Yining faisait même partie du Cercle féminin de la Bananeraie, fondée par la poétesse Gu Ruopo. Les femmes qui composaient ce cercle ne trouvaient pas contradictoire de manier à part égale l'aiguille et le pinceau et avançaient une interprétation originale des Quatre Vertus, estimant que le meilleur exemple de la « parole propre aux femmes » résidait dans leur écriture. Aussi la visite de Li Shu et de Li Yining fut-elle marquée par une intense activité calligraphique, toutes fenêtres ouvertes, au milieu des fumées d'encens. Ze joua de la cithare pour le plaisir de l'assistance. Ren et son frère allèrent célébrer les rites appropriés pour que les ancêtres des Wu soient en paix, bien nourris et correctement vêtus. Ren se montra particulièrement affectueux envers son épouse, aux yeux de toute l'assemblée. En revanche, personne n'eut évidemment l'ombre d'une pensée pour moi. Je ne pouvais qu'assister à ce spectacle, en rongeant mon frein.

Et puis, sans crier gare, la chance me sourit brusquement. Je parle de chance, mais peut-être s'agissait-il tout bonnement du destin. Shen sortit *Le Pavillon des Pivoines* et se mit à lire mes commentaires, recopiés par Ze au fil des pages. Mes sentiments la touchèrent et éveillèrent un étrange écho en elle. Elle songeait à sa propre vie, aux moments d'amour et de désir dont elle avait pu faire l'expérience. Elle s'imaginait, vieillissant peu à peu et subissant le poids de la perte, de la douleur et du regret.

— Tante Ze, demanda-t-elle innocemment, puis-je t'emprunter ce volume ?

Comment ma « sœur épouse » aurait-elle pu refuser ?

C'est ainsi que *Le Pavillon des Pivoines* quitta la demeure des Wu et rejoignit un autre quartier de Hangzhou. Je m'abstins de suivre Shen, assurée que mon projet était plus en sécurité entre ses mains que dans celles de Ze.

Ren, Ze, Li Shu et Lin Yining ne tardèrent pas à être invités chez Shen et son mari. Lorsque les palanquins vinrent les chercher, je m'agrippai aux épaules de Ze, le temps qu'elle ait traversé la propriété. Arrivée devant son palanquin, elle se glissa à l'intérieur tandis que je grimpais sur le toit. Nous descendîmes le mont Wushan, laissâmes le temple derrière nous et rejoignîmes la berge du lac, que nous longeâmes jusqu'au domicile de Shen. Ce n'était plus l'errance hasardeuse d'une jeune morte cherchant son chemin dans l'au-delà, ni sa quête désespérée de nourriture pendant la fête des Fantômes errants : je partais enfin en excursion, comme Ren m'avait promis que nous le ferions une fois mariés.

Nous arrivâmes bientôt devant la propriété de Shen : pour la première fois de mon existence, je franchis le seuil d'une demeure qui n'était ni celle de mon père, ni celle de mon mari. Shen nous accueillit dans un pavillon couvert d'une glycine qui, selon ses dires, avait été plantée deux cents ans plus tôt. Les énormes grappes de fleurs violettes retombaient et embaumaient l'atmosphère de leur senteur légère. Comme promis, Shen avait également invité d'autres membres éminents de la communauté lettrée. Son précepteur, dont la longue barbe indiquait la vieillesse et la sagesse, occupait la place d'honneur. Le poète Hong Sheng et sa femme – qui était enceinte – avaient apporté du vin et des noix. Plusieurs femmes mariées, dont certaines étaient poètes, félicitèrent Li Shu, qui venait de publier une nouvelle pièce de théâtre. Je fus très impressionnée de voir apparaître Xu Shijun, auteur d'un livre sur Xiaoqing intitulé *Reflet sur la vague au printemps*. Il était connu pour son soutien aux œuvres écrites par des femmes, mais on l'avait invité aujourd'hui pour parler des sutras bouddhistes. Ma belle-mère avait eu raison : Ren allait faire des rencontres intéressantes au sein de cette assemblée... Ze et lui étaient assis côte à côte, à l'image du beau couple qu'ils formaient.

Le Livre des rites dit que les hommes et les femmes ne doivent pas se servir des mêmes peignes, des mêmes cintres ni des mêmes serviettes – et encore moins s'asseoir côte à côte sur un siège identique. Mais ici, les hommes et les femmes – bien que n'appartenant pas à la même famille – se réunissaient sans respecter à la lettre les préceptes de la tradition. Le thé fut servi. Des gâteaux circulèrent. Assise sur la balustrade, je m'enivrais de l'odeur puissante de la glycine et des vers échangés par les membres de l'assemblée, qui traversaient le pavillon comme autant d'oiseaux prenant leur envol dans le ciel. Mais lorsque le précepteur de Shen se racla la gorge, l'assistance se tut brusquement.

— Nous pourrions réciter et composer des poèmes tout l'après-midi, dit-il, mais je serais curieux d'en savoir un peu plus au sujet de l'œuvre que Shen nous a fait lire, ces dernières semaines. (Plusieurs invités l'approuvèrent.) Parlez-nous donc, poursuivit-il en se tournant vers Ren, de votre commentaire du *Pavillon des Pivoines*.

Surprise, je glissai de mon perchoir. Cela déclencha une violente bourrasque qui s'engouffra dans le pavillon, obligeant les femmes à plaquer leurs robes contre elles et les hommes à courber le dos. Je contrôlais encore mal les effets de mes gestes dans le royaume terrestre... Une fois le vent retombé, Shen regarda Ren, sourit et lui demanda :

— Qu'est-ce qui vous a poussé à composer ce commentaire ?

— L'humilité m'oblige à taire la profondeur des sentiments que m'inspire cet opéra, répondit Ren. Je n'ai d'ailleurs jamais écrit la moindre ligne à son sujet.

— Vous êtes décidément trop modeste, intervint le précepteur. Nous savons tous que vous êtes un brillant critique. Vous avez déjà abondamment écrit sur le théâtre...

— Mais jamais sur *Le Pavillon des Pivoines*, poursuivit Ren.

— Comment cela est-il possible ? demanda le précepteur. C'est dans votre bibliothèque que ma jeune élève a emprunté l'exemplaire de l'opéra dont je vous parle. Vous êtes forcément l'auteur des pensées qui ont été notées dans ses marges.

— Je n'en ai pas écrit une ligne, assura Ren.

Il se tourna vers sa femme d'un air interrogateur, mais Ze demeura muette.

— Après l'avoir lu, Shen me l'a passé, intervint d'une voix légère l'épouse de Hong Sheng. Je ne crois pas qu'un homme aurait pu nourrir de tels sentiments. C'est une femme qui a rédigé ces notes. Sans doute même une très jeune femme – guère plus âgée que moi, ajouta-t-elle en rougissant.

Le précepteur eut un geste irrité de la main, comme pour chasser une mauvaise odeur.

— Ce que j'ai lu n'aurait certainement pas pu être écrit par une jeune fille, dit-il. Ni même par une femme d'âge mûr. Shen m'a autorisé à montrer ce volume à d'autres lettrés de Hangzhou, qui sont aujourd'hui parmi nous, ajouta-t-il avec un geste en direction de l'assistance. Nous avons tous été touchés par ces commentaires et nous nous sommes demandé qui avait pu avoir des pensées d'une telle profondeur – et d'une telle acuité – à propos de la tendresse et de la dévotion amoureuse. Shen vous a justement invité pour que vous dissipiez nos interrogations à ce sujet.

Ren posa sa main sur celle de Ze.

— S'agit-il de ton exemplaire du *Pavillon des Pivoines* ? lui demanda-t-il. Celui sur lequel tu as travaillé pendant des mois ? Et qui avait été commencé par...

Ze fixait le vide devant elle, comme s'il s'était adressé à quelqu'un d'autre.

— Allez-vous nous dire qui est l'auteur de ces paroles sublimes ? lança brusquement Hong Sheng.

Il avait donc lu mon commentaire, lui aussi ? Je dus me retenir pour ne pas pousser un cri de joie. L'initiative de la nièce de Ren s'avérait décidément riche en retombées. Elle ne s'était pas contentée de rapporter mes pensées chez elle : elle les avait montrées à son précepteur et à l'un des écrivains les plus réputés du pays !

Entre-temps, Ze avait adopté une expression confuse, comme si elle avait totalement oublié qui avait inscrit ces commentaires dans les marges du livre.

— S'agit-il de votre mari ? lui demanda le précepteur.

— De mon mari ?

Ze inclina la tête sur le côté, comme l'aurait fait la plus humble des épouses.

— De mon mari ? répéta-t-elle. (Puis, après un long silence, elle ajouta d'une voix douce.) Oui, il s'agit bien de mon mari.

Quand cette femme allait-elle cesser de me torturer de la sorte ? Elle s'était montrée docile et facile à manipuler jadis, mais avait trop bien assimilé mes leçons. Sa manière de jouer à l'épouse exemplaire dépassait les bornes...

— Mais enfin, Ze, insista Ren, je n'ai jamais écrit la moindre ligne au sujet de cet opéra. (Il regarda l'assistance et ajouta :) Je connais ce commentaire et je n'en suis pas l'auteur. Puis-je le voir ? demanda-t-il à Shen.

Sa nièce acquiesça et envoya un domestique chercher l'ouvrage. Tout le monde attendit, gêné que le mari et son épouse manifestent ainsi leur désaccord. Quant à moi, j'essayai de me tenir coite mais je bouillais intérieurement, en proie à une tourmente d'émotions où se mêlaient l'inquiétude, l'espoir et la stupéfaction.

Le domestique réapparut avec le livre, qu'il déposa entre les mains de Ren. Tous les invités le regardèrent feuilleter l'ouvrage. J'aurais voulu aller m'agenouiller devant lui et le fixer dans les yeux tandis qu'il déchiffrait mes paroles. *M'entends-tu ?* lui aurais-je demandé. Mais je m'en abstins. La moindre interférence de ma part – volontaire ou non – aurait détruit le fragile équilibre de cet instant. Ren tournait les pages, s'arrêtant parfois pour lire quelques lignes. Lorsqu'il releva les yeux, une étrange expression transparaissait dans son regard, entre désir et regret.

— Ce n'est pas moi qui ai écrit ce texte, dit-il enfin. Ce commentaire a été commencé par la jeune femme que je devais épouser jadis. (Il se tourna vers Lin Yining et Li Shu, auxquelles il était apparenté.) Vous vous souvenez sans doute de Chen Tong : c'est elle qui a entrepris la rédaction de ces notes. Ma femme a repris son projet et lui a ajouté ses propres commentaires, dans la seconde partie de l'ouvrage. Vous qui êtes du même sang que moi, vous savez que je dis la vérité.

— Si ce que vous dites est vrai, intervint le précepteur avant que les deux femmes aient pu répondre, pourquoi le style de Ze ressemble-t-il à ce point à celui de Chen Tong ? Il est pratiquement impossible de les distinguer.

— Un époux qui aurait bien connu ces deux femmes serait sans doute à même d'identifier leurs voix.

— L'amour ne se développe que dans l'intimité du couple, approuva Hong Sheng. Lorsque la lune brille sur le lac, le mari n'est pas seul dans sa chambre à la contempler. Lorsque l'une de ses épingles tombe sur l'oreiller, l'épouse n'en est pas la seule responsable. Mais expliquez-nous comment une jeune fille qui n'était pas mariée pouvait posséder une telle connaissance des choses de l'amour ? Et comment pouvez-vous reconnaître sa voix, puisque vous ne l'avez finalement pas épousée ?

— Je crois que maître Wu nous dit la vérité, intervint timidement l'une des épouses présentes, évitant ainsi à Ren de répondre à cette question embarrassante. Je trouve le discours de Chen Tong très romantique. Sa « sœur épouse » a également fait du bon travail en y ajoutant ses pensées sur le *qing*.

D'autres femmes l'approuvèrent. Quant à Ze, elle ne disait toujours pas un mot.

— J'aimerais pouvoir lire ces réflexions, indépendamment de l'opéra qui les a inspirées, affirma Sheng.

Bravo ! C'était exactement ce que j'attendais !

Mais Xu Shijun se montra nettement plus sceptique.

— Quelle épouse aurait envie que son nom résonne en dehors de la chambre nuptiale ? Les femmes devraient se garder d'être attirées à leur tour dans cette quête dégradante de la renommée.

Ces propos étaient pour le moins inattendus, venant de quelqu'un qui était connu pour avoir fermement soutenu le combat de Xiaoqing et facilité la publication de nombreux écrits féminins…

— Aucune femme – et *a fortiori* deux épouses – n'accepterait de livrer ainsi au grand jour des pensées qui relèvent de la sphère privée, ajouta l'un des maris présents. Les appartements intérieurs leur sont justement réservés à cet effet. Le vent du libéralisme qui a poussé certaines femmes à sortir de leurs foyers – encouragées par les hommes à écrire et à peindre, y compris à des fins matérielles – est directement responsable du grand Cataclysme. Mais nous constatons aujourd'hui avec soulagement que toutes ces femmes sont rentrées dans le droit chemin et suivent à nouveau la voie de la tradition.

J'étais outrée. Qu'était-il arrivé aux loyalistes ? Pourquoi Li Shu et Lin Yining ne protestaient-elles pas, malgré leur statut d'écrivains professionnels ?

— Il est bon que les épouses soient éduquées dans l'art des lettres, reprit le précepteur de Shen, ce qui me rasséréna un peu. Elles doivent assimiler les principes les plus élevés pour pouvoir les transmet-

urs fils. Malheureusement, il n'en est pas tou-
llé ainsi. (Il hocha la tête, d'un air découragé.)
vons appris à lire aux femmes et qu'en est-il résulté ? Cela les a-t-il amenées à nourrir de nobles pensées ? Absolument pas. Elles se sont mises à lire des pièces de théâtre, des opéras, des romans et de la poésie – pour le simple plaisir de la distraction, qui est une entrave à la vraie contemplation.

La brutalité de ces propos me laissait pantoise. Comment les choses avaient-elles pu changer de manière aussi radicale, au cours des neuf années qui avaient suivi mon trépas ? Mon père ne m'autorisait certes pas à sortir de la propriété familiale et ma mère n'appréciait guère que je lise *Le Pavillon des Pivoines*, mais l'opinion qui venait d'être exprimée était nettement plus sévère – et beaucoup plus intransigeante – que celles qui avaient cours dans mon enfance.

— Nous pouvons en conclure que ce mystère est résolu, reprit le précepteur de Shen. En rédigeant ces commentaires, Wu Ren a accompli quelque chose d'absolument unique. Il a ouvert une fenêtre qui élargit considérablement notre compréhension des fondements et des motifs cachés de l'amour. Nous sommes donc en présence d'un très grand artiste.

— D'une grande sensibilité, ajouta l'un des hommes.

— D'une *trop* grande sensibilité, précisa Lin Yining, avec un soupçon d'amertume.

Pendant que se déroulait cette conversation, Ze n'avait pas pipé mot. Elle avait conservé une attitude empreinte de politesse – et d'apparente sincérité – les yeux baissés et les mains dissimulées dans les profondeurs de ses manches. Nul n'aurait pu lui reprocher de ne pas se comporter en épouse exemplaire.

Xu Shijun emporta l'ouvrage. Peu après, il publia séparément mes commentaires, augmentés d'une préface où il félicitait Ren pour la profondeur de ses intuitions concernant l'amour, le mariage et le désir. Une fois le volume imprimé, il voyagea à travers tout le pays pour en assurer la promotion, présentant Ren comme l'auteur de cette œuvre de premier plan. C'est ainsi que mes formulations, mes pensées et mes émotions les plus secrètes devinrent du jour au lendemain extrêmement appréciées parmi les cercles lettrés, non seulement à Hangzhou mais dans l'ensemble de la Chine.

Ren refusait toujours d'endosser la paternité de cette œuvre.

— Je n'y suis pour rien, disait-il. Il faut rendre grâce à ma femme et à la jeune fille qui devait m'épouser avant elle.

Il s'attirait toujours la même réaction :

— Vous êtes trop modeste, maître Wu.

En dépit de ses dénégations – et peut-être en raison d'elles – il acquit ainsi une solide réputation grâce à ce que nous avions écrit, Ze et moi. Les éditeurs voulaient à tout prix publier ses poèmes. Il était invité à des réunions de lettrés et partait parfois en voyage pendant plusieurs semaines, tant sa notoriété était devenue grande. Il gagnait de l'argent, ce qui ravissait aussi bien sa mère que son épouse, et finit par se résoudre à accepter les compliments qu'on lui adressait. Lorsqu'on le félicitait en lui disant qu'aucune femme n'aurait jamais pu écrire des pages d'une telle profondeur, il se contentait d'incliner la tête et ne répondait rien. Et aucune des femmes présentes ce soir-là au domicile de Shen ne prit jamais ma défense. De toute évidence, en ces temps de mutation, il valait mieux éviter de clamer trop fort qu'une femme pouvait être bonne à quelque chose.

J'aurais dû être fière du succès de mon poète. Si j'avais été en vie, j'aurais peut-être eu la même attitude que Ze, car le devoir d'une épouse est de faire rayonner l'honneur de son mari, par tous les moyens. Mais je n'appartenais plus au monde des vivants et j'éprouvais toute la déception, la désillusion et la colère d'une femme dont on venait d'étouffer la voix. En dépit de tous mes efforts, j'avais l'impression que Ren ne m'avait aucunement entendue. J'étais effondrée.

Un bouillon contre la jalousie

Au retour de cette visite chez Shen, Ze se retira dans la chambre conjugale et ne quitta plus son lit. Elle ne voulait pas qu'on allume les lampes et ne desserrait plus les dents. Elle refusait la nourriture qu'on lui présentait et cessa bientôt de se laver, de s'habiller ou de se coiffer. Après les tours pendables qu'elle m'avait joués, je ne voyais pas pourquoi je lui serais venue en aide. Lorsque Ren revint enfin de ses longs périples, elle ne s'était toujours pas relevée. Ils se livrèrent au jeu des nuages et de la pluie, mais on se serait cru revenu aux premiers temps de leur mariage, tant Ze paraissait indifférente. Ren essaya de lui faire quitter la chambre, en lui proposant des promenades ou des repas avec des amis. Au lieu de lui en être reconnaissante, elle croisait les bras sur sa poitrine, secouait la tête et lançait d'un air maussade :

— Suis-je ton épouse, ou ta concubine ?

Ren la considérait, clouée dans son lit, les traits tirés et le teint cireux. Ses coudes et ses clavicules saillaient sur son corps décharné.

— Tu es mon épouse, dit-il. Et je t'aime toujours.

La voyant fondre en larmes, Ren prit la seule décision sensée qui s'offrait à lui, attendu la situation : il appela le docteur Zhao. Celui-ci déclara :

— Votre épouse fait une rechute. Elle est à nouveau en proie au mal d'amour.

Mais cela ne pouvait pas être le cas. Certes, Ze avait cessé de s'alimenter, mais ce n'était plus une jeune fille. Elle n'était plus vierge. Elle avait dix-huit ans et elle était mariée.

— Je ne souffre pas du mal d'amour ! s'exclama-t-elle depuis son lit. Il n'y a pas le moindre amour en moi !

Les deux hommes se dévisagèrent un instant, avant de reporter leur attention sur la jeune femme alitée.

— Ne t'approche pas ! reprit Ze en s'adressant à Ren. Je suis devenue une incube, une goule, un esprit maléfique… Si tu couchais avec moi, je te percerais les pieds avec une alêne et je boirais ton sang jusqu'à la moelle, pour emplir le vide qui est en moi.

C'était un prétexte pour éviter le jeu des nuages et de la pluie, mais je n'avais plus la moindre envie d'intervenir dans ce domaine.

— Peut-être votre épouse redoute-t-elle de perdre son statut, avança le docteur Zhao. Lui avez-vous reproché quoi que ce soit ces derniers temps ?

— Attention, lança Ze à l'intention du médecin. Ce soir, dès que vous serez endormi, je viendrai vous étrangler avec un foulard de soie.

Le docteur Zhao ignora cette saillie.

— Madame Wu l'aurait-elle critiquée un peu trop vivement ? reprit-il. Il suffit parfois d'une simple remarque émise par une belle-mère pour plonger une jeune épouse dans des abîmes d'inquiétude.

Ren l'ayant assuré que c'était à exclure, le médecin prescrivit un régime à base de pieds de cochon, destiné à renforcer l'organisme de Ze et à consolider son *qi*.

Mais celle-ci refusa d'ingurgiter un aliment d'aussi basse extraction.

La fois suivante, le médecin ordonna un bouillon de foie de porc, censé raffermir l'organe équivalent de sa patiente. Mais il n'eut pas plus de succès.

— Vous deviez jadis épouser une autre jeune fille, dit-il un jour à Ren en aparté. Peut-être celle-ci est-elle venue réclamer la place qui lui revient.

Ren repoussa aussitôt cette idée.

— Je ne crois pas aux fantômes, lui dit-il.

Le médecin le regarda d'un air sceptique et alla écouter les pulsations de sa patiente, avant de l'interroger sur ses rêves. Ze lui répondit que ceux-ci abondaient en créatures hideuses et en visions terrifiantes.

— Je vois en particulier une femme qui n'a plus que la peau sur les os. Cet esprit cherche constamment à s'enrouler autour de moi et à s'emparer de mon souffle.

— Je n'ai pas été suffisamment précis dans mon diagnostic, reconnut le docteur Zhao en se tournant vers Ren. Votre épouse souffre d'un mal d'amour un peu particulier. Elle est victime d'un trouble relativement répandu chez les femmes : je veux parler d'un excès de *vinaigre*.

Dans notre dialecte, le terme est identique à celui de *jalousie*.

— Mais elle n'a aucune raison d'être jalouse, rétorqua Ren.

Ze pointa le doigt vers lui.

— Tu ne m'aimes pas, dit-elle.

— Si nous reparlions de votre première épouse, insista le docteur Zhao.

— Ze est ma première épouse.

Quel coup de poignard ! Ren m'avait-il donc totalement oubliée ?

— Vous ignorez peut-être que c'était moi qui soignais Chen Tong avant sa mort, reprit le médecin. Si l'on tient compte de la tradition, on peut considérer qu'elle était bien votre première épouse. Vos

Huit Caractères ne correspondaient-ils pas ? Les présents de mariage n'avaient-ils pas été échangés entre vos deux familles ?

— Vous raisonnez vraiment de manière rétrograde, répondit Ren d'un air désapprobateur. Ma femme n'est nullement possédée. Les fantômes ne servent qu'à effrayer les enfants, pour les obliger à obéir à leurs parents. Ou à excuser les hommes qui font des bêtises avec des femmes de basse condition. Ou encore à faire dépérir les jeunes filles qui nourrissent des rêves impossibles.

Comment pouvait-il dire des choses pareilles ? Avait-il oublié les propos que nous avions échangés au sujet du *Pavillon des Pivoines* ? Et que Liniang elle-même était un fantôme ? S'il ne croyait pas aux esprits, comment allait-il pouvoir m'entendre ? Ses paroles étaient si terribles et si cruelles que je finis par me dire qu'il devait les avoir prononcées à seule fin de rassurer ma « sœur épouse ».

— Beaucoup d'épouses entament des grèves de la faim par jalousie, surtout si elles ont mauvais caractère, avança le docteur en essayant une autre approche. Elles cherchent ainsi à retourner leur colère contre les membres de leur entourage, en les culpabilisant.

Le médecin prescrivit un bol de bouillon de grive, censé être efficace contre la jalousie. Dans l'une des pièces inspirées par le destin de Xiaoqing, on donnait ce remède à une épouse victime d'un mal identique. Elle s'en trouvait effectivement soulagée, mais son visage était du même coup rongé par la petite vérole.

— Vous voulez donc ma perte ! s'exclama Ze en repoussant le bouillon. Je ne tiens pas à être couverte de pustules !

Le médecin saisit Ren par le bras et lui dit, suffisamment fort pour que Ze l'entende :

— N'oubliez pas que la jalousie est l'un des sept motifs de divorce…

Si j'avais été plus savante, j'aurais essayé d'intervenir. Mais si tel avait été le cas, sans doute aurais-je moi-même échappé à la mort autrefois. Je restai donc sur mon perchoir, dans les hauteurs de la pièce, tandis que le médecin s'appliquait à chasser l'excès de chaleur qui infestait les entrailles de Ze avec un remède moins drastique. Il lui fit avaler un remontant à base de céleri, qui lui vida littéralement les intestins. Cela l'obligea à se servir régulièrement de son pot de chambre, mais elle ne retrouva pas ses forces pour autant.

On appela ensuite le devin. Je fis attention à ne pas me mettre en travers de sa route tandis qu'il brandissait une épée dégoulinante de sang au-dessus du lit conjugal. Et je me bouchai les oreilles lorsqu'il entama ses incantations. Mais Ze n'était pas possédée par le moindre esprit malfaisant : aussi ses efforts s'avérèrent-ils vains.

Six semaines s'écoulèrent. L'état de Ze empirait. Elle se mettait à vomir, sitôt réveillée le matin. Dès qu'elle tournait la tête, durant la journée, elle vomissait à nouveau. Lorsque sa belle-mère venait lui apporter un potage léger, elle se penchait sur le côté et vomissait encore.

Madame Wu convoqua simultanément le devin et le docteur Zhao.

— Nous avons eu quelques soucis récemment à cause de ma belle-fille, leur déclara-t-elle de manière un peu elliptique. Mais peut-être sommes-nous tout simplement confrontés à un phénomène naturel. Vous devriez l'examiner à nouveau, en vous souvenant cette fois-ci qu'elle est une femme et que mon fils est son mari.

Le médecin examina attentivement la langue de Ze. Il regarda ses yeux et écouta encore avec soin les pulsations de son poignet. Le devin, de son côté, déplaçait une orchidée fanée d'un point à l'autre de la pièce. Puis il étudia l'horoscope de Ren et de Ze. Il rédigea une question sur une feuille de papier qu'il fit brûler dans un encensoir, afin que les mots rejoignent le Ciel, et examina ensuite les cendres pour en connaître la réponse. Les deux hommes conférèrent un moment à voix basse, pour affiner leur diagnostic.

— Votre mère est pleine de sagesse, dit enfin le docteur Zhao en se tournant vers Ren. Les femmes sont toujours les premières à reconnaître ces symptômes. Votre épouse souffre du mal d'amour le plus ordinaire, et le plus réconfortant : elle est enceinte.

La situation durait depuis plusieurs semaines et je n'arrivais pas à croire qu'il pût avoir raison. Mais si ce diagnostic était finalement le bon ? Malgré la présence de tout ce monde dans la chambre, je quittai mon perchoir et vins m'asseoir au chevet de Ze. Je pouvais voir à travers son ventre et j'aperçus en effet le frêle embryon de vie – cette âme infime qui attendait de renaître. J'aurais dû m'en apercevoir plus tôt, mais j'étais jeune et ignorante de ces choses. C'était un garçon.

— Il n'est pas à moi ! hurla Ze. Ôtez-le de mon corps !

Le docteur Zhao et le devin se regardèrent et rirent de bon cœur.

— Il est fréquent d'entendre les jeunes épouses tenir des propos de ce genre, expliqua le médecin. Dame Wu, je vous en prie, montrez-lui à nouveau le manuel à l'usage des femmes et expliquez-lui ce qui s'est passé. Quant à vous, jeune dame Ze, reposez-vous, évitez les ragots et mangez la nourriture qui convient à votre état. Évitez les châtaignes d'eau, les rats musqués, la chair des agneaux et des lapins.

— Et prenez soin d'accrocher une belle-de-jour à votre ceinture, ajouta le devin. Cela allégera les douleurs de l'enfantement et vous assurera la naissance d'un fils vigoureux.

Mis en joie par cette nouvelle, Ren, sa mère et les domestiques évoquaient les diverses hypothèses.

— Un fils est toujours préférable, dit Ren, mais je serai très heureux aussi s'il s'agit d'une fille.

Tel était cet homme. Et c'était pour cela que je l'aimais encore.

Ze était tout sauf ravie d'être enceinte et son état ne s'améliora pas. Elle ne risquait guère de tomber nez à nez avec un rat musqué et les domestiques avaient provisoirement banni le lapin et l'agneau de leurs ingrédients, mais elle se glissait subrepticement à la cuisine le soir pour s'empiffrer de châtaignes d'eau. Elle arrachait la fleur accrochée à sa ceinture et la piétinait avec rage. Elle refusait de nourrir le bébé qui se développait en elle. Elle noircissait du papier jusque tard dans la nuit, écrivant que l'enfant n'était pas à elle. Chaque fois qu'elle apercevait son mari, elle lui lançait : « Tu ne m'aimes pas ! » Et lorsqu'elle avait cessé de pleurer, de porter ses accusations et de refuser la nourriture qu'on lui présentait, elle se mettait à vomir. On ne tarda pas à constater la présence de déchets sanguinolents dans les cuvettes que les domestiques évacuaient de la pièce et chacun comprit alors la gravité de la situation. Nul ne se réjouit jamais de la prochaine disparition d'un être cher. Mais pour une femme, mourir en étant enceinte ou en mettant un enfant au monde est la pire des conditions : cela la condamne inexorablement à être déportée après sa mort sur les rives du Lac de Sang.

La fête de la Lune d'automne passa. Ze refusait même de boire de l'eau désormais. Des miroirs et un van avaient été suspendus dans la chambre : aucun d'eux n'était heureusement orienté vers l'endroit où je me trouvais.

L'Intendant Tan passa un jour voir sa fille.

— Ne vous inquiétez pas pour elle, dit-il. Elle ne veut pas avoir d'enfant parce qu'elle n'a rien dans le cœur.

— Il s'agit de votre fille, lui rappela Ren. Et de mon épouse.

Mais cela fut sans effet sur l'Intendant, qui repartit après avoir lancé cet avertissement :

— Lorsque l'enfant sera né, retirez-le-lui, ce sera plus prudent. Ze ne supporte pas qu'on s'intéresse à quelqu'un d'autre qu'elle.

La jeune femme n'avait pas un instant de répit. Le jour, elle paraissait constamment terrifiée : elle tremblait et pleurait sans cesse, en se bouchant les yeux. La nuit, la situation ne s'améliorait guère : elle gigotait dans tous les sens et se réveillait fréquemment, inondée de sueur. Le devin édifia un autel approprié, en bois de pêcher, où il fit brûler des bougies et de l'encens. Il rédigea un charme, le brûla et en mélangea les cendres dans une coupe d'eau de source. Brandissant son épée d'une main et la coupe de l'autre, il psalmodia ensuite une prière : « Que cette demeure soit purifiée du mal qui y réside ! » Il trempa dans l'eau une branche de saule et en aspergea les quatre points cardinaux. Pour renforcer son exorcisme, il s'emplit la bouche de cette décoction cendreuse et la recracha sur le mur, au-dessus du lit de Ze, avant d'ajouter : « Que l'esprit de cette jeune femme soit délivré des forces ténébreuses qui l'habitent ! »

Mais les cauchemars de Ze se poursuivirent et leurs effets empiraient de jour en jour. Connaissant le monde des songes, je m'étais dit que je pourrais peut-être l'aider sur ce plan. Mais chaque fois que je m'insinuais dans l'un de ses rêves, je n'apercevais rien d'inhabituel, ni *a fortiori* d'effrayant. Aucun esprit ne venait la hanter ni lui faire du mal, ce qui me laissait un peu perplexe.

Les premières neiges arrivèrent et le médecin revint l'examiner.

— Les choses se présentent mal, dit-il à Ren. L'enfant s'est accroché aux entrailles de votre épouse et ne veut plus la lâcher. Si vous m'y autorisez, je vais recourir à l'acupuncture et tenter de l'en délivrer.

En apparence, l'explication paraissait logique et la solution adaptée. Mais moi qui voyais le bébé, je savais qu'il ne s'agissait pas d'un esprit maléfique. Il luttait simplement pour sa survie.

— Et si c'était un fils ? demanda Ren.

Le médecin eut un geste de la main. Lorsqu'il découvrit les feuilles de papier rédigées par Ze et éparpillées dans la pièce, il ajouta d'une voix attristée :

— Je suis tous les jours témoin de ce genre de spectacles, sans pouvoir rien y faire. L'activité littéraire fait planer une lourde menace sur le monde des femmes. J'ai vu trop de jeunes filles perdre la santé et la joie de vivre parce qu'elles refusaient d'abandonner leur pinceau. Avec un peu de recul, ajouta-t-il en posant la main sur le bras de Ren pour le réconforter, j'ai peur que nous découvrions que le mal d'amour dont souffrait votre épouse avait son origine dans l'écriture.

Je songeai – mais ce n'était pas la première fois que je me faisais cette réflexion – que le docteur Zhao avait décidément une piètre connaissance des femmes, et de l'amour en général.

Ce fut dans ces pénibles circonstances, alors que la famille Wu s'apprêtait déjà aux affres d'une veillée funèbre, que surgit mon frère adoptif. L'apparition inattendue de Bao avait quelque chose de choquant, car notre attention était accaparée par une jeune femme qui dépérissait littéralement sous nos yeux, alors qu'il était lui-même d'une obésité repoussante. Il brandissait entre ses doigts boudinés la liasse des poèmes que j'avais écrits juste avant de mourir, puis dissimulés à l'intérieur d'un ouvrage consacré à la construction des digues, dans la bibliothèque de mon père. Par quel hasard Bao les avait-il dénichés ? À en juger par l'onctuosité de ses mains, il était peu probable qu'on lui eût jamais demandé d'édifier la moindre digue. Et ses petits yeux étroits paraissaient peu habitués aux efforts intellectuels – sans parler des plaisirs raffinés de la lecture. Un événement quelconque avait dû l'obliger à ouvrir précisément ce volume.

Mais lorsqu'il réclama de l'argent en échange de ces malheureux poèmes – prouvant ainsi qu'il n'était pas venu pour faire un simple don, de beau-frère à beau-frère – je compris que les choses avaient dû mal tourner, dans la propriété de la famille Chen. Sans doute fallait-il s'y attendre. On ne pouvait pas ignorer ma mort comme ils l'avaient fait sans s'exposer à certaines conséquences. Bao avait dû mettre la bibliothèque aux enchères et tomber sur mes poèmes à cette occasion. Mais où était mon père ? Je savais qu'il aurait préféré se séparer de ses concubines plutôt que de vendre ses livres. Était-il malade ? Était-il mort ? Ne l'aurais-je pas appris d'une manière ou d'une autre, si tel avait été le cas ? Ne devais-je pas me rendre sans tarder dans ma maison natale, afin de voir ce qui se passait ?

Toutefois, j'appartenais désormais à la famille Wu. Ren était mon mari et Ze ma « sœur épouse ». Elle était gravement malade, elle était même en train de mourir sous nos yeux. Certes, il m'était arrivé d'être en colère contre elle, voire de la détester dans certaines occasions. Mais je n'allais pas me dérober, en ce terrible instant : il fallait que je sois auprès d'elle lorsqu'elle rendrait son dernier souffle. Je l'accueillerais alors dans l'au-delà et la remercierais pour le rôle qu'elle avait si bien tenu à mes côtés.

Ren donna à mon frère adoptif la somme qu'il réclamait. Ze allait si mal qu'il ne jeta même pas un regard sur les poèmes. Il prit un livre au hasard, glissa les feuillets à l'intérieur et le replaça sur l'étagère, avant de regagner la chambre.

L'attente reprit. Madame Wu apporta du thé et une collation à son fils, mais il y toucha à peine. L'Intendant Tan et son épouse étaient venus assister aux derniers instants de leur fille. La dureté dont ils avaient fait preuve jusqu'alors à son encontre se dissipa un peu, quand ils comprirent que Ze allait bientôt les quitter.

— Dis-nous donc ce qui se passe, suppliait madame Tan en s'adressant à sa fille.

Le corps de Ze se détendit et ses joues reprirent leurs couleurs, lorsqu'elle entendit la voix de sa mère. Encouragée, madame Tan fit une nouvelle tentative :

— Nous pouvons t'emmener. Tu peux revenir à la maison, si tu veux, et coucher dans ton ancien lit. Tu te sentiras mieux auprès de nous.

À ces mots, Ze se raidit à nouveau. Elle serra les lèvres et détourna les yeux. Voyant cela, des larmes se mirent à couler sur le visage de madame Tan.

L'Intendant contemplait son intraitable fille.

— Tu as toujours été une enfant obstinée, remarqua-t-il. Mais c'est après avoir assisté à cette représentation du *Pavillon des Pivoines* que ton cœur est devenu aussi dur qu'une pierre. À partir de ce moment-là, tu n'as plus jamais écouté une seule mise en garde ni le moindre conseil que je t'adressais. Tu paies aujourd'hui le prix de ton entêtement. Mais nous ne t'oublierons pas dans nos offrandes.

Tandis que madame Wu raccompagnait les Tan jusqu'à leurs palanquins, la jeune fille donna libre cours aux plaintes qu'elle n'avait pas voulu proférer devant ses parents :

— Je me sens de plus en plus engourdie. Mes mains et mes pieds ne m'obéissent plus, mes yeux sont trop secs pour pleurer et mon esprit est comme gelé, saisi par le froid.

Toutes les deux ou trois minutes, elle ouvrait les yeux, regardait le plafond, frissonnait et refermait les paupières. Pendant tout ce temps, Ren lui tenait la main et lui parlait gentiment.

Plus tard dans la soirée, quand l'obscurité se fut installée et que je n'avais plus à redouter le reflet des miroirs, je descendis de mon perchoir et allai ouvrir les rideaux, pour que le clair de lune éclaire la chambre. Ren avait fini par s'endormir dans un fauteuil. Je caressai ses cheveux et le sentis frissonner. Je m'assis au chevet de ma « sœur épouse », consciente du froid qui lui glaçait les os. Tous les membres de la maisonnée dormaient et étaient plongés dans leurs rêves, aussi restai-je auprès de Ze, pour la protéger. Je posai ma main sur son cœur et sentis ses battements très lents, dont le rythme s'accélérait parfois avant de ralentir à nouveau. Au moment où les ténèbres s'apprêtaient à se dissiper, laissant apparaître l'étendue pâle de l'aurore, l'atmosphère changea brusquement dans la chambre. Le corps de Tan Ze s'effondra d'un seul coup, son âme fut dissoute – et l'instant d'après elle avait déjà pris son envol à travers le ciel.

Le Lac de Sang

L'âme de Ze se scinda en trois parties. La première allait entamer son voyage vers l'au-delà ; la deuxième demeurer auprès de son corps jusqu'à ce qu'il ait été placé dans son cercueil ; et la troisième errer en attendant de venir se loger dans sa tablette ancestrale. Son cadavre fut soumis aux rites appropriés. Le médecin détacha le fœtus des entrailles de Ze et s'en débarrassa aussitôt, afin qu'il n'accompagne pas la jeune femme jusqu'au Lac de Sang et conserve ainsi une chance de se réincarner. On nettoya ensuite son corps émacié, avant de l'habiller. Ren était resté à ses côtés et ne pouvait détacher son regard du visage livide et des lèvres vermeilles de sa malheureuse épouse, comme s'il espérait encore la voir s'éveiller. J'attendais quant à moi que la part errante de son âme apparaisse dans la chambre conjugale, convaincue qu'elle serait soulagée d'être accueillie dans l'outre-monde par une personne de sa connaissance. Mais je me trompais sur toute la ligne. À peine m'eut-elle aperçue que Ze retroussa les lèvres et me montra les dents.

— Toi ! lança-t-elle. Je savais que tu serais là.

— Tout se passera bien, dis-je. Je suis là pour t'aider...

— M'aider ? C'est toi qui m'as tuée !

— Ne dis pas de bêtises, répondis-je d'une voix douce.

J'avais moi-même été un peu déroutée, au moment de mon trépas. Heureusement, j'étais là pour l'assister.

— Bien avant mon mariage, je savais que j'allais avoir affaire à toi, poursuivit-elle d'un air tout aussi courroucé. Tu étais présente le jour de la cérémonie, n'est-ce pas ? (Me voyant acquiescer, elle ajouta :) J'aurais dû asperger ta tombe avec le sang d'un chien noir !

C'était le pire des gestes qu'on pouvait accomplir à l'encontre d'un mort, car le sang de cet animal est considéré comme aussi répugnant que celui des menstrues féminines. Si elle avait mis sa menace à exécution, je me serais vue obligée de massacrer ma propre famille, sans pouvoir résister à cette injonction. J'étais stupéfiée par la violence de sa réaction, mais elle n'en avait pas terminé.

— Tu es venue me hanter dès le premier jour, poursuivit-elle. Les nuits de tempête, je t'entendais pleurer au milieu des rafales de vent.

— Je croyais t'avoir rendue heureuse…

— Bien au contraire ! Tu m'as forcée à lire ce maudit *Pavillon des Pivoines* et à rédiger des commentaires à son sujet. Il a fallu que je me comporte en tous points comme toi, jusqu'à ce qu'il ne reste plus rien de moi. Cet opéra avait causé ta perte et tu m'as obligée à t'imiter, comme tu avais imité Liniang.

— Je voulais simplement que Ren t'aime davantage. Tu ne l'as pas compris ?

Cette remarque la calma un peu. Elle baissa les yeux et regarda ses ongles, qui étaient déjà noirs. La dure réalité de sa situation raviva sa colère.

— J'ai tenté de me protéger, mais comment aurais-je pu te résister ? lança-t-elle avec amertume.

Je m'étais souvent fait la même remarque : ma « sœur épouse » n'avait pas l'ombre d'une chance contre moi.

— Je me suis dit que Ren m'aimerait peut-être s'il pensait que j'étais l'unique auteur de ce commentaire, poursuivit-elle. Je ne voulais pas qu'il lise la moindre ligne au sujet de ton « mal d'amour » et qu'il croie que je poursuivais ce projet en l'honneur de sa « première » épouse. Sa première épouse, c'était moi. Tu n'as pas entendu ce qu'il a dit ? Vous n'avez jamais été mariés, tous les deux. Tu n'as aucune importance à ses yeux.

La mort l'avait rendue impitoyable.

— Nous avons été unis par le Ciel, rétorquai-je (et je le pensais toujours). Mais cela ne l'empêchait pas de t'aimer aussi.

— Tes calculs ont fini par t'aveugler, dit-elle. Tu m'avais reléguée dans les ténèbres et tu hantais constamment mes rêves. Tu me forçais à négliger ma nourriture et mon repos…

C'était une citation du *Pavillon des Pivoines*, mais cela ne me rassura guère. Elle avait raison : c'était bien moi qui l'avais poussée à de tels excès.

— Le seul endroit où j'échappais à ton emprise, reprit-elle, c'était à l'abri de ce pavillon édifié au milieu du bassin.

— À cause du pont en zigzag…

— Exactement ! (Elle me montra à nouveau ses dents, qui étaient d'une pâleur mortelle.) J'ai brûlé ton exemplaire du *Pavillon des Pivoines* en guise d'exorcisme, pour te chasser à jamais de ma vie. Je croyais avoir réussi, mais tu étais toujours là.

— Je ne pouvais pas partir, dis-je. Surtout après ce que tu as fait par la suite, en laissant croire aux gens que c'était ton mari qui avait composé ces commentaires.

— N'était-ce pas le meilleur moyen de lui montrer ma dévotion ? Et de lui prouver que j'étais une épouse exemplaire ?

Elle avait évidemment raison.

— Et moi alors ? répliquai-je. Tu as essayé de me faire disparaître, alors que j'étais ta « sœur épouse ». Comment as-tu pu faire une chose pareille ?

Ze éclata de rire, tant ma question était stupide.

— Les hommes sont la plus pure émanation du *yang*, mais des fantômes tels que toi incarnent ce qu'il y a de plus mortel et de plus malsain dans le *yin*... J'ai essayé de te résister, mais tes constantes ingérences ont eu raison de moi – au point que j'en suis morte. Va-t'en ! Je ne veux pas de ton amitié. Je ne suis ni ton amie, ni ta « sœur épouse ». On se souviendra de moi – mais toi, on t'aura vite oubliée. J'ai pris mes dispositions à cet effet.

— En arrachant les pages où était révélée l'identité de celle qui les avait composées...

— Tout ce que tu m'as forcée à écrire n'était que mensonge.

— Mais il était presque toujours question de toi...

— Je n'ai pas décidé de mon propre chef de poursuivre la composition de ces commentaires. Ce n'est pas l'élan de mon cœur qui m'a poussée à rédiger tout ça. Tu t'es arrangée pour me transmettre ta propre obsession. Aussi ai-je décidé d'arracher ces pages. Ren ne les trouvera jamais.

J'essayai une fois encore de lui faire admettre la vérité.

— Je voulais que tu sois heureuse...

— Et tu t'es servie de mon corps !

— J'étais contente que tu sois enceinte...

— Cet enfant n'était pas le mien !

— Bien sûr que si !

— Non ! Tu as poussé Ren dans mon lit, soir après soir, contre ma volonté. Tu m'as obligée à faire des choses... (Elle s'interrompit et eut un frisson de dégoût.) Et tu as placé ce bébé dans mon ventre.

— Tu te trompes, dis-je. Ce n'est pas moi qui l'ai mis là. J'ai simplement veillé à ce qu'il soit en bonne santé.

— Parlons-en ! Tu m'as tuée, et le bébé avec !

— Je ne t'ai pas tuée…

Mais à quoi bon réfuter plus longtemps ses accusations, alors que la plupart d'entre elles étaient fondées ? Je l'avais bel et bien obligée à veiller des nuits entières, d'abord pour se livrer avec son mari au jeu des nuages et de la pluie, puis pour noircir des pages d'écriture. À rester cloîtrée dans sa chambre, dans les ténèbres et le froid – afin de protéger mes yeux sensibles – et à vivre dans cette atmosphère glaciale, partout où elle allait. Lorsque je la forçais à travailler sur mon projet, je l'empêchais de s'interrompre pour aller prendre ses repas avec sa belle-mère et son mari. Puis, lorsqu'elle s'était retirée dans sa chambre après avoir brûlé mon exemplaire et laissé croire que Ren était l'auteur des commentaires, je ne l'avais nullement encouragée à se nourrir et à reprendre des forces, tellement j'étais abattue. J'avais toujours eu conscience de ce qui se passait, même lorsque je refusais de voir la vérité en face. Je commençais à me sentir mal à l'aise. Qu'avais-je donc fait ?

Ze retroussa les lèvres, révélant une fois encore sa méchanceté et sa nature profonde. Je détournai les yeux.

— Tu m'as tuée, répéta-t-elle. Tu te cachais derrière les poutres, dans les hauteurs du plafond, en te croyant invisible. Mais je te voyais…

— Comment aurait-ce été possible ?

Ma belle assurance s'était évaporée. C'était moi à présent qui parlais d'une voix inquiète.

— J'étais mourante, mais je t'ai aperçue ! Je fermais les yeux pour ne pas te voir, mais chaque fois que je les ouvrais j'apercevais ton regard de morte, constamment fixé sur moi. Et puis tu es descendue et tu as posé ta main sur mon cœur.

Avais-je réellement une part de responsabilité dans sa mort ? Mon obsession à l'égard de mon projet m'avait-elle aveuglée au point de causer d'abord mon propre trépas, puis celui de ma « sœur épouse » ?

Voyant l'épouvante que ce constat suscitait en moi, Ze sourit d'un air triomphant.

— Tu m'as tuée, dit-elle, mais c'est moi qui ai gagné la partie. Tu sembles avoir oublié le message le plus profond du *Pavillon des Pivoines*, dont l'histoire démontre la victoire et l'accomplissement de l'amour dans la mort : et c'est exactement ce que je viens d'accomplir. Ren se souviendra de moi et oubliera vite la jeune écervelée qu'il devait épouser. Tu n'as plus le moindre avenir et tu vas dépérir en vain. Ton projet sombrera dans l'oubli et personne – *personne*, tu m'entends – ne se souviendra de toi.

Sur ces mots, elle fit volte-face, quitta la pièce et alla entamer ses errances.

Quarante-neuf jours plus tard, le père de Ze vint inscrire le texte de sa tablette, qui avait été installée dans le hall des ancêtres de la famille Wu. Étant donné qu'elle était morte enceinte et qu'elle était mariée, une partie de son âme allait être scellée dans son cercueil, qui resterait exposé aux assauts des intempéries jusqu'à la mort de son mari : la famille serait alors reconstituée grâce à un enterrement conjoint, comme c'était l'usage. Le dernier tiers de son âme s'était mis en route vers le Lac de Sang : on le disait si vaste qu'il aurait fallu huit cent quarante mille jours pour le traverser. Là, elle allait subir cent vingt espèces de tortures différentes. Chaque jour, elle serait battue avec des verges d'acier et contrainte de boire du sang. Telle était l'éternité qui l'attendait, à moins que sa famille ne parvienne à acheter sa liberté par des dévotions appropriées, en offrant de la nourriture aux moines et aux dieux, ainsi que des pots-de-vin aux bureaucrates qui régissent les différents enfers. Ainsi, à la longue, peut-être un bateau viendrait-il la chercher pour lui faire traverser le lac : une fois la rive atteinte, elle pourrait enfin obtenir le statut d'ancêtre ou renaître dans une contrée plus sereine.

Quant à moi, je me disais que si j'étais en quoi que ce soit responsable – consciemment ou non – de la mort de Tan Ze et de son bébé, cela signifiait que l'empathie et la honte m'étaient devenues étrangères et que je n'avais plus la moindre notion du bien et du mal. Je croyais m'être montrée maligne, si ce n'est charitable, mais c'était Ze qui avait raison : j'étais un fantôme de la pire espèce.

Troisième partie

Sous le prunier

Exil

Maman disait souvent que les fantômes et les esprits ne sont pas méchants par nature. Si un fantôme parvient à trouver refuge quelque part, il ne manifestera aucune animosité. Toutefois, la plupart des esprits sont mus par un simple désir de vengeance. Même une créature aussi frêle qu'une cigale peut exercer de terribles représailles sur ceux qui l'ont blessée. Je n'avais pas pensé consciemment que je voulais faire du mal à Ze : si ce qu'elle m'avait dit était vrai, c'était pourtant bien ce qui s'était passé. Consciente que ces actes étaient répréhensibles – et effrayée à l'idée de causer sans le vouloir du tort à mon mari – je décidai de me bannir moi-même et d'abandonner la demeure de Ren. J'aurais eu vingt-cinq ans, dans le royaume terrestre, et j'étais pratiquement anéantie, ainsi que Ze l'avait prédit.

Il me restait l'exil...

Ne sachant pas où aller, je longeai la berge du lac jusqu'à la propriété de la famille Chen. À ma grande surprise, je constatai que la maison était plus resplendissante qu'autrefois. Bao y avait installé de nouveaux meubles, des statues de jade et des objets en porcelaine qui décoraient l'ensemble des pièces. De nouvelles tapisseries et des tentures en soie ornaient les murs. Mais en dépit de cette magnificence, un calme un peu inquiétant régnait dans les appartements. Le personnel était beaucoup plus réduit qu'autrefois. Mon père était toujours établi dans la capitale. Deux de ses frères étaient morts, ainsi que les concubines de mon grand-père. Fleur de Genêt, Lotus et la plupart de mes cousines s'étaient mariées. La famille étant notablement moins nombreuse, une partie des domestiques avaient été renvoyés. Les bâtiments et les jardins respiraient le luxe et l'abondance, mais on aurait guetté en vain la joie et les rires d'enfants.

Au milieu de ce silence oppressant s'éleva tout à coup le son envoûtant d'une cithare. C'était Orchidée, maintenant âgée de quatorze ans, qui jouait pour ma mère et mes tantes dans le pavillon de L'Éclosion des Lotus. Elle était devenue une belle jeune fille et j'eus un bref instant de fierté en constatant que ses pieds bandés avaient à présent une forme parfaite. Ma mère était assise à ses côtés. Neuf années seulement s'étaient écoulées, mais ses cheveux étaient devenus gris. Une profonde tristesse se lisait dans ses yeux. Lorsque je m'approchai pour l'embrasser, elle eut un frisson et remua machinalement le trousseau de clefs et les verrous en forme de poissons qu'elle conservait toujours dans les replis de sa tunique.

Le visage de l'épouse de Bao était lui aussi empreint de tristesse. Elle ne pouvait pas avoir d'enfant. Son mari ne l'avait pas vendue : il avait pris deux concubines – qui, elles aussi, s'étaient avérées stériles. Les trois femmes étaient assises ensemble : il n'y avait aucune animosité entre elles, mais elles déploraient bien sûr leur triste condition. Je ne vis pas Bao dans les parages. Il me fallait toutefois reconnaître que je m'étais probablement trompée à son sujet : il aurait parfaitement été en droit de se séparer de ces femmes, mais il avait choisi de les garder auprès de lui. Au fil des dernières années, j'avais imaginé – en le souhaitant, peut-être – que cet étranger adopté par mon père s'apprêtait à ruiner notre famille en gérant mal nos affaires et en cédant à la passion de l'opium et du jeu. Je m'étais représenté la lente décrépitude de notre propriété, à mesure que Bao bradait nos meubles anciens, nos réserves d'encens et de thé, ainsi que la bibliothèque et les diverses collections de mon père. Il s'en était au contraire fort bien occupé. Il avait même remplacé les livres que ma mère avait jadis livrés aux flammes. Selon toute vraisemblance – et même si cela me coûtait de l'admettre – Bao avait dû découvrir mes poèmes en lisant cet ouvrage sur la construction des digues… Mais pourquoi les avait-il vendus à Ren ? Ce n'était visiblement pas l'argent qui lui faisait défaut.

Je me rendis dans le hall des ancêtres. Les portraits de grand-mère et de grand-père trônaient toujours au-dessus de l'autel. J'étais un fantôme : je leur fis tout de même allégeance, avant d'aller m'incliner devant les tablettes des autres membres de la famille. Cela fait, je gagnai la remise où ma propre tablette avait été reléguée. Je ne pouvais pas y pénétrer – il m'aurait fallu pour cela tourner à angle droit – j'aperçus néanmoins l'étagère où elle gisait, couverte de poussière et de crottes de souris. Même si ma mère déplorait encore ma perte, le reste de la famille m'avait bel et bien oubliée. Je n'allais pas me venger en leur jetant un mauvais sort, mais je n'avais plus rien à faire ici.

Il me restait l'exil…

Il fallait pourtant bien que j'aille quelque part. Le seul autre endroit où je m'étais rendue, lors de la fête des Fantômes errants, c'était le village de Gudang. La famille Qian m'avait nourrie, deux années de suite. Peut-être trouverais-je une place parmi eux…

Je me mis en route, tandis que la nuit s'étendait sur la contrée. Des lucioles voletaient autour de moi, éclairant ma route. Cela représentait un long trajet, d'autant que je n'étais pas aiguillonnée par la faim, cette fois-ci, et n'avais que mes regrets pour me tenir compagnie. Mes pieds étaient las, mes jambes et mes yeux douloureux lorsque le jour finit par pointer. J'atteignis la maison des Qian au moment où le soleil était à son zénith. Les deux filles aînées travaillaient en plein air, à l'ombre d'une bâche, surveillant de vastes plateaux où étaient disposés des vers à soie qui grignotaient des feuilles de mûrier fraîchement cueillies. Dans un hangar voisin, leurs deux sœurs cadettes lavaient les cocons dans l'eau bouillante, en compagnie d'une dizaine d'autres fillettes, avant d'en extraire puis d'enrouler les fils de soie. Madame Qian était à l'intérieur de la maison, en train de préparer le repas de midi. Yi, la fillette que j'avais vue toute petite dans les bras de sa mère, avait maintenant trois ans. Allongée sur une petite estrade en bois dans la pièce principale, où sa mère pouvait la surveiller, elle était d'une frêle constitution et d'une pâleur maladive. J'allai m'asseoir à côté d'elle. La voyant s'agiter, je posai la main sur sa cheville – ce qui lui fit émettre un petit rire. Il était peu probable qu'elle atteigne l'âge de sept ans.

Maître Qian – il m'était difficile de me représenter que ce fermier puisse être le « maître » de quiconque – quitta son champ de mûriers et tout le monde prit place autour de la table, pour le repas. Personne ne se souciait de donner à manger à la petite Yi : ce n'était qu'une bouche de plus à nourrir, jusqu'à ce qu'elle se décide à mourir.

Sitôt le repas terminé, maître Qian se tourna vers ses deux filles aînées.

— Lorsque les vers sont mal nourris, ils ne produisent pas de soie, leur lança-t-il sèchement.

Suite à cette injonction, les deux filles se levèrent et allèrent se remettre au travail, martelant le sol de leurs pieds disgracieux. Madame Qian servit du thé à son mari, débarrassa la table et alla de nouveau déposer Yi sur son estrade. Elle saisit un panier, fouilla à l'intérieur et tendit à l'enfant une aiguille déjà munie d'un fil.

— Inutile de lui apprendre à broder, lança son mari. Ce qu'il faut, c'est qu'elle prospère et devienne forte, afin de pouvoir m'aider.

— Elle n'est pas destinée à devenir la fille dont tu rêves, répondit madame Qian. Je crains qu'elle ne tienne plutôt de sa mère.

— Je ne t'ai pas achetée bien cher, rétorqua son mari, mais on peut dire que tu m'auras coûté de l'argent… Tu ne m'as donné que des filles…

— … et je ne puis t'aider dans l'élevage des vers à soie, compléta son épouse.

J'eus un frisson de révolte. Pour une femme aussi raffinée, il devait être pénible d'être tombée si bas.

— Si tu élèves Yi de cette façon, se plaignit-il, personne ne la demandera jamais en mariage. Quelle famille voudrait d'une épouse inutile ? Nous aurions mieux fait de la laisser mourir à sa naissance.

Il avala à grand bruit une dernière gorgée de thé et quitta la pièce. Après son départ, madame Qian concentra son attention sur sa fille, lui montrant quels points il fallait faire pour broder une chauve-souris, symbole du bonheur.

— Mes parents faisaient jadis partie de la haute société, dit-elle à sa fille d'un air rêveur. Nous avons tout perdu lors du Cataclysme et nous avons erré comme des mendiants, des années durant. J'avais treize ans quand je suis arrivée dans ce village. Les parents de ton père ont eu pitié de moi et m'ont achetée. Ils n'étaient pas bien riches mais ils ont dû se dire que j'étais robuste, puisque j'avais résisté à ces longues années de vie errante.

Mon désespoir allait croissant. Toutes les filles étaient-elles donc destinées à souffrir sur cette terre ?

— Mes pieds bandés m'ont empêchée de travailler dans les champs aux côtés de ton père, poursuivit madame Qian, mais je lui ai apporté la prospérité d'une autre manière. Je sais coudre et broder des vêtements, des chaussons et d'autres articles, qu'il peut vendre à Hangzhou. Tes sœurs sont condamnées aux travaux des champs et devront se dépenser sans compter, leur vie durant. Je devine la peine qui est dans leurs cœurs, mais je ne puis rien pour elles.

Elle inclina la tête. Des larmes de honte coulaient de ses yeux et venaient mouiller sa tunique de coton. Ce spectacle me devint vite insupportable : je quittai la pièce et m'éloignai de la ferme, gênée à l'idée du mal que je risquais de faire sans le vouloir à cette famille déjà accablée par le sort.

Il me restait l'exil...

Je m'assis au bord de la route. Où pouvais-je aller ? Pour la première fois depuis des années, je songeai à Branche de Saule, mon ancienne servante, mais je n'avais aucun moyen de la retrouver. Et même si je l'avais pu, qu'aurait-elle fait pour moi ? Je l'avais toujours considérée comme une amie, mais la dernière conversation que nous avions eue m'avait démontré qu'elle n'avait jamais éprouvé le moindre sentiment à mon égard. De mon vivant, je n'avais pas une seule amie et j'espérais rejoindre après ma mort les jeunes filles qui avaient été victimes du même mal d'amour que moi. J'avais essayé d'être une bonne « sœur épouse » pour Ze – et j'avais échoué. J'avais fait une erreur en venant jusqu'ici : je n'avais pas plus de lien avec la famille Qian qu'elle n'en avait avec moi. Peut-être étais-je destinée à vivre toute ma vie en exil... y compris par-delà la mort.

Il fallait que je trouve un endroit où m'établir, en ayant l'assurance de ne faire de mal à personne. Je regagnai Hangzhou. Plusieurs jours durant, je campai sur les berges du lac, mais trop d'esprits vivaient dans les grottes ; d'autres avaient trouvé refuge dans le creux des rochers ou entre les racines des arbres. J'errai de longues heures sans but. Arrivée devant le pont de Xiling, je le franchis et rejoignis l'île de la Solitude – où Xiaoqing avait été bannie, bien des années plus tôt, pour éviter de subir les foudres d'une épouse trop jalouse. Situé à l'écart, l'endroit était d'un calme idéal pour remâcher ma tristesse et mes regrets. Je mis un certain temps à dénicher la tombe de Xiaoqing, cachée entre la berge du lac et un petit bassin où elle venait jadis contempler son frêle reflet. Je me lovai à l'entrée du tombeau, en écoutant les loriots chanter dans les arbres dont les branches s'étendaient au-dessus de moi – et en repensant au sort que j'avais infligé à une épouse innocente.

Néanmoins, je fus rarement seule au cours des deux années suivantes. Tous les jours ou presque, des femmes et des jeunes filles se donnaient rendez-vous sur la tombe de Xiaoqing : après une offrande de vin, elles lisaient des poèmes et discutaient entre elles de l'amour, de la tristesse et des regrets. Apparemment, je n'étais pas la seule – loin de là ! – à avoir rêvé, médité et souffert à ce sujet. Ces femmes n'étaient pas aussi profondément affectées que l'avaient autrefois été les jeunes filles qu'un excès de *qing* avait emportées, comme Xiaoqing ou moi. Toutes rêvaient pourtant de connaître un sort identique et de rencontrer le grand amour.

Un beau jour, les membres du cercle poétique de la Bananeraie débarquèrent au grand complet pour se recueillir sur la tombe. Ces cinq femmes étaient célèbres – et à plus d'un titre exceptionnelles. Elles se réunissaient régulièrement pour faire des excursions et composer des poèmes. Mais elles ne brûlaient pas leurs manuscrits, en doutant de leur valeur ou par excès d'humilité : leurs œuvres étaient publiées – non pas par leurs familles, mais par de véritables éditeurs qui les vendaient à travers tout le pays.

Pour la première fois depuis deux ans, la curiosité me poussa à sortir de ma tanière, sur le seuil du tombeau de Xiaoqing. Je suivis les cinq femmes tandis qu'elles s'engageaient sur les sentiers bordés d'arbres. Elles visitèrent les temples de l'île et se reposèrent à l'ombre d'un pavillon, en buvant du thé et en grignotant des graines de tournesol. Lorsqu'elles regagnèrent leur bateau de plaisance, je me joignis à elles et m'assis sur le pont de l'embarcation qui fendait les eaux. Elles riaient, buvaient du vin et s'affrontaient dans des joutes poétiques, composant leurs vers sous un ciel resplendissant. Une fois qu'elles eurent achevé leur promenade et regagné leurs foyers respectifs, je décidai de rester à bord du bateau. Et lorsqu'elles revinrent quelques jours plus tard pour une nouvelle excursion sur le lac, j'étais encore là, prête à les accompagner malgré le bannissement que je m'étais infligé.

J'avais tellement eu envie de voyager, de mon vivant... Dans les premiers temps, après mon trépas, je me contentais d'errer à l'aveuglette. Mais maintenant je passais des journées entières à paresser, adossée à la rambarde du bateau, écoutant leurs conversations tandis que nous longions les propriétés, les auberges, les restaurants et les cabarets qui constellaient les berges. On aurait dit que le monde entier s'était donné rendez-vous dans ma ville natale. J'entendais parler toutes sortes de dialectes et j'apercevais toutes les strates de la société, du haut en bas de l'échelle : des marchands qui faisaient étalage de leur richesse ; des artistes aisément reconnaissables aux pinceaux, à l'encre et aux rouleaux de soie qu'ils transportaient ; des fermiers, des bouchers ou des pêcheurs venus écouler leurs produits... Tout le monde se retrouvait ici pour vendre ou pour acheter quelque chose : les courtisanes aux pieds menus et à la voix flûtée offraient leurs charmes aux armateurs de passage ; des artistes professionnels – hommes et femmes – proposaient aux collectionneurs leurs peintures et leurs poèmes ; les artisans vendaient des ombrelles et des ciseaux aux maîtresses de maison venues prendre un peu de bon temps dans ma belle cité. Les abords du lac étaient l'endroit où se croisaient les mythes et la vie quotidienne ; où la beauté naturelle, le calme des bosquets de bambous et des hauts camphriers se heurtaient au vacarme de la civilisation ; où les hommes, familiers du monde extérieur, et les femmes, échappant pour une fois à leur royaume intérieur, pouvaient converser ensemble sans être séparés par l'écran d'une cloison, d'un paravent ou d'un rideau de toile.

Les jours de chaleur, de nombreux bateaux de plaisance aux couleurs chamarrées couvraient les eaux ; leurs ponts étaient protégés par des auvents brodés. Certaines femmes arboraient des tenues d'un luxe ahurissant : des jupes de soie prolongées par de longues traînes de gaze, des boucles d'oreilles en or et en jade, des coiffures ornées de plumes de martins-pêcheurs... Les femmes qui se trouvaient à bord de notre bateau étaient à l'opposé de ces nouveaux riches. Elles appartenaient à la haute société, comme ma mère et mes tantes : c'étaient de grandes dames, venues partager les plaisirs de l'encre et du pinceau. Elles étaient habillées simplement et leurs coiffures n'avaient rien d'extravagant. Et le seul parfum dont elles abusaient était celui des mots, qui voletaient autour d'elles comme des papillons lorsqu'elles étaient plongées dans leur conversation.

Les philosophes nous enseignent à nous détacher des choses terrestres. Je ne pouvais pas réparer le mal que j'avais fait, mais les poétesses du cercle de la Bananeraie m'aidèrent à comprendre que le désir et la souffrance que j'avais éprouvés m'avaient libérée de l'emprise des contingences matérielles. Tandis que j'étais ainsi soulagée d'une partie de mon fardeau, une ombre commençait pourtant à planer sur les activités du groupe. Les Mandchous avaient réussi à dissoudre la plupart des cercles poétiques masculins, mais n'avaient pas encore identifié tous ceux qui regroupaient des femmes.

— Nous devons continuer à nous réunir, déclara un jour Gu Yurei, la nièce de la célèbre et brillante Gu Ruopo, tout en servant du thé à ses consœurs.

— Nous sommes insignifiantes aux yeux des Mandchous, même si nous demeurons loyalistes, répondit Lin Yining, que la question ne semblait guère passionner. Nous ne sommes que des femmes, nous ne risquons pas de renverser le gouvernement.

— Mais nous les inquiétons tout de même, grande sœur, insista Gu Yurei. Ma tante disait souvent que le combat des femmes qui écrivent consiste davantage à se libérer de ce qui entrave leurs pensées que des limites imposées à leur liberté de mouvement.

— Et elle nous a toutes inspirées, concéda Lin Yining en désignant le reste de leur assemblée.

Contrairement aux femmes de ma propre famille – qui obéissaient en souriant à leurs maîtres, parce qu'on leur avait appris à le faire – et à l'inverse des jeunes filles en proie au mal d'amour, réunies par l'obsession commune qui avait entraîné leur mort, les membres du cercle de la Bananeraie avaient décidé de se regrouper. Elles ne composaient pas des poèmes sur les fleurs et les papillons qu'elles voyaient dans leurs jardins. Elles s'occupaient de littérature, d'art, de politique – et de tout ce qu'elles apercevaient dans le monde extérieur. À travers les pages qu'elles rédigeaient, elles encourageaient leurs maris et leurs fils à tenir bon sous la férule du nouveau régime. Elles exploraient la richesse et la profondeur de toutes les catégories d'émotions, même lorsque celles-ci s'avéraient funestes – qu'il s'agisse de la solitude du pêcheur sur le lac, de la mélancolie d'une mère séparée de sa fille ou du désespoir d'une jeune fille condamnée à vivre dans la rue. Elles avaient formé une petite communauté d'écriture, fondée sur l'amitié, qui s'était élargie à beaucoup d'autres femmes à travers le pays : celles-ci partageaient leurs pensées et leurs réflexions, par le biais de la lecture, même si elles vivaient encore derrière les portes barricadées de leurs appartements.

— En quoi le fait d'avoir des enfants et de nous occuper de notre foyer nous empêcherait-il de réfléchir aux affaires publiques et à l'avenir de notre pays ? poursuivit Lin Yining. Se marier et mettre des fils au monde n'est pas le seul moyen pour une femme de gagner le respect d'autrui.

— Tu dis cela parce que tu voudrais être un homme, la taquina Gu Yurei.

— J'ai été élevée par ma mère, comment pourrais-je vouloir une chose pareille ? (Lin Yining avait plongé la main dans l'onde, provoquant ainsi des rides à la surface de l'eau.) Je suis mariée et j'ai des enfants. Mais si j'étais un homme, mes livres auraient davantage de succès.

— Si nous étions des hommes, intervint une autre, les Mandchous ne nous laisseraient sans doute pas publier nos écrits.

— Ce que je veux dire, reprit Lin Yining, c'est qu'il est aussi important pour moi d'écrire que de mettre des fils au monde.

Je songeai au projet qui m'avait tant tenu à cœur : celui-ci n'avait-il pas été comme un enfant que j'avais essayé d'engendrer, pour me lier à Ren ? Je frissonnai à cette idée. Mon amour pour lui ne s'était pas éteint : il avait simplement évolué, comme un légume qui macère dans du vinaigre ou encore comme un vin qui se bonifie en vieillissant. Il était toujours là, au fond de moi, avec la puissance obstinée d'une eau souterraine creusant son chemin dans les tréfonds d'une montagne.

Au lieu de laisser mes émotions me torturer de la sorte, je décidai de les mettre à profit. Lorsqu'une des femmes se trouvait en panne, dans la composition d'un poème, je lui donnais un coup de main. Si Lin Yining avait commencé un vers par « *Je ressens un lien très fort...* », je l'achevais par « ... *avec les brumes et le brouillard* ». Le spectacle de la nouvelle lune, derrière les nuages, était parfois splendide, mais il nous plongeait aussi dans la mélancolie, en nous rappelant notre impermanence. Chaque fois qu'elles étaient ainsi gagnées par la tristesse, les poétesses se rappelaient les voix des femmes désespérées qui avaient écrit leurs derniers vers sur les murs de Yangzhou, pendant le Cataclysme.

— *Mon cœur est vide et ma vie n'a plus de valeur. Chaque instant équivaut à un millier de larmes*, récita un jour Gu Yurei, évoquant le poème où semblait se résumer la tristesse de mon existence.

Les poétesses du cercle de la Bananeraie pouvaient bien plaisanter sur le peu d'intérêt que leur portaient les Mandchous : n'empêche qu'elles perturbaient bel et bien l'ordre moral de leur temps. Combien de temps allait-il encore s'écouler avant que les Mandchous ne contraignent ces femmes – qu'ils s'agissent de celles qui flottaient au gré du lac par cette belle journée de printemps, ou de celles qui se contentaient de lire leurs écrits pour épancher leur cœur – à regagner le silence de leurs appartements ?

L'amour maternel

Trois années durant, appréhendant de le revoir, je m'abstins de me rendre chez Ren. Mais une fois ce terme écoulé, alors que la fête du Double Sept approchait, je repensai à l'histoire de la Tisserande et du Bouvier – à la manière dont toutes les pies de la terre se rassemblaient et formaient un pont pour leur permettre de se retrouver ce soir-là. Pourquoi Ren et moi n'aurions-nous pas eu droit, nous aussi, à notre nuit de retrouvailles ? Je maîtrisais à présent ma nature de fantôme et ne risquais plus de lui faire involontairement du mal. Deux jours avant la fête du Double Sept – qui marquait le douzième anniversaire de notre rencontre – je quittai donc l'île de la Solitude et remontai le mont Wushan, pour rejoindre sa demeure.

Je l'attendis à l'extérieur, devant le portail. Lorsqu'il apparut, je ne le trouvai guère changé : il avait toujours autant de charme à mes yeux. J'étais sensible à sa stature, à sa voix, à sa simple présence... Je m'agrippai à ses épaules afin de pouvoir le suivre. Il se rendit d'abord en ville, dans une librairie, et prononça un peu plus tard une conférence devant une assemblée de lettrés. Mais il paraissait mal à l'aise et passa le reste de la soirée à boire et à jouer. Je le suivis lorsqu'il regagna sa demeure. La chambre était restée dans le même état, depuis la mort de Ze. La cithare de cette dernière se dressait toujours sur son support, dans un coin de la pièce. Ses parfums, ses onguents, ses brosses et ses épingles à cheveux gisaient sur sa coiffeuse, couverts de poussière et de toiles d'araignée. Ren resta éveillé jusque tard dans la nuit, sortant des étagères les livres de sa défunte épouse afin de les feuilleter. Pensait-il à elle ? À moi ? À nous deux ?

Il dormit le lendemain jusqu'à l'heure du déjeuner et suivit le même programme que la veille. Lorsque le jour du Double Sept arriva – qui aurait dû marquer mon vingt-huitième anniversaire – Ren passa l'après-midi avec sa mère. Celle-ci lui lut des poèmes, lui servit du thé, caressa son visage attristé. J'étais sûre à présent qu'il se souvenait de moi.

Lorsque sa mère fut couchée, Ren feuilleta à nouveau les livres qui avaient appartenu à Ze. J'allai reprendre mon ancien poste d'observation, entre les poutres du plafond, et me sentis brusquement étreinte par une nostalgie poignante en songeant à Ze, à Ren, à ma brève existence et à ma mort prématurée. À bien des égards, ma vie avait été marquée par l'échec et il m'était douloureux, intolérable même, de voir aujourd'hui mon poète se comporter de la sorte – ouvrir ces livres les uns après les autres, plongé dans l'évocation d'un passé déjà lointain. Je fermai les yeux pour atténuer la souffrance que ce spectacle suscitait en moi et me bouchai les oreilles. De manière générale, je n'entendais pas distinctement les sons qui émanaient du royaume terrestre ; mais, en cet instant, je percevais le froissement des pages – qui me rappelait cruellement tout ce que nous avions perdu, Ren et moi.

Je l'entendis gémir, en dessous, et cela me déchira le cœur. Je rouvris les yeux et regardai Ren : il était assis au bord du lit et tenait deux feuilles de papier qu'il avait extraites d'un livre encore ouvert auprès de lui. Il s'agissait des deux pages que Ze avait arrachées – non sans cruauté – de notre exemplaire du *Pavillon des Pivoines* et qui expliquaient la genèse du commentaire que nous avions rédigé ensemble. C'était la preuve dont Ren avait besoin et qui lui démontrait que nous avions bien travaillé main dans la main, Ze et moi. J'étais aux anges, mais Ren ne semblait ni soulagé ni particulièrement enchanté par cette découverte.

Il replia les pages, les glissa dans sa tunique et sortit dans la nuit en m'entraînant derrière lui, agrippée à ses épaules. Il arpenta un moment les rues avant de s'arrêter devant une maison que je ne connaissais pas. On le fit entrer avant de le conduire dans une pièce remplie d'hommes, qui attendaient que leurs épouses en aient terminé avec les cérémonies traditionnelles, propres à la fête du Double Sept, pour entamer leur banquet. L'air était saturé d'encens et de fumée. Au début, Ren ne reconnut personne ; puis un homme se leva et s'avança vers lui : il s'agissait de Hong Sheng, qui avait assisté jadis à la réunion organisée par la nièce de Ren. Voyant que ce dernier n'était pas venu pour participer aux festivités, il saisit d'une main une lampe à huile, de l'autre deux coupes et un flacon de vin. Les deux hommes gagnèrent un pavillon situé à l'écart et s'assirent.

— Avez-vous mangé ? s'enquit Hong Sheng.

Ren déclina poliment son invitation et commença :

— Je suis venu pour…

— Papa !

Une fillette, trop jeune pour avoir déjà les pieds bandés, se précipita dans le pavillon et vint s'asseoir sur les genoux de Hong Sheng. Je me souvins que l'épouse du poète était enceinte lors de cette ancienne journée.

— Ne devrais-tu pas être aux côtés de ta mère, en compagnie des autres femmes ? lui demanda Hong Sheng.

La fillette haussa les épaules, manifestant ainsi l'indifférence que lui inspiraient les activités organisées dans les appartements intérieurs. Elle se leva, passa les bras autour du cou de son père et enfouit son visage dans le creux de son épaule.

— D'accord, lui dit Hong Sheng, tu peux rester ici. Mais tiens-toi tranquille. Et lorsque ta mère viendra te chercher, tu la suivras sans discuter – et sans jérémiades...

Combien de fois n'étais-je pas allée me réfugier ainsi auprès de mon père ? Cette fillette n'était-elle pas en train de commettre la même erreur que moi ?

— Peut-être vous souvenez-vous du jour où nous nous sommes réunis chez ma cousine, voici quelques années ? reprit Ren. Et de la discussion qui s'était engagée, à propos de ce commentaire du *Pavillon des Pivoines* ?

— Je l'ai lu depuis lors, dit Hong Sheng. Et je reste impressionné par votre travail.

— J'ai pourtant bien dit ce jour-là, devant toute l'assemblée, que je n'en étais pas l'auteur.

— Vous n'avez rien perdu de votre modestie. C'est une qualité précieuse.

Ren sortit de sa manche les deux pages qu'il avait emportées et les tendit à son ami. Le poète approcha sa lampe et les lut. Lorsqu'il eut terminé, il releva les yeux et demanda :

— Est-ce la vérité ?

— Depuis toujours, répondit Ren en hochant la tête, mais nul ne voulait l'entendre. Je souhaite désormais la rendre publique.

— Quel bien en résulterait-il ? demanda Hong Sheng. Au mieux, on vous considérera comme un nigaud. Au pire, comme un homme qui se fait le chantre des femmes...

Hong Sheng avait raison. Cette découverte, qui m'avait d'abord paru merveilleuse, plongeait Ren dans un nouvel abîme de tristesse. Il saisit le flacon de vin, s'en versa une coupe et la vida d'un trait. Il voulut aussitôt se resservir, mais Hong Sheng lui ôta le flacon des mains.

— Mon ami, lui dit-il, il vaut mieux que vous retourniez à vos études. Et que vous surmontiez votre souffrance – en oubliant la tragédie dont ont été victimes cette jeune fille puis votre malheureuse épouse.

Si Ren suivait son conseil, qu'allait-il advenir de moi ? Mais notre souvenir, ancré au fond de son cœur, était pour lui une véritable torture : je le voyais à la façon dont il menait sa vie solitaire, buvant exagérément et feuilletant avec amour les livres qui avaient appartenu à Ze. Il fallait qu'il transcende sa douleur et nous oublie. Je quittai le pavillon, en me demandant si je le reverrais jamais.

Un croissant de lune était suspendu dans le ciel nocturne. L'air était humide et chaud. Je marchai interminablement, avec le sentiment que chaque nouveau pas m'enfonçait plus avant dans l'exil. Je gardai les yeux rivés sur le ciel, toute la nuit durant, mais je n'assistai pas à la rencontre du Bouvier et de la Tisserande. Et j'ignorais ce que Ren avait fait des deux feuillets qu'il avait découverts.

Une semaine plus tard, débuta la fête des Fantômes errants. Au bout de toutes ces années, je savais maintenant comment m'y prendre. J'allais de maison en maison, écartant les plus faibles et luttant avec les autres pour me goinfrer de tout ce qui me tombait sous la main. Et comme à l'ordinaire, je finis par me retrouver devant la propriété de la famille Chen. J'avais le visage plongé dans une coupe remplie d'écorces de melons ramollies, lorsque j'entendis soudain quelqu'un m'appeler par mon nom. Je poussai un grognement, fis volte-face et me retrouvai nez à nez avec ma mère.

Ses joues étaient poudrées de blanc et elle portait plusieurs épaisseurs de vêtements, taillés dans la soie la plus fine. Lorsqu'elle eut la certitude qu'il s'agissait bien de moi, elle eut un mouvement de recul et une lueur d'effroi passa dans son regard. Elle jeta dans ma direction des billets destinés aux fantômes et recula de quelques pas, avant de perdre l'équilibre et de tomber sur les fesses.

— Maman !

Je me hâtai de la rejoindre et l'aidai à se relever. Par quel miracle pouvait-elle me voir ?

— Ne t'approche pas ! s'écria-t-elle en me lançant d'autres billets, dont s'emparèrent aussitôt les créatures spectrales qui rôdaient également dans les parages.

— Maman…

Elle recula à nouveau, mais je restai près d'elle. Son dos finit par heurter le mur d'enceinte de la propriété, de l'autre côté de la rue. Elle regarda de droite à gauche, cherchant une issue des yeux, mais elle était encerclée à présent par la cohorte des spectres qui espéraient mettre la main sur d'autres billets.

— Donne-leur ce qu'ils veulent, lui dis-je.

— Je n'en ai plus.

— Dans ce cas, montre-leur que tu n'as rien à leur offrir.

Maman tendit ses mains vides, puis fouilla dans ses vêtements pour leur montrer qu'elle n'avait aucun objet de valeur sur elle, en dehors de son éternel trousseau de clefs. Les fantômes s'écartèrent aussitôt – seule la faim les guidait – et se hâtèrent de rejoindre l'autel où étaient disposées les offrandes.

Je tendis la main pour toucher sa joue, qui était douce et froide. Elle ferma les yeux. Tout son corps tremblait, glacé d'effroi.

— Maman, pourquoi es-tu sortie ainsi ?

Elle rouvrit les yeux et me considéra d'un air interrogateur.

— Viens avec moi, lui dis-je.

La tenant par le coude, je la conduisis jusqu'à l'angle de notre propriété. Je regardai le sol : aucune de nous deux ne projetait d'ombre sur le sentier, mais je me refusais à tirer la conclusion de ce constat. Je traçai un grand cercle pour contourner l'angle de l'enceinte, le long du rivage. Quand je vis que ses vêtements n'étaient pas éclaboussés et que ses pieds ne laissaient pas plus d'empreintes que les miens dans la boue, je ne voulus toujours pas envisager le pire. Ce ne fut qu'en voyant maman osciller tous les huit ou dix pas que j'acceptai enfin de regarder la vérité en face. Ma mère était morte et avait commencé son errance, mais elle ne s'en était pas encore aperçue.

Une fois arrivées devant le pavillon de la Contemplation lunaire, je l'aidai à se hisser à l'intérieur et la rejoignis.

— Je me souviens de cet endroit, dit-elle. Autrefois, j'y venais souvent avec ton père. Mais tu ne devrais pas être ici. Quant à moi, il faut que je rentre : je dois m'occuper des offrandes du Nouvel An. (L'étonnement se peignit à nouveau sur son visage.) Mais elles sont destinées aux ancêtres, et toi tu es...

— ... un fantôme errant. Oui, maman, je le sais. Et ce n'est pas le Nouvel An.

Sa mort devait être extrêmement récente, car elle était encore dans un état de grande confusion.

— Comment est-ce possible ? reprit-elle. Ton père avait fait faire une tablette ancestrale à ton intention, bien que cela allât à l'encontre de la tradition.

Ma fameuse tablette... Grand-mère m'avait dit qu'il me serait impossible d'obliger quiconque à l'inscrire, mais peut-être ma mère allait-elle pouvoir m'aider.

— Quand as-tu vu cette tablette pour la dernière fois ? demandai-je en feignant la plus parfaite indifférence.

— Ton père l'a emportée avec lui à la capitale, me dit-elle. Il ne supportait pas d'être séparé de toi.

Je formai les phrases destinées à lui expliquer ce qui s'était réellement passé : en dépit de tous mes efforts, les mots refusèrent de franchir mes lèvres. Un terrible sentiment d'impuissance m'envahit brusquement. Je pouvais accomplir bien des choses, mais ceci m'était interdit.

— Tu n'as absolument pas changé, dit maman au bout d'un long moment. Mais ton regard n'est plus le même. Je vois dans tes yeux que tu as vieilli, que tu es devenue quelqu'un d'autre.

Je lisais beaucoup de choses moi aussi, dans ses yeux à elle : de l'affliction, de la culpabilité, de la résignation...

Nous restâmes trois jours d'affilée dans le pavillon de la Contemplation lunaire. Maman ne parlait pas beaucoup au début, mais j'évitais de la harceler de questions. Son cœur avait besoin de s'apaiser, avant d'admettre la réalité de sa mort. Elle se souvint peu à peu avoir perdu connaissance alors qu'elle était à la cuisine en train de préparer les offrandes destinées à la fête des Fantômes errants. Elle prit lentement conscience des deux autres parties de son âme – celle qui attendait d'être enterrée et celle qui s'était mise en route vers l'au-delà. La troisième se trouvait devant moi, mais maman hésitait encore à quitter l'abri du pavillon.

— Je ne veux pas m'éloigner, me dit-elle le troisième soir, tandis que les ombres des fleurs s'estompaient autour de nous. Et tu devrais faire de même. Tu serais beaucoup plus en sécurité à la maison.

— Maman, il y a longtemps maintenant que j'erre à travers la région. Il ne m'est jamais rien arrivé de… dommageable, physiquement parlant, dis-je en pesant mes mots.

Elle me dévisagea. Sa beauté était intacte et elle était toujours aussi svelte, raffinée, élégante – mais imprégnée aussi d'une profonde tristesse, qui ajoutait à sa grâce et à sa dignité. Comment ne m'en étais-je pas aperçue de mon vivant ?

— Je suis allée jusqu'à Gudang, pour voir nos plantations de mûriers, continuai-je. Et j'ai fait d'innombrables excursions. J'ai même participé aux activités du cercle poétique de la Bananeraie. Peut-être en as-tu entendu parler ? J'ai aidé ces femmes à composer des poèmes tandis qu'elles déambulaient sur le lac, à bord de leur bateau.

J'aurais pu lui parler de mon projet, lui dire à quel point je m'y étais impliquée – et la gloire qu'en avait tirée mon époux. Mais elle n'en avait rien su de mon vivant, lorsque j'avais entrepris cette tâche, et cette histoire m'avait tellement obsédée par la suite que cela avait fini par entraîner la mort de Ze. Maman n'aurait pas été très fière de moi : elle n'aurait éprouvé que honte et mépris à mon endroit.

Elle ne m'avait visiblement pas écoutée, car elle ajouta :

— Je n'ai jamais voulu que tu quittes la maison. J'ai essayé de te protéger, de toutes mes forces. Nous étions d'accord sur ce point, ton père et moi. Il y avait tant de choses que tu ne devais pas savoir – et dont nul ne devait entendre parler.

Elle glissa la main dans ses vêtements et tripota son trousseau de clefs. Mes tantes avaient dû le lui laisser, en la préparant pour ses funérailles.

— Je rêvais de toi bien avant ta naissance, reprit-elle. À l'âge de sept ans, tu as écrit ton premier poème : il était très beau. Je voulais que ton talent prenne son essor, mais lorsque cela s'est produit, j'ai brusquement pris peur. Je redoutais ce qui risquait de t'arriver. Je percevais tes émotions et je savais que le bonheur te serait refusé. J'ai compris à ce moment-là la véritable leçon de l'histoire de la Tisserande. Son intelligence et son habilité n'ont pas apaisé sa tristesse : elles l'ont au contraire provoquée. Si elle n'avait pas eu un tel talent et n'avait pas tissé de si beaux vêtements pour les dieux, elle aurait pu vivre en paix sur terre avec le Bouvier.

— J'ai toujours cru que tu nous racontais cette histoire parce qu'elle était romantique, lui dis-je. Je n'avais pas compris sa leçon.

Un long silence s'ensuivit. Son interprétation de la légende était très sombre – presque négative. Mais j'ignorais tant de choses à son sujet.

— Maman, dis-je, que t'est-il arrivé exactement ?

Elle détourna les yeux.

— Nous sommes en sécurité, dis-je en désignant le décor qui nous entourait.

Nous étions assises dans le pavillon de la Contemplation lunaire, aux confins de la propriété familiale. Les grillons chantaient et le lac étendait devant nous sa surface immobile et fraîche.

— Il ne peut rien se passer, ajoutai-je.

Maman sourit à cette remarque et entreprit lentement de me raconter son histoire. Elle évoqua son mariage au sein de la famille Chen et les excursions qu'elle avait faites en compagnie de sa belle-mère. Elle me parla aussi longuement de son écriture et des œuvres qu'elle avait recueillies, composées par des poétesses depuis longtemps oubliées, mais dont l'histoire était aussi ancienne que celle de notre pays. Ces scènes se déroulaient sous mes yeux, au fur et à mesure que maman les évoquait.

— Ne crois jamais ceux qui te diront que les femmes n'écrivent pas, reprit-elle. Elles l'ont toujours fait. On peut remonter à plus de deux mille ans en arrière, jusqu'au *Livre des odes* – dont il est évident que certaines pages ont été rédigées par des femmes. Les imagine-t-on en train de les composer en se contentant de balbutier quelques sons ? Bien sûr que non. Les hommes cherchent la gloire à travers leurs écrits – qu'il s'agisse de traités de morale, de mémoires historiques ou de simples discours – mais nous, nous avons la charge des émotions : étant liées aux cycles de la vie, nous recueillons les miettes apparemment insignifiantes des jours qui se succèdent et nous nous souvenons du passé familial. N'est-ce pas un devoir autrement important que celui qui consiste à composer selon les règles un essai destiné à l'empereur ?

Elle ne me laissa pas le temps de répondre. Sa question était d'ailleurs purement rhétorique.

Elle me parla ensuite des jours qui avaient précédé le Cataclysme et des événements qui s'étaient déroulés pendant ces heures tragiques. Son récit corroborait en tous points celui que m'avait fait grand-mère mais qui s'était interrompu au moment où leur petite troupe avait trouvé refuge dans un pavillon, un peu à l'écart, et où maman avait rassemblé les bijoux et les objets précieux qu'avaient pu lui confier les autres femmes.

— Nous étions si heureuses les premiers temps de pouvoir quitter nos appartements intérieurs... Nous n'avions pas compris qu'il y a une grande différence entre le fait de sortir volontairement de chez soi et de le faire sous la contrainte. On nous enseigne beaucoup de choses, concernant la manière dont nous devons nous comporter : qu'il nous faut engendrer des fils, nous sacrifier pour nos époux – et qu'il est préférable de mourir plutôt que d'apporter la honte ou de jeter l'opprobre sur nos familles. Je croyais à tous ces préceptes. Et j'y crois encore.

Elle semblait soulagée de pouvoir finalement évoquer tout cela, mais ne m'avait toujours pas révélé ce que je voulais savoir.

— Que s'est-il passé lorsque tu as quitté ce pavillon ? lui demandai-je doucement, en lui prenant la main. Tu peux m'en parler, cela ne changera rien à l'amour que j'ai pour toi : tu es ma mère, je t'aimerai toujours.

Son regard se porta de l'autre côté du lac, où le décor s'estompait dans la brume et les ténèbres.

— Tu n'as jamais été mariée, dit-elle enfin, et tu ne sais donc rien du jeu des nuages et de la pluie. Avec ton père, c'était merveilleux : les nuages qui se levaient, la pluie qui finissait par tomber... Nous n'étions plus distincts et formions une seule entité.

J'en savais plus sur le jeu des nuages et de la pluie que je ne lui avouerais sans doute jamais, mais je ne voyais pas très bien ce qu'elle voulait dire.

— Ce que les soldats m'ont fait subir n'avait rien à voir avec ça, reprit-elle. C'était un acte de barbarie, de brutalité aveugle – dont ils ne pouvaient tirer eux-mêmes la moindre satisfaction. Tu l'ignores, bien évidemment, mais j'étais enceinte de cinq mois à l'époque. Je n'en avais parlé à personne, seul ton père était au courant. Le bébé ne se voyait pas, sous ma tunique et mes robes. Nous avions décidé ton père et moi que ce voyage à Yangzhou constituerait ma dernière sortie, avant que je ne me retire dans mes appartements. Nous comptions apprendre la nouvelle à ta grand-mère la veille de notre départ, avant de regagner Hangzhou. Mais nous n'en eûmes pas l'occasion.

— À cause de l'assaut des Mandchous.

— Ils cherchaient à détruire tout ce qui avait du prix à nos yeux. Quand ils ont arrêté ton père et ton grand-père, j'ai compris où était mon devoir.

— Ton devoir ? Mais que leur devais-tu au juste ? lui demandai-je, en me rappelant l'amertume de grand-mère.

Maman me dévisagea, un peu surprise.

— Je les aimais, dit-elle.

Mon esprit s'ébroua, pour se mettre à l'unisson du sien. Elle releva le menton, cherchant à se donner un air désinvolte.

— Les soldats prirent d'abord les bijoux – avant de me prendre, moi. Je fus violée à d'innombrables reprises par je ne sais combien d'hommes, mais cela ne leur suffisait pas. Ils me battirent du plat de leurs épées jusqu'à ce que ma peau éclate et ils me rouèrent de coups, en ayant soin toutefois d'épargner mon visage.

Tandis qu'elle parlait, les nuages qui s'étaient amoncelés sur le lac lâchèrent finalement une violente ondée. Grand-mère devait nous écouter, depuis la Terrasse des Âmes Perdues.

— J'avais l'impression qu'un millier de démons m'entraînaient dans le royaume des morts, poursuivit-elle. Mais je serrai les dents, ravalant ma tristesse et mes larmes. Lorsque le sang se mit à ruisseler entre mes cuisses, ils reculèrent et me laissèrent m'éloigner en rampant dans l'herbe. Après cela, ils ne levèrent plus la main sur moi. La douleur que je ressentais était si grande qu'elle annihilait jusqu'à ma colère et ma peur. Quand le fœtus s'échappa de moi – c'était un garçon – trois des soldats qui m'avaient violée s'approchèrent. L'un d'eux coupa le cordon et emmena l'enfant. Un autre m'agrippa et m'aida à évacuer le placenta, tandis que j'étais secouée par les contractions. Le dernier me tenait la main et me chuchotait des mots à l'oreille, dans son dialecte barbare. Pourquoi ne m'achevèrent-ils pas ? Ils avaient déjà tué tant de monde : que représentait une femme de plus ou de moins ?

Tout cela s'était produit durant la dernière nuit du Cataclysme, alors que les hommes commençaient sans doute à reprendre leurs esprits. Les soldats firent brûler un mélange de coton et d'ossements humains et se servirent des cendres pour cautériser les blessures de ma mère. Puis ils la vêtirent d'une robe de soie grège et dénichèrent des tissus propres, parmi les objets qu'ils avaient pillés, afin de panser son ventre et ses plaies. Mais ce brusque revirement n'avait rien de désintéressé.

— J'avais cru tout d'abord qu'en me voyant dans un tel état, ils s'étaient souvenus de leurs mères et de leurs sœurs, de leurs filles et de leurs épouses. Mais ils avaient d'autres projets en tête et me considéraient comme une part de leur butin. (Maman agita nerveusement son trousseau de clefs.) Ils se disputèrent pour savoir lequel des trois allait hériter de moi. Le premier voulait me vendre comme prostituée. Le deuxième me ramener chez lui en tant qu'esclave. Et le troisième faire de moi sa concubine. « Elle n'est pas trop moche, dit celui qui voulait me vendre. Je vous donnerai vingt onces d'argent chacun si vous m'autorisez à la garder. – Je ne la laisserai pas partir à moins de trente onces, aboya celui qui voulait faire de moi son esclave. – On dirait qu'elle est née pour chanter et danser, plutôt que pour les travaux de couture », rétorqua l'autre. Et la discussion se poursuivit ainsi. Je n'avais que dix-neuf ans à l'époque : après tout ce qui venait de se passer – et l'avenir indécis qui m'attendait – ce fut vraiment la pire journée de ma vie. Quelle différence y avait-il entre le fait d'être vendue à des milliers d'hommes et le marché auquel les femmes sont soumises – en tant qu'épouses, que concubines ou que servantes ? Entre le marchandage des soldats et celui des négociants qui fixent le prix du sel ? À ceci près qu'en tant que femme j'avais encore moins de valeur que le sel...

Le lendemain matin, un général mandchou de haut rang, vêtu de rouge et portant une rapière à sa ceinture, arriva en compagnie d'une Mandchoue aux grands pieds, les cheveux noués en chignon et ornés d'une fleur sur le côté. Ils agissaient en tant qu'émissaires d'un des princes mandchous et arrachèrent maman des mains des soldats, pour la reconduire dans la propriété où elle avait été enfermée la veille en compagnie de sa belle-mère, des concubines et d'autres femmes séparées de leurs familles.

— Au bout de quatre jours de massacre sous une pluie incessante, poursuivit maman, le soleil finit par revenir. Les cadavres dégageaient une puanteur infecte, mais le ciel au-dessus de nos têtes avait retrouvé son bleu intemporel. J'attendis mon tour, au milieu des femmes qui se lamentaient de tous côtés. Pourquoi ne nous étions-nous pas donné la mort ? Tout simplement parce que nous ne disposions pas de cordes pour nous pendre, de couteaux pour nous trancher la gorge, ni de ravins dans lesquels nous précipiter. Je fus finalement conduite devant une dignitaire mandchoue. Celle-ci examina l'état de mes cheveux, de mes mains et de mes bras. Elle palpa mes seins à travers mes vêtements, ainsi que mon ventre encore gonflé. Elle souleva mes jupes et considéra mes pieds bandés, qui témoignaient à eux seuls de ma condition. « Je vois où résident tes talents, me lança-t-elle d'un air dédaigneux. Tu feras l'affaire. » Comment une femme pouvait-elle se comporter ainsi envers une autre femme ? Je fus une fois encore emmenée dans une pièce, où je me retrouvai seule.

Maman songea aussitôt à se donner la mort, mais ne trouva aucun objet susceptible d'être utilisé à cet effet. Elle se trouvait au rez-de-chaussée, aussi était-il inutile de se jeter par la fenêtre. Elle n'espérait évidemment pas dénicher une corde dans la pièce, mais il lui restait sa robe. Elle s'assit, en déchira l'ourlet et fabriqua plusieurs bandes de tissu, qu'elle noua les unes aux autres.

— J'étais enfin prête, poursuivit-elle, mais j'avais encore une chose à faire. J'aperçus un morceau de charbon au pied du brasero, le ramassai et, après l'avoir essayé, je me mis à écrire sur le mur.

Lorsque ma mère récita ce qu'elle avait écrit, je fus frappée en plein cœur.

Les arbres sont nus.
Au loin le cri des oies qui se lamentent.
Si au moins le sang de mes larmes pouvait
Donner sa couleur aux pétales du prunier.
Mais je ne connaîtrai pas le printemps...

Je me joignis à elle pour prononcer les deux derniers vers :

Mon cœur est vide et ma vie n'a plus de valeur.
Chaque instant équivaut à un millier de larmes.

Grand-mère m'avait dit que maman était une poétesse de talent. Mais comment aurais-je pu deviner que c'était elle qui avait laissé ce poème tragiquement célèbre sur un mur de Yangzhou ? Je la regardai, ébahie. Son poème avait ouvert la voie qui devait permettre à Xiaoqing, à Tang Xianzu et à tant d'autres d'atteindre à l'immortalité. Je ne m'étonnais plus, à présent, que papa lui ait confié l'inscription de ma tablette ancestrale. C'était une femme d'une grande distinction et j'aurais été heureuse – honorée même – que ce soit elle qui s'en charge. Il y avait eu tant d'erreurs commises, et tant de malentendus...

— J'ignorais que j'allais survivre, lorsque j'écrivais ces vers... Et plus encore, que des voyageurs de passage allaient les découvrir, les recopier et les faire circuler à travers le pays. Je n'ai jamais dit à personne que j'en étais l'auteur. Je ne voulais pas qu'on puisse penser que j'étais avide de gloire ou de notoriété. Ah, Pivoine... le jour où je t'ai entendue réciter mon poème, dans le pavillon de L'Éclosion des Lotus, j'en ai eu le souffle coupé. Tu étais la chair de ma chair, le sang de mon sang – et mon unique enfant. J'ai pensé que tu avais deviné la vérité, étant donné que nous étions si proches. Et j'ai cru que tu avais honte de moi.

— Jamais je n'aurais récité ce poème si j'avais su qu'il était de toi. Comment aurais-je pu vouloir te blesser de la sorte ?

— Mais j'avais si peur... Et du coup, je t'ai cloîtrée dans ta chambre. J'ai passé ma vie depuis lors à regretter ce geste.

Je ne pouvais m'empêcher de tenir mon père et mon grand-père pour responsables de ce qui s'était passé à Yangzhou. C'étaient des hommes et ils auraient dû agir en conséquence.

— Comment as-tu eu la force d'aller rejoindre papa, après ce qui s'était passé ? Tu t'étais sacrifiée pour lui. Et grand-père avait sacrifié grand-mère pour sauver sa propre vie.

Maman fronça les sourcils.

— Je n'ai pas rejoint ton père, dit-elle, c'est lui qui est venu me chercher. C'est grâce à lui que j'ai survécu et que je t'ai ensuite mise au monde. Après avoir achevé mon poème, j'avais fixé ma corde improvisée à la poutre du plafond et glissé ma tête dans le nœud coulant. Mais au même instant, la dignitaire mandchoue a surgi dans la pièce et s'est précipitée sur moi. Elle était furieuse et n'arrêtait pas de me frapper, mais cela ne risquait pas de me faire changer d'avis : je savais qu'une autre opportunité finirait par se présenter. S'ils comptaient me céder à un prince mandchou, ils me donneraient forcément de la nourriture, des vêtements, une chambre où dormir... Je parviendrais tôt ou tard à me procurer une arme, ou à m'en fabriquer une.

La dignitaire conduisit maman dans la salle principale. Le général mandchou était assis à un bureau. Mon père était accroupi devant lui et attendait, le front contre le sol.

— J'ai d'abord cru qu'ils avaient capturé ton père et qu'ils allaient le décapiter devant moi, poursuivit maman. J'avais donc subi tout ce calvaire en vain... Mais il était venu me racheter. Une fois ces journées d'horreur et de tueries passées, les Mandchous tenaient à montrer qu'ils étaient civilisés, eux aussi... Leur but était déjà d'établir un ordre nouveau, sur les décombres de ce cataclysme. Je les écoutais discuter du montant de mon rachat. J'étais tellement percluse de douleurs qu'il me fallut un moment pour retrouver ma voix. « Je ne peux pas revenir vivre à tes côtés, dis-je alors à ton père. Je suis déshonorée. » Il comprit ce que je voulais dire mais cela ne le découragea pas. « Et j'ai perdu notre fils », ajoutai-je. Je vis des larmes couler le long de ses joues. « Cela m'est égal, dit-il. Je ne veux ni te perdre, ni te laisser mourir ici. » Tu vois, Pivoine, il m'a gardée auprès de lui, malgré tout ce qui s'était passé. Il aurait facilement pu me vendre, m'échanger – comme voulaient le faire les soldats qui m'avaient violée – ou m'abandonner à mon triste sort.

Grand-mère entendait-elle ces mots, elle qui empêchait notre famille d'engendrer des fils dans le seul but de punir mon père et mon grand-père ? Comprenait-elle à présent son erreur ?

— Comment aurions-nous pu reprocher quoi que ce soit aux hommes, ta grand-mère et moi, alors que nous avions nous-mêmes choisi de quitter nos appartements pour découvrir le monde extérieur ? reprit maman, comme si elle avait lu dans mes pensées. Ton père m'a sauvée en m'épargnant un destin terrible, qui se serait achevé par un suicide.

— Mais papa est ensuite allé se mettre au service des Mandchous, dis-je. Comment a-t-il pu faire une chose pareille ? Avait-il oublié ce que vous aviez subi, grand-mère et toi ?

— Comment l'aurait-il pu ? (Maman me sourit avec douceur.) Jamais il ne l'oubliera. Il s'est rasé le crâne, il a adopté la natte et les vêtements des Mandchous : mais il s'agit là d'un simple déguisement. Il m'a suffisamment montré sa nature profonde : celle d'un homme qui place au-dessus de tout la loyauté qu'il doit à sa propre famille.

— Mais il est allé s'établir dans la capitale après ma mort, rétorquai-je. Il t'a abandonnée. Il...

J'avais en tête l'affaire de ma tablette et je devais être à deux doigts d'aborder le sujet, car je me retrouvai brusquement dans l'incapacité de poursuivre.

— Son départ était prévu de longue date, répondit maman en évoquant cette époque lointaine. Tu devais te marier. Il t'adorait et ne supportait pas l'idée d'être séparé de toi. Aussi avait-il accepté ce poste dans la capitale. Après ta mort, il n'a eu qu'une hâte : fuir à tout prix les lieux qui lui rappelaient ta présence.

Des années durant, j'avais mis en doute l'intégrité de mon père. Je m'étais trompée, sur ce point comme sur beaucoup d'autres.

Maman poussa un soupir et changea brusquement de sujet.

— Je me demande ce qu'il adviendra de notre famille si Bao n'arrive pas à avoir de fils.

— Grand-mère s'y oppose fermement, dis-je.

Maman acquiesça.

— J'aimais ta grand-mère, mais il lui arrivait de se montrer vindicative. Elle se trompe en tout cas à ce sujet. Elle a trouvé la mort à Yangzhou et n'a pas su ce qui m'était arrivé – pas plus qu'elle n'était parmi nous au moment de ta naissance. Ton père t'adorait. Tu étais sa petite pierre précieuse, mais il avait besoin d'un fils pour s'occuper de nos ancêtres. Qu'arrivera-t-il à ta grand-mère et aux autres membres de la famille Chen si nous n'avons pas de descendants pour accomplir les rites ? Seuls les fils peuvent s'en charger, elle le sait fort bien.

— Papa a *adopté* ce Bao, dis-je sans chercher à cacher l'amertume que j'éprouvais encore à l'idée que mon père ait pu si aisément reporter sur un autre l'affection qu'il avait pour moi.

— Il lui a fallu quelque temps pour se mettre à notre diapason, répondit maman, mais Bao s'est très bien comporté envers nous. Regarde comme il s'est occupé de moi, en la circonstance : j'ai assez de vêtements pour affronter l'éternité, suffisamment d'argent pour mon voyage…

— Il a découvert mes poèmes, l'interrompis-je. Il est allé trouver Ren et les lui a vendus.

— Tu parles comme une sœur rongée par la jalousie, dit ma mère. Il ne faut pas que tu réagisses ainsi.

Elle posa sa main sur ma joue. Il y avait bien longtemps que je n'avais pas reçu une telle marque d'affection.

— C'est moi qui ai découvert tes poèmes, reprit-elle. Par hasard, un jour où je rangeais la bibliothèque de ton père. Après les avoir lus, j'ai demandé à Bao de les remettre à ton mari. Et j'ai bien précisé que Ren devait les acheter : je voulais de la sorte lui rappeler ta valeur.

Elle passa le bras autour de mon épaule.

— Les Mandchous ont envahi notre région parce que c'était la plus riche du pays – et par là même, la plus vulnérable aux attaques, dit-elle. Ils savaient qu'ils feraient de la sorte un exemple, mais que nous avions les moyens de remonter la pente, après une telle catastrophe. Sur bien des points, ils n'avaient pas tort : mais comment compenser les pertes subies par les familles ? Une fois rentrée à Hangzhou, je me suis barricadée dans notre maison. Aujourd'hui, en te regardant, je vois bien qu'en dépit de ses efforts, une mère ne peut pas protéger sa fille du monde qui l'environne. Je t'avais enfermée dans nos murs depuis ta naissance, mais cela ne t'a pas empêchée de mourir jeune. Et depuis lors tu as arpenté le pays, tu as navigué sur des bateaux…

— … et j'ai causé beaucoup de torts, avouai-je enfin.

Après tout ce qu'elle venait de me dire, ne lui devais-je pas la vérité quant au sort que j'avais infligé à Tan Ze ?

— Ma « sœur épouse » est morte à cause de moi, ajoutai-je.

— J'ai entendu une autre version de cette histoire, répondit maman. La mère de Ze reprochait à sa fille de s'être dérobée à ses devoirs conjugaux. N'était-elle pas du genre à vouloir donner des ordres à son mari ?

Me voyant acquiescer, elle poursuivit :

— Tu n'es pas responsable du fait que Ze se soit laissée mourir de faim. Il s'agissait de sa part d'une tactique vieille comme le monde, dont toutes les épouses ont entendu parler. Il n'y a rien de plus enivrant et de plus cruel pour une femme que d'obliger son mari à être le témoin de son agonie. (Maman prit mon visage entre ses mains et me regarda dans les yeux.) Tu es ma fille adorée, peu importent les actes dont tu te crois coupable.

Mais elle ne savait pas tout.

— D'ailleurs, reprit-elle, avais-tu vraiment le choix ? L'éducation que t'ont donnée ton père et ta mère a été un échec. Je m'estime particulièrement responsable, sur ce plan. Je voulais que tu excelles dans l'art de la broderie, de la peinture, que tu joues de la cithare comme une déesse… Que tu saches tenir ta langue, que ton visage soit toujours avenant, que tu apprennes à obéir... Mais qu'en est-il résulté ? Tu t'es empressée de quitter la propriété familiale et tu as trouvé la liberté dans le siège de ta propre conscience, ajouta-t-elle en désignant mon cœur.

Je sentais bien qu'elle avait raison. Ma mère avait fait en sorte que je reçoive la meilleure éducation possible, de manière à devenir une bonne épouse, mais elle m'avait du même coup encouragée à m'écarter du modèle traditionnel, qui conduit inéluctablement les jeunes filles au mariage.

— Tu es bonne et généreuse, poursuivit-elle, et tu n'as rien fait dont tu aies à rougir. Pense plutôt à l'étendue de tes connaissances et à tout ce que renferme ton cœur. Mencius s'est montré extrêmement clair sur ce point : *Celui qui ignore la pitié n'est pas un être humain ; celui qui ignore la honte n'est pas un être humain ; celui qui ignore le sens de la déférence et du respect n'est pas un être humain ; celui qui ignore la notion du bien et du mal n'est pas un être humain.*

— Mais je ne suis pas un être humain, rétorquai-je. Je suis un fantôme errant.

Voilà, j'avais fini par le lui dire ouvertement. Mais elle ne me posa aucune question à ce sujet, ne serait-ce que pour savoir comment cela m'était arrivé. Peut-être avait-elle besoin de digérer cette brusque révélation, car elle se contenta de répondre :

— Aucun de ces sentiments ne t'est cependant étranger. Tu as bien éprouvé de la pitié, de la honte, du remords et de la tristesse pour le sort qu'avait connu Tan Ze, n'est-ce pas ?

Évidemment. Je m'étais même infligé un exil volontaire, à titre de pénitence pour l'ensemble de mes actions.

— À quoi reconnaît-on un être humain ? demanda maman. Au fait qu'il projette une ombre et laisse des empreintes sur le sable ? Tang Xianzu a répondu à cette question, dans l'opéra que tu aimes tant, lorsqu'il écrit que personne ne peut vivre privé de joie, de colère, de regret, de peur, d'amour, de haine ou de désir. La clef se trouve dans *Le Livre des rites*, ainsi que dans *Le Pavillon des Pivoines* : ce sont les Sept Émotions qui font de nous des êtres humains. Et ces émotions continuent de vivre en toi.

— Mais comment puis-je remédier au mal que j'ai provoqué ?

— Je ne crois pas que tu aies fait du mal à quiconque. Mais si tel a été le cas, il suffit que tu mettes désormais tes pouvoirs de fantôme au service du bien, en trouvant une autre jeune fille dont tu seras à même de modifier l'existence.

La solution m'apparut en un éclair, mais j'allais avoir besoin de l'aide de ma mère.

— Accepterais-tu de m'accompagner ? dis-je. Ce n'est pas la porte à côté…

Un sourire illumina son visage, dont les rayons se reflétèrent à la surface du lac.

— Ce n'est pas une mauvaise idée, dit-elle. Autant entreprendre mon périple dès maintenant.

Elle se leva et regarda une dernière fois le pavillon de la Contemplation lunaire. Je l'aidai à franchir la balustrade et à rejoindre le rivage. Arrivée au bord de l'eau, elle fouilla dans ses vêtements et en sortit son trousseau de clefs et de verrous en forme de poissons : l'une après l'autre, elle les jeta dans le lac dont elles crevèrent sans bruit la surface, dessinant des rides à peine visibles qui s'estompèrent dans le lointain.

Nous nous mîmes en route. Je guidai maman à travers la ville. Les pans de sa robe de spectre traînaient derrière elle. Au matin, nous atteignîmes la campagne : les champs s'étendaient autour de nous, rappelant le complexe tissage d'une étoffe finement brochée. Le feuillage des mûriers était dense. Des femmes aux grands pieds, coiffées d'un chapeau de paille et revêtues de tuniques au bleu délavé grimpaient aux branches pour en cueillir les feuilles. Plus bas, d'autres femmes aux épaules carrées et au visage tanné par le soleil labouraient le sol entre les arbres ou emportaient des paniers remplis de feuilles.

Maman n'avait plus peur. Son visage respirait la paix et le bonheur. Dans des temps désormais lointains, elle avait bien des fois traversé ces campagnes en compagnie de mon père et elle reconnaissait avec joie certains éléments du décor. Nous échangions des confidences, comme seules peuvent le faire une mère et sa fille, empreintes d'amour et de compassion.

Toute ma vie, j'avais voulu appartenir à une communauté féminine. Je ne l'avais pas trouvée auprès de mes cousines, lorsque je vivais encore dans les appartements intérieurs, parce qu'elles ne m'aimaient pas. Sur la Terrasse des Âmes Perdues, le mal d'amour des autres jeunes filles différait par trop du mien. Quant aux poétesses du cercle de la Bananeraie, elles n'avaient même pas conscience de mon existence... Mais avec ma mère et ma grand-mère, j'avais quelque chose en commun. En dépit de nos faiblesses – et de nos échecs – un fil nous liait étroitement : ma grand-mère et ses erreurs ; ma mère et sa douleur ancienne ; et moi, pitoyable fantôme errant. Tandis que nous marchions toutes les deux dans la nuit, maman et moi, je compris – à défaut de mieux – que je n'étais pas seule.

Le destin d'une fille

Nous atteignîmes Gudang, tôt le lendemain matin, et nous dirigeâmes aussitôt vers la maison du chef du village. J'avais tellement erré ces dernières années que les longs trajets ne me fatiguaient plus, mais maman fut obligée de s'asseoir, une fois arrivée, et de se masser les pieds. Une fillette poussa un cri perçant et émergea en courant de la maison. C'était la petite Qian Yi. Ses cheveux noués formaient deux houppettes au sommet de sa tête, ce qui lui donnait un air malicieux, contrastant avec sa frêle silhouette et la pâleur de son visage.

— C'est elle ? me demanda maman d'un air dubitatif.

— Pénétrons à l'intérieur, répondis-je. Il faut que tu voies sa mère.

Madame Qian était assise dans un coin de la pièce, plongée dans ses travaux de broderie. Maman remarqua la méticulosité de ses points et me dévisagea, étonnée.

— Elle est du même rang que nous, dit-elle. Regarde la finesse de ses mains, leur douceur et leur blancheur – dans un tel endroit… Et ses points de broderie sont d'une extrême finesse. Comment a-t-elle atterri dans ce village ?

— À cause du Cataclysme…

L'étonnement de ma mère fit place à la gravité, tandis qu'elle refoulait les images que ma réponse ne pouvait manquer de raviver en elle. Elle fouilla dans les plis de sa robe, mais n'y trouva pas les clefs qu'elle avait l'habitude de tripoter lorsqu'elle était embarrassée. À la place, elle croisa les mains et releva les yeux vers moi.

— Songe à cette fillette, dis-je. Est-elle condamnée à vivre dans un tel environnement, elle aussi ?

— Peut-être paie-t-elle une mauvaise action commise dans sa vie antérieure, avança maman. Peut-être est-ce là son destin…

Je fronçai les sourcils.

— Et si son destin voulait que nous intervenions pour changer le cours de son existence ?

Maman me considéra d'un air sceptique.

— Mais que pouvons-nous faire ?

En guise de réponse, je lui retournai une autre question :

— Te souviens-tu de ce que tu me disais jadis : que maintenir la tradition du bandage était un acte de résistance contre les Mandchous ?

— C'était effectivement le cas. Et ça l'est toujours.

— Mais pas ici, dis-je. Dans cette famille, les filles doivent conserver leurs grands pieds pour travailler dans les champs. Mais cette petite en serait bien incapable.

Maman acquiesça.

— Je suis même surprise qu'elle ait vécu si longtemps, dit-elle. Mais comment comptes-tu l'aider ?

— Je voudrais qu'on lui bande les pieds.

À cet instant, madame Qian appela sa fille. Yi lui obéit et vint se placer à ses côtés.

— Le fait d'avoir les pieds bandés ne suffira pas à changer son destin, dit ma mère.

— Si je veux expier mes fautes, il faut bien que ma mission présente quelques obstacles.

— Oui, mais…

— Sa mère a déchu à cause du Cataclysme. Pourquoi Yi ne s'élèverait-elle pas ?

— Mais jusqu'où ?

— Je l'ignore. Et même à supposer que sa destinée soit d'être un simple « cheval d'appoint », cela ne vaudrait-il pas mieux que sa situation actuelle ? En tout cas, des pieds parfaitement bandés lui permettront d'avoir accès à une demeure de plus haut rang.

Maman examinait autour d'elle la pièce chichement meublée. Puis son regard revint se poser sur madame Qian et sa fille.

— Ce n'est pas la saison du bandage, dit-elle enfin. Il fait trop chaud.

Je compris alors que j'avais gagné la partie.

Il ne fut pas très difficile de fourrer cette idée dans la tête de madame Qian. Quant à convaincre son mari, ce fut une autre affaire… Les raisons qu'il avait de s'y opposer ne manquaient pas : Yi ne pourrait pas l'aider à élever des vers à soie (ce qui était exact) ; aucun homme à la campagne n'accepterait d'épouser une femme que ses pieds bandés condamnaient à rester une charge inutile (ce qui était un reproche à peine voilé, adressé à son épouse).

Madame Qian l'écoutait patiemment, attendant qu'il se soit tu pour pouvoir lui répondre. L'opportunité se présenta enfin :

— Tu sembles oublier, lui dit-elle, que la vente de l'une de tes filles te rapporterait une coquette somme d'argent.

Le lendemain – bien que ma mère m'eût rappelé que ce n'était pas la saison – madame Qian rassembla les tissus nécessaires au bandage, du fil et des aiguilles, des ciseaux, un coupe-ongles, ainsi qu'une quantité suffisante d'alun et d'astringent. Maman s'agenouilla à mes côtés tandis que je posais mes mains glacées sur celles de madame Qian et l'aidais à laver les pieds de sa fille, puis à les plonger dans une cuvette remplie d'une infusion d'herbes, destinée à assouplir ses chairs. Nous coupâmes ensuite les ongles de la fillette, la badigeonnâmes d'astringent et repliâmes ses orteils, avant d'envelopper ses pieds en serrant fortement les bandages, puis en les cousant de manière à ce qu'elle ne puisse pas se libérer. Maman me parlait doucement à l'oreille, afin de m'encourager. Elle me transmettait son amour maternel, qui se communiquait ensuite à la petite Yi, à travers la pression de mes mains.

La fillette ne se mit à pleurer que tard dans la soirée, lorsque ses pieds commencèrent à la faire souffrir, le sang ayant cessé de circuler en raison de la pression constante des bandages. Au cours des semaines suivantes, comme nous les serrions un peu plus tous les quatre jours et obligions Yi à marcher de long en large dans la pièce pour que ses os se brisent au plus vite, ainsi qu'il était nécessaire, ma détermination ne cessait de croître. Le plus dur, c'était la nuit : Yi n'arrêtait pas de pleurer et avait parfois de la peine à respirer, secouée de sanglots.

Le processus devait prendre deux ans et j'étais impressionnée par le courage, la détermination et la force intérieure avec lesquels Yi affrontait cette épreuve. Dès l'instant où on lui avait posé ses premiers bandages, sa condition avait changé et elle s'était élevée au-dessus de son père et de ses sœurs. Elle ne pouvait plus courir en échappant à l'attention de sa mère, ni suivre ses sœurs qui arpentaient pieds nus les rues en terre battue du village. Son domaine était désormais à l'intérieur et sa mère l'avait parfaitement compris. La maison était mal aérée, mais de par ma condition de fantôme, je diffusais toujours de la fraîcheur autour de moi. Lors des plus chaudes journées d'été – alors que j'avais moi-même de la peine à supporter l'excès de chaleur et d'humidité – Yi souffrait bien sûr davantage. Madame Qian sortait alors *Le Livre des odes*. La douleur de sa fille, visible sur ses traits livides, s'estompait un peu tandis que sa mère lui récitait des poèmes d'amour composés par des femmes plus de deux millénaires auparavant. Mais au bout d'un moment, la souffrance finissait par reprendre le dessus.

Madame Qian se levait alors, quittait le chevet de sa fille et s'approchait de la fenêtre en oscillant avec grâce sur ses pieds délicats. Elle considérait pendant quelques instants la campagne environnante. Se faisait-elle la même réflexion que moi ? N'avait-elle pas commis une terrible erreur ? N'imposait-elle pas à sa fille une douleur insupportable ?

Maman s'approcha brusquement de moi.

— Toutes les mères sont en proie à ce genre de doutes, me dit-elle. Mais souviens-toi : c'est le plus beau cadeau qu'elle puisse faire à sa fille, si elle cherche à lui procurer une vie meilleure.

Les mains de madame Qian se détendirent, sur le rebord de la fenêtre. Elle ravala ses larmes, prit une profonde inspiration et alla se rasseoir au chevet de sa fille, avant de rouvrir son livre.

— Maintenant que tu as les pieds bandés, lui dit-elle, tu ne partages plus la même condition que tes sœurs. Mais je vais te faire un présent autrement essentiel. Aujourd'hui, ma petite, nous allons apprendre à lire.

Tandis que sa mère lui montrait certains caractères, lui expliquant leur origine et leur signification, Yi oublia ses pieds. Son corps se détendit, son visage reprit ses couleurs et sa douleur s'estompa. À l'âge de six ans, elle était parfaitement en mesure de commencer à étudier. Quant à moi, j'étais là pour me racheter – et la lecture et l'écriture étaient depuis toujours mes domaines de prédilection. Avec mon soutien, elle n'allait pas tarder à faire des progrès.

Quelques jours plus tard, après avoir remarqué la curiosité et les dispositions de Yi, maman déclara :

— Cette petite va avoir besoin d'un trousseau. Je pourrais déjà lui laisser mes vêtements, maintenant que je vais devoir partir.

J'avais été tellement préoccupée par Qian Yi que je n'avais pas vu le temps passer. Les quarante-neuf jours d'errance de maman touchaient en effet à leur terme.

— J'aurais aimé que nous passions plus de temps ensemble, lui dis-je. Et j'aurais voulu que les choses soient aussi harmonieuses entre nous jadis. J'aurais voulu...

— Assez de regrets, Pivoine, m'interrompit-elle. Promets-le-moi.

Elle me serra contre elle, puis recula de quelques pas pour me regarder en face.

— Toi aussi, tu rentreras bientôt chez toi, me dit-elle.

— Dans la propriété de la famille Chen ? lui demandai-je, un peu troublée. Ou sur la Terrasse des Âmes Perdues ?

— Dans la demeure de ton mari, répondit-elle. C'est la place qui te revient.

— Je ne peux pas y retourner.

— Fais d'abord tes preuves ici. Tu y retourneras ensuite.

Ses traits commençaient à s'estomper, tandis qu'elle rejoignait sa tablette ancestrale, mais elle eut encore le temps de lancer :

— Quand le temps sera venu et que tu seras prête, tu le sauras.

Je m'installai à Gudang et y passai les onze années suivantes, me consacrant entièrement à Qian Yi et à sa famille. J'appris à maîtriser mes pouvoirs de fantôme, en disposant autour de moi des sortes de barrières protectrices que je pouvais soulever et abaisser à ma guise. En été je vivais à l'intérieur de la maison, avec l'ensemble de la famille, et ma présence dispensait un peu de fraîcheur dans l'atmosphère. Lorsque l'automne arrivait, j'avais appris à attiser les charbons du brasero afin qu'ils émettent plus de chaleur, sans me brûler le visage ni mettre le feu à mes vêtements.

On prétend qu'une chute de neige précoce est un signe de prospérité pour l'année qui s'annonce. Ce fut le cas, lors du premier hiver que je passai à Gudang : la neige recouvrit la maison des Qiang, ainsi que l'ensemble du paysage environnant. À l'occasion du Nouvel An, Bao se présenta pour inspecter les terres de mon père et exhorter les paysans à accroître leur production. Mais il avait aussi une nouvelle importante à leur annoncer : sa femme était enceinte et il avait décidé, pour célébrer cet événement, de ne pas augmenter les loyers ni les diverses charges dues à la famille Chen, contrairement à ce qui avait lieu d'habitude.

L'hiver suivant, il y eut également des chutes de neige précoces. Cette fois-ci, Bao annonça que sa femme avait mis au monde un fils. Je compris alors que ma mère n'était pas restée inactive dans l'au-delà. Pour célébrer ce miracle, Bao ne se contenta pas de distribuer des œufs couvés à l'ensemble de la population : il offrit un *mou* de terrain à chacun des chefs de village qui géraient les biens de mon père. L'année suivante, sa femme était à nouveau enceinte. Et deux ans plus tard, elle avait mis au monde un nouveau fils. Maintenant que l'avenir de la famille Chen était assuré, Bao pouvait se montrer généreux. Chaque fois qu'il avait un nouveau fils, il offrait un *mou* de terre supplémentaire à chacun des chefs. À ce rythme, la prospérité de la famille Qian ne cessa de s'accroître. Les filles aînées eurent droit à une petite dot et ne tardèrent pas à se marier. Les cadeaux qui en résultèrent vinrent évidemment grossir la fortune de maître Qian.

Yi grandissait. Une fois passé l'épreuve du bandage, ses pieds s'avérèrent d'une extrême beauté : délicats, dégageant une odeur exquise et d'une forme parfaite. Elle restait d'une constitution fragile, même si j'avais réussi à la préserver des esprits les plus nocifs, attirés par la maladie. Lorsque ses sœurs eurent quitté la maison, je la fis manger davantage et son *qi* s'en trouva renforcé. Nous avions réussi, madame Qian et moi, à transformer un éclat de jade mal dégrossi en un bijou raffiné. Nous lui apprîmes à danser : elle était si gracieuse sur ses pieds menus qu'elle donnait l'impression de flotter au-dessus des nuages. Elle jouait de la cithare à la perfection. Aux échecs, elle se montrait d'une finesse redoutable. Elle apprit aussi à chanter, à peindre et à broder. Toutefois, nous manquions cruellement de livres. Et maître Qian ne voyait pas la culture d'un très bon œil.

— L'éducation de Yi est un investissement à long terme, lui rappelait madame Qian. Traite-la de la même façon que les patènes de vers à soie que tu dois entretenir avec soin, afin qu'ils développent leurs cocons. Si tu as la même patience et la même attention pour ta fille, elle prendra elle aussi de la valeur.

Mais maître Qian se montrait intraitable sur ce dernier point, aussi nous débrouillâmes-nous du mieux possible avec *Le Livre des odes*. Yi parvenait à apprendre et à réciter les poèmes, mais elle n'en comprenait pas toujours le sens.

Elle ne tarda donc pas à mûrir, telle une prune prête à être cueillie. À l'âge de dix-sept ans, de petite taille, elle était d'une minceur de guêpe et d'une grande beauté. Ses traits étaient délicats : des cheveux d'un noir de jais, un front lisse comme de la soie, des lèvres de la teinte des abricots et des joues aussi pâles que l'albâtre, qui se creusaient d'une petite fossette chaque fois qu'elle souriait. Ses yeux brillaient avec un air de défi et son regard témoignait de sa curiosité, de son intelligence et de sa vivacité. Le fait qu'elle ait survécu, en dépit de sa maladie, du bandage qu'elle avait subi et de la fragilité de sa constitution, témoignait de ses ressources cachées et de la ténacité de son caractère. Il fallait à présent envisager de la marier.

Mais les possibilités qui s'offraient sur ce plan étaient réduites, dans les villages environnants. Elle ne pouvait pas se charger des durs travaux qu'on exige d'ordinaire d'une épouse, à la campagne. Elle demeurait d'une constitution fragile et avait la déconcertante habitude de dire tout haut ce qu'elle pensait. Son éducation, pour être réelle, n'en était pas moins imparfaite : et à supposer qu'on pût dénicher une famille de la ville disposée à accueillir en son sein une fille de la campagne, elle risquait d'être écartée pour cette raison. De surcroît, dans les familles aisées – fussent-elles cultivées – personne n'allait vouloir d'une fille qui avait eu *quatre* sœurs aînées : il y avait en effet de fortes chances pour qu'elle-même n'engendre que des filles… Pour toutes ces raisons, l'entremetteuse locale décréta que Yi ne trouverait jamais à se marier. Je voyais les choses autrement.

Pour la première fois depuis onze ans, je quittai Gudang et me rendis à Hangzhou, d'où je gagnai directement le domicile de Ren. Ce dernier venait d'avoir quarante et un ans, mais il n'avait guère changé, physiquement parlant : ses cheveux étaient encore noirs et il était toujours aussi svelte. Pendant ma longue absence, il avait renoncé à la boisson et ne fréquentait plus les maisons de plaisir. Il avait composé un commentaire sur *Le Palais éternel*, une pièce de théâtre écrite par son ami Hong Sheng, qui avait remporté un vaste succès. Ses poèmes étaient recueillis dans des anthologies, aux côtés des meilleurs auteurs de notre région. Il avait acquis une solide réputation en tant que critique dramatique et avait été pendant quelque temps le secrétaire d'un *juren*, un mandarin de haut rang. En d'autres termes, il avait fini par trouver la paix intérieure, après avoir dû renoncer successivement à moi, à Tan Ze – et à la compagnie des femmes en général. Mais il menait une vie solitaire. Si j'avais vécu, j'aurais eu trente-neuf ans à présent et nous aurions été mariés depuis plus de vingt-trois ans : il aurait été temps pour moi de lui trouver une concubine. Mais c'était une épouse que je lui destinais.

J'allai trouver madame Wu. Nous partagions le même amour pour Ren et elle s'était dès le début montrée très réceptive à mon égard. Je lui chuchotai à l'oreille :

— L'unique devoir d'un fils, sur cette terre, c'est d'engendrer à son tour un fils qui perpétuera sa lignée. Votre aîné a failli dans cette tâche. Si vous n'avez pas de petit-fils, personne ne s'occupera de vous ni des ancêtres de la famille Wu dans l'au-delà. Seul votre fils cadet peut aujourd'hui y remédier.

Au cours des jours suivants, madame Wu considéra Ren avec attention, étudiant son comportement et son humeur solitaire. Elle évoqua incidemment le fait qu'elle n'avait pas entendu depuis longtemps retentir les cris et les rires des enfants dans la propriété.

J'éventai ma belle-mère tandis qu'elle se reposait, accablée par la chaleur qui régnait ce jour-là.

— Ne faites pas trop la fine bouche, lui disais-je. Ren était lui-même d'un statut social inférieur lors de ses fiançailles avec la fille de la famille Chen ou lorsqu'il a épousé cette demoiselle Tan, un peu plus tard. Et ces deux unions ont débouché sur un désastre. (Je respectais ma belle-mère et j'évitai de m'asseoir en sa présence, mais il fallait bien que je la bouscule un peu.) Il s'agit de notre dernière chance, poursuivis-je. Il faut que vous agissiez maintenant, tant que la société n'est pas encore trop rigide – et avant que l'empereur ne mette un terme à cette situation.

Ce soir-là, madame Wu aborda avec son fils l'éventualité d'un nouveau mariage. Voyant qu'il n'y faisait aucune objection, elle convoqua la meilleure entremetteuse de la ville.

Celle-ci mentionna plusieurs jeunes filles et je veillai à ce qu'elles soient rapidement écartées.

— Les filles de Hangzhou sont généralement trop gâtées, murmurai-je à l'oreille de madame Wu. Vous en avez déjà accueilli une dans votre demeure et vous n'en avez pas été particulièrement enchantée.

— Il faut que vous poussiez vos recherches plus loin, déclara madame Wu à l'entremetteuse. Je cherche quelqu'un qui ait des goûts et des manières modestes, afin de me tenir compagnie dans mon grand âge. Je n'ai plus guère d'années devant moi.

L'entremetteuse monta dans son palanquin et partit explorer la campagne environnante. Quelques rochers judicieusement poussés en travers de la route obligèrent ses porteurs à suivre l'itinéraire souhaité et la conduisirent jusqu'à Gudang. Après avoir mené sa petite enquête, elle fut aiguillée vers la maison des Qian, où vivaient deux femmes aux pieds bandés, sachant lire et écrire. Madame Qian répondit avec chaleur et sincérité aux questions que lui posait l'entremetteuse, concernant sa fille. Elle lui montra même un arbre généalogique où figuraient les ancêtres de Yi depuis trois générations, ainsi que les titres portés par son grand-père et son arrière-grand-père maternels.

— Quelle éducation a-t-elle reçue ? demanda l'entremetteuse.

Madame Qian énuméra les divers talents de sa fille et ajouta :

— Je lui ai enseigné qu'un mari est semblable au soleil, son épouse à la lune. Le soleil ne change pas, il est toujours dans sa plénitude, mais les femmes sont soumises au cycle de la croissance et de la décroissance. Les hommes agissent selon leurs volontés. Les femmes sont régies par leurs émotions. Les hommes décident, les femmes subissent. C'est pour cela que les premiers vivent dans le monde extérieur, et les secondes à l'intérieur de leurs appartements.

L'entremetteuse acquiesça d'un air songeur et demanda qu'on lui présente Yi. En moins de temps qu'il n'en faut pour qu'une chandelle se consume, Yi apparut et répondit à ses questions, on négocia le montant de sa dot et on aborda même la question d'un petit cadeau de mariage supplémentaire. Maître Qian accepta de céder à ce titre cinq pour cent de sa récolte de soie pendant les cinq premières années, ainsi qu'un *mou* de terrain. De surcroît, la jeune fille arriverait dans son nouveau foyer avec plusieurs coffres remplis de vêtements, de draps, de coussins, de chaussons et de divers objets en soie, qu'elle avait elle-même brodés.

Comment l'entremetteuse n'aurait-elle pas été impressionnée ?

— Il est souvent préférable pour une épouse de venir d'un milieu social inférieur, remarqua-t-elle. Cela lui permet de s'adapter plus aisément à son nouveau statut de belle-fille, dans la demeure de son mari.

Une fois de retour à Hangzhou, elle s'empressa de se rendre au domicile de la famille Wu.

— J'ai trouvé la candidate idéale pour un homme qui, comme votre fils, a déjà perdu deux épouses, déclara-t-elle à madame Wu.

Les deux femmes étudièrent ensemble les dates de naissance de Ren et de Yi et comparèrent leurs horoscopes, en s'assurant que leurs Huit Caractères étaient bien en accord. Elles discutèrent aussi pour savoir quels cadeaux de mariage il conviendrait de faire, étant donné que le père était un paysan. Puis l'entremetteuse retourna à Gudang. Elle apportait avec elle de l'argent, des bijoux, quatre jarres de vin, deux rouleaux d'étoffe, des ballots de thé et une cuisse de mouton, afin de sceller l'accord.

Ren et Qian Yi se marièrent dans la vingt-sixième année du règne de l'empereur Kangxi. Le père de Yi était soulagé d'être débarrassé de cette bouche inutile, qu'il n'avait pas désirée. Quant à sa mère, elle savourait ce revirement du destin qui favorisait à nouveau sa lignée. J'avais de nombreux conseils à donner à Yi avant qu'elle ne quitte sa maison natale, mais le jour du départ je laissai à sa mère le soin de lui parler :

— Montre-toi toujours prudente et respectueuse, lui recommanda-t-elle. Fais preuve d'une extrême diligence. Sois la dernière couchée et la première levée, comme tu l'as toujours été. Prépare le thé de ta belle-mère et traite-la avec douceur. Occupe-toi des animaux domestiques, s'il y en a. Ne néglige jamais ton hygiène ni tes vêtements, peigne-toi tous les matins. Ne cède jamais à la colère. Si tu respectes ces préceptes, ta renommée sera grande.

Elle serra sa fille dans ses bras.

— Encore une chose, lui dit-elle doucement. Les événements se sont précipités et j'espère que l'entremetteuse n'a pas commis d'impair dans cette affaire. Si jamais ton mari est pauvre, ne le lui reproche pas. S'il a un pied-bot ou l'esprit un peu lent, ne te plains pas, ne te montre pas déloyale et garde-lui ton affection. Tu n'as personne sur qui t'appuyer, en dehors de lui. Une fois l'eau renversée, nul ne peut la retenir. Le bonheur d'une union relève du hasard. Tu as été une bonne fille, ajouta-t-elle, le visage inondé de larmes. Essaie de ne pas m'oublier complètement.

Sur ces mots, elle rabattit le voile rouge sur le visage de Yi et l'aida à prendre place dans son palanquin. Un petit orchestre jouait de la musique et le responsable du *feng shui* local lançait en l'air des graines, des fèves, des baies et des piécettes en cuivre à titre propitiatoire, afin d'éloigner les esprits malfaisants. Mais je voyais bien qu'il n'y avait pas le moindre spectre à l'horizon, en dehors de moi, et les enfants du village couraient dans tous les sens pour ramasser ces offrandes et les emporter chez eux. Yi quitta son village natal, sans avoir eu son mot à dire dans cette affaire. Elle ne s'attendait pas à recevoir beaucoup d'amour ni d'affection, mais le courage de sa mère demeurait gravé en elle, au fond de son cœur.

La mère de Ren attendait le palanquin devant le portail d'entrée. Elle ne pouvait voir le visage de la jeune fille, mais examina ses pieds et en fut amplement satisfaite. Elles traversèrent toutes les deux la propriété, oscillant comme des lis sur leurs pieds minuscules, et rejoignirent la chambre nuptiale. Madame Wu mit alors entre les mains de sa belle-fille le recueil des instructions confidentielles, destiné aux jeunes mariées.

— Lis bien cela, lui dit-elle. Je te dirai comment tu dois te comporter ce soir. J'espère avoir un petit-fils dans neuf mois.

Quelques heures plus tard, Ren arriva. Je le regardai lorsqu'il souleva le voile de Yi : il sourit en découvrant son beau visage. Il était heureux. Je fis pour eux le vœu des Trois Abondances – une bonne fortune, une longue vie et de nombreux fils – et quittai la pièce.

Je n'allais pas commettre les mêmes erreurs qu'avec Tan Ze. J'avais donc décidé de ne pas m'installer dans la chambre conjugale, afin de ne pas interférer dans les affaires de Ren et de Yi, comme je l'avais fait par le passé. Je me rappelai comment

Liniang avait été attirée par le prunier qu'elle avait aperçu dans le jardin : *Ce serait vraiment un honneur et une chance d'être enterrée à ses pieds*. Elle pensait tenir compagnie aux racines de l'arbre en résidant là. À sa mort, ses parents avaient respecté sa volonté. Plus tard, la vieille nonne avait disposé un rameau de prunier dans un vase et l'avait installé sur l'autel de Liniang. Le fantôme de la jeune femme avait répondu en faisant tomber du prunier une pluie de pétales. Je me rendis sous le prunier érigé au milieu de la propriété des Wu, qui n'avait jamais fleuri ni porté le moindre fruit depuis que j'étais morte. Le fait qu'il soit ainsi à l'abandon me convenait à merveille. Je m'aménageai un petit abri, sous les rochers couverts de mousse qui entouraient le tronc. De cet endroit, je pourrais observer Ren et Yi sans m'immiscer dans leur vie.

Yi s'adapta très vite à son statut d'épouse. Elle connaissait à présent une aisance matérielle bien supérieure à tout ce qu'elle avait pu imaginer, mais cela ne l'empêchait pas de se montrer extrêmement raisonnable. Depuis son enfance, elle manifestait plus d'attrait pour la sérénité intérieure que pour les fastes du monde extérieur. En tant qu'épouse, elle cherchait à séduire son mari autrement que par l'extravagance de ses tenues. Son charme n'appartenait qu'à elle : sa peau était plus lisse que le jade, chaque pas qu'elle faisait en équilibre sur ses pieds minuscules semblait destiné à faire éclore des fleurs autour d'elle – et sa démarche ondoyante avait tant de grâce que le bas de sa jupe traînait derrière elle comme une brume évanescente. Elle ne se plaignait jamais, même lorsque la pensée de sa mère lui étreignait le cœur : dans ces moments-là, au lieu de se mettre à pleurer, de harceler les domestiques ou de briser de la vaisselle, elle se retirait et passait de longues heures assise devant une fenêtre qui donnait au nord, se forçant à rester immobile au milieu des volutes d'encens, inconsciente de ma présence à ses côtés.

Elle apprit à aimer Ren et à respecter madame Wu. Il n'y avait pas de conflits dans les appartements des femmes, parce que Yi faisait tout ce qui était en son pouvoir pour que sa belle-mère soit heureuse. Jamais non plus elle ne se plaignait des deux femmes qui l'avaient précédée en ces lieux. Elle ne nous méprisait pas et n'insultait pas notre mémoire, sous prétexte que nous étions mortes trop jeunes. Elle préférait au contraire distraire son mari et sa belle-mère – qui appréciaient son innocence et sa vivacité – en chantant, en dansant et en jouant de la cithare. Son cœur était suffisamment vaste pour que chacun y trouve sa place. Elle traitait bien les domestiques, avait toujours un mot aimable pour la cuisinière et discutait avec les marchands ambulants comme s'ils étaient ses égaux. Pour toutes ces raisons, sa belle-mère l'appréciait beaucoup et son mari l'adorait. Elle mangeait une nourriture de qualité, brodait les vêtements qu'elle portait et vivait dans une demeure bien plus luxueuse que celle où s'était déroulée son enfance. Et maintenant que je disposais de la bibliothèque de Ren, je pouvais compléter son éducation et lui faire découvrir les textes qu'elle n'avait pas encore pu lire. Mais je n'étais pas la seule à œuvrer dans ce sens.

Je me souvenais de l'époque lointaine où mon père m'avait appris à lire : aussi poussai-je un jour Yi à aller s'asseoir sur les genoux de Ren. Touché par l'innocence et la sincérité de son épouse, Ren lui vint en aide et l'interrogea sur ses lectures, l'obligeant du même coup à développer sa réflexion. Yi devint ainsi une sorte de courroie de transmission, entre Ren et moi : en l'éduquant de la sorte, nous ne faisions plus qu'un. Elle finit par acquérir une grande compétence dans la connaissance des classiques, de la littérature et des mathématiques. Nous étions fiers, Ren et moi, de la voir maîtriser ce savoir aussi vite et avec autant d'aisance.

Elle continuait pourtant de rencontrer des difficultés dans certains domaines. Lorsqu'elle calligraphiait, elle tenait toujours son pinceau d'une manière bizarre, traçant ses caractères d'un geste hésitant et mal assuré. Madame Wu vint nous prêter main-forte sur ce point : à travers elle, je transmis à Yi les leçons que ma cinquième tante m'avait inculquées, en me servant à mon tour de *La Bataille des pinceaux*. Et Yi finit par améliorer son style, comme je l'avais fait moi-même, des années plus tôt. En l'entendant parfois réciter un poème de manière mécanique, comme un perroquet, je me rendais compte que mes efforts n'étaient pas suffisants. Je me souvins alors de Li Shu, la cousine de Ren. J'allai la trouver et elle prit part à son tour à l'éducation de Yi. Bientôt, en l'entendant réciter, nos cœurs s'ouvraient pour accueillir les Sept Émotions et nous étions transportés dans les méandres de nos souvenirs ou de notre imagination. Elle n'en était que davantage aimée dans la maison.

Pas une fois je ne ressentis de jalousie à son égard. Jamais je n'eus envie de lui arracher le cœur, de lui trancher la tête ni d'éparpiller ses membres aux quatre coins de la maison... Jamais non plus je ne lui révélai ma présence ni ne cherchai à m'insinuer dans ses rêves. Mes pouvoirs, en revanche, s'étaient considérablement accrus. Je pouvais par exemple rafraîchir l'eau avec laquelle les deux époux faisaient leur toilette matinale. Lorsque Yi se coiffait, je me glissais dans les dents de son peigne et démêlais sans effort ses cheveux. Lorsque Ren était en déplacement, je lui facilitais la tâche, dégageais le chemin devant lui, écartais les éventuels obstacles et lui permettais de rentrer sain et sauf à la maison. Pendant les jours de canicule, en été, je suggérais à un domestique de glisser une pastèque dans un filet et de la plonger dans le puits. J'allais ensuite m'immerger dans l'eau, afin qu'elle soit glacée. C'était un bonheur pour moi, après le dîner, de voir Ren et Yi déguster la pastèque en se félicitant de sa fraîcheur. Ces petites attentions – parmi beaucoup d'autres – étaient une manière de remercier ma « sœur épouse », qui se montrait si bonne envers Ren et lui apportait le bonheur, après tant d'années de solitude. Mais il ne s'agissait là que de détails mineurs.

Je voulais les remercier de telle sorte qu'ils ressentent le même bonheur que moi, lorsque je voyais Yi assise sur les genoux de Ren, lui expliquant le sens caché d'un texte composé par l'une des poétesses du cercle de la Bananeraie. Que pouvaient-ils vouloir le plus au monde, sinon ce que désirent tous les couples mariés ? Un fils, bien évidemment... N'ayant pas le statut d'ancêtre, je ne pouvais pas exaucer directement leur vœu. Mais lorsque le printemps arriva, un événement miraculeux se produisit : le prunier se retrouva en fleur. Mon pouvoir était devenu tel que j'avais rendu ce phénomène possible. Lorsque les pétales tombèrent et que les fruits commencèrent à se former, je compris que j'allai pouvoir m'arranger pour que Yi soit enceinte.

Des perles dans mon cœur

Je restai fidèle à la promesse que je m'étais faite et j'avais soin de quitter la chambre conjugale dès que Ren et Yi se livraient au jeu des nuages et de la pluie. Mais cela ne m'empêchait pas d'être attentive à ce qui s'y déroulait. Certaines nuits sont peu propices pour s'adonner à ce genre d'ébats. Lorsque le vent soufflait violemment, que le temps était particulièrement pluvieux, qu'il régnait un brouillard intense ou une chaleur inhabituelle, je m'arrangeais pour que Ren et Yi se rendent chez des amis ou assistent à une réunion de poètes. Lorsque le ciel était ébranlé par le tonnerre ou déchiré par les éclairs – et *a fortiori* lorsque nous avions droit à une éclipse ou à un tremblement de terre – je faisais en sorte que Yi ait la migraine. Mais ces circonstances étaient rares et la plupart du temps, le soir, j'attendais que les craquements du sommier se soient tus pour regagner la chambre, en me glissant à travers l'interstice d'une fenêtre.

Je me faisais ensuite toute petite, pénétrais dans le corps de Yi et me mettais au travail, afin que ce soit la bonne graine qui finisse par atteindre son but. Concevoir un enfant ne dépend pas uniquement du jeu des nuages et de la pluie, même si je savais en entendant leurs gémissements que Ren et Yi y prenaient du plaisir. Cela repose aussi sur l'union de deux âmes, qui se rassemblent pour en choisir une autre et la tirer de l'au-delà, afin qu'elle entame une nouvelle vie dans le royaume terrestre. Des mois durant, je cherchai à travers l'océan terrifiant et tourbillonnant des âmes, avant de trouver celle qui convenait. Je la guidai ensuite dans l'épuisant combat qu'il fallait mener pour atteindre l'œuf tapi au fond du ventre de Yi, puis pour y pénétrer. Je me fis encore plus petite, pour aller rassurer le nouvel être qui venait de prendre possession de sa demeure provisoire. Après avoir vérifié qu'il était correctement installé et qu'il ne risquait plus rien, je le laissai, car j'avais d'autres questions à régler.

Lorsque les saignements mensuels de Yi s'interrompirent, une immense allégresse se répandit à travers toute la maison. Mais derrière cette joie planait une sourde inquiétude. La dernière fois qu'une femme avait été enceinte, dans la famille Wu, elle en était morte – et d'une façon telle qu'on pouvait en tenir pour responsable quelque esprit malveillant. Tout le monde admettait qu'en raison de sa constitution fragile, Yi risquait de s'avérer particulièrement vulnérable aux tentatives démoniaques des créatures de l'au-delà.

— On ne se méfie jamais assez de l'esprit d'une épouse défunte, déclara le docteur Zhao lorsqu'il fut appelé en consultation, en même temps que le devin.

J'étais d'accord avec lui, mais je n'étais pas trop inquiète, sachant que Ze était pour l'instant reléguée aux confins du Lac de Sang. Mais ce que le devin ajouta me fit frémir :

— Surtout lorsque celle-ci n'a pas été mariée selon le rite approprié, marmonna-t-il entre ses dents, mais suffisamment fort pour que chacun l'entende.

J'adorais Yi ! Jamais je ne lui aurais fait le moindre mal !

Mais madame Wu serra les poings.

— Je suis de votre avis, dit-elle. Moi aussi, je m'inquiète à propos de cette fille. Sa vengeance s'est déjà exercée à l'encontre de Ze et de son bébé. On peut comprendre ses raisons, mais cette perte a beaucoup affligé mon fils. Dites-nous ce qu'il convient de faire.

Pour la première fois depuis de longues années, je me sentis submergée par la honte. J'ignorais que ma belle-mère me tenait pour responsable de la mort de Ze. Il fallait absolument que je regagne sa confiance. Le meilleur moyen, c'était encore de protéger Yi et l'enfant qu'elle portait contre les risques qui planaient sur eux. Malheureusement, la tâche me fut rendue plus malaisée par les consignes que laissèrent le médecin et le devin, ainsi que par la résistance dont leur patiente faisait preuve, malgré sa fragilité.

Les domestiques fabriquèrent à son intention des charmes et des remèdes de circonstance, mais Yi était trop modeste pour accepter des cadeaux de la part de ces gens, qui étaient plus pauvres qu'elle. Madame Wu voulut l'obliger à garder le lit, mais le respect que Yi témoignait à sa belle-mère était trop grand pour qu'elle renonce à préparer ses repas, à laver et à recoudre ses vêtements, à superviser le ménage de sa chambre ou à lui apporter elle-même de l'eau chaude lorsqu'elle prenait un bain. Ren essayait de dorloter sa femme en lui donnant à manger avec ses propres baguettes, en redressant ses oreillers et en lui massant le dos, mais elle ne tenait pas en place et ne se reposait pas assez à son goût.

De mon point de vue – évoluant dans le monde des démons et des créatures susceptibles de faire du mal aux humains – je savais que ces mesures étaient parfaitement inefficaces. Elles ne faisaient que gêner Yi et l'inquiétaient inutilement.

Un jour, en fin d'après-midi, alors qu'une vague de froid inattendue s'était abattue sur la région et que le devin venait de déplacer le lit de Yi après l'avoir rendue malade à force de brûler de l'encens et de lui marteler le crâne pour activer ses points d'acupuncture – et la prémunir contre mes assauts – je fus prise d'une telle colère que je lançai avec dégoût :

— *Aiya !* Pourquoi ne la laissez-vous pas en paix ? Vous feriez mieux d'organiser un mariage fantôme !

Yi sursauta, cligna plusieurs fois des yeux et quitta la pièce. Le devin – qui n'avait pas une seule fois pressenti ma présence – ramassa ses affaires, fit sa révérence et s'en alla. Restée seule dans la chambre, devant la fenêtre, je décidai d'occuper ce poste jour et nuit, afin de protéger les deux êtres que je chérissais le plus au monde. Yi resta couchée tout l'après-midi. Elle tripotait nerveusement les couvertures, plongée dans ses pensées. Lorsqu'une servante vint lui apporter le dîner, elle avait apparemment pris sa décision.

Une fois que Ren l'eut rejointe, elle lui déclara :

— Puisque tout le monde semble redouter que Tong, ma « sœur épouse », se montre vindicative à mon endroit, tu devrais organiser un mariage fantôme, afin qu'elle prenne la place qui lui revient ici en tant que première épouse.

J'étais tellement stupéfaite que je ne saisis pas sur-le-champ toutes les implications d'une telle déclaration. J'avais lancé cette remarque sous le coup de l'irritation, mais il ne m'était jamais venu à l'esprit que Yi puisse entendre mes paroles – et encore moins qu'elle les prenne au sérieux.

— Un mariage fantôme ? répondit Ren en hochant la tête. Mais les fantômes ne me font pas peur.

Je le fixai intensément, sans toutefois parvenir à déchiffrer ses pensées. Quatorze ans plus tôt, au moment de la mort de Ze, il avait déclaré qu'il ne croyait pas aux fantômes. J'avais cru à l'époque qu'il cherchait surtout à rassurer Ze : mais était-ce la vérité ? Il avait pourtant l'air d'y croire, lorsque j'étais venue le retrouver dans ses rêves – ou lorsque j'avais transformé Ze en épouse docile, prête à satisfaire ses moindres désirs... Par quel miracle sa solitude avait-elle pris fin, selon lui ? Pensait-il que son mariage avec Yi relevait du hasard, ou de la prédétermination ?

J'avais peut-être des doutes au sujet de Ren, mais Yi n'en avait pas, quant à elle. Elle lui sourit d'un air indulgent.

— Tu prétends ne pas avoir peur des fantômes, mais tes appréhensions contaminent toute la maison.

Ren se leva, traversa la pièce et alla se planter devant la fenêtre.

— Cette inquiétude est préjudiciable à notre fils, poursuivit Yi. Fais donc célébrer ce mariage fantôme, tout le monde en sera soulagé. Et si la sérénité revient dans la maison, notre bébé ne s'en portera que mieux.

L'espoir balaya d'un seul coup mes anciennes blessures. Ma belle, ma douce et tendre Yi... De surcroît, elle faisait davantage cette proposition pour ramener la paix dans la maison que pour son propre bénéfice... Je savais que le bébé ne risquait rien. Allais-je enfin avoir droit à mon mariage fantôme ?

Ren agrippa le rebord de la fenêtre. Il paraissait songeur, mais il n'y avait aucune tristesse dans son regard. Percevait-il ma présence ? Savait-il à quel point je l'aimais encore ?

— Je crois que tu as raison, dit-il enfin, d'une voix qui semblait émaner d'un très lointain passé. Pivoine devait être ma première épouse. (C'était la première fois en vingt-trois ans qu'il prononçait mon prénom et une bouffée de joie m'envahit.)

Nous aurions dû procéder à cette cérémonie après sa mort. Mais certains… problèmes se sont présentés et cela ne s'est pas fait. Pivoine était…

Il lâcha le rebord de la fenêtre et se tourna pour regarder sa femme.

— Elle ne te fera aucun mal, dit-il. J'en ai la certitude et tu dois t'en convaincre toi aussi. Mais tu as raison, il faut penser au reste de la maisonnée. Nous allons célébrer ce mariage fantôme et dissiper ainsi la « malédiction » dont on nous croit victimes.

Je plongeai mon visage dans mes mains et me mis à pleurer en silence, submergée de gratitude. J'avais tellement attendu, tellement *désiré* cette union… Si les choses se passaient vraiment ainsi, on allait enfin exhumer ma tablette ancestrale : dès que son texte serait inscrit, je cesserais d'être un fantôme errant. Je pourrais achever mon voyage dans l'au-delà et acquérir le statut d'ancêtre, au titre de première épouse vénérée du fils cadet du clan des Wu. Le fait que ce soit ma « sœur épouse » qui ait suggéré cette solution me remplissait d'une joie plus intense que je ne l'aurais cru possible. Et le fait que Ren ait accepté cette idée provoquait en moi un bonheur indicible : on aurait dit qu'un torrent de perles se déversait dans mon cœur.

Je m'accrochai aux épaules de l'entremetteuse et fis route avec elle, lorsqu'elle se rendit dans la propriété de la famille Chen afin d'y négocier le prix de mon mariage fantôme. Papa avait finalement pris sa retraite et était revenu vivre dans la maison familiale, pour profiter pleinement de ses petits-fils. Il avait toujours l'air digne et sûr de lui, mais je sentais bien derrière cette façade que ma mort continuait de le hanter. Il ne pouvait évidemment pas me voir. J'allais pourtant m'agenouiller devant lui, en signe d'obéissance, et en espérant qu'il me pardonnerait d'avoir douté de lui. Une fois ce rite accompli, j'allai m'asseoir dans un coin et l'écoutai négocier un prix nettement plus élevé que celui auquel il avait consenti de mon vivant. Au début, je ne compris pas pourquoi il agissait ainsi. L'entremetteuse avança une somme inférieure, en faisant appel à son sens du *qing*.

— Les Huit Caractères de votre fille et du fils cadet de la famille Wu étaient en correspondance parfaite. Leur union avait été décidée par le Ciel. Vous ne devriez pas faire preuve d'une telle exigence.

— Ce montant n'est pas négociable, répondit mon père.

— Mais votre fille est morte, rétorqua l'entremetteuse.

— Le temps passé a fait monter les intérêts.

Les négociations échouèrent et j'étais extrêmement déçue. Madame Wu n'apprécia pas, elle non plus, le rapport de l'entremetteuse.

— Faites venir un palanquin, lança-t-elle. Nous retournons immédiatement là-bas.

Lorsque les deux femmes eurent atteint la propriété de la famille Chen et furent descendues de leurs palanquins, des domestiques se hâtèrent de les introduire dans le hall et de leur apporter du thé, ainsi que des serviettes humides pour se rafraîchir le visage après leur équipée le long du lac. Puis on les conduisit dans la bibliothèque de mon père, qui était allongé sur le lit où il avait l'habitude de se reposer jadis, pendant la journée. Ses petits-fils et ses jeunes neveux étaient juchés sur ses genoux et jouaient avec lui, comme une bande de lionceaux. Il demanda à un domestique de faire sortir les enfants et alla s'asseoir à son bureau.

Madame Wu avait pris place sur la chaise dont je me servais jadis, de l'autre côté du bureau. L'entremetteuse s'assit à sa droite, légèrement en retrait, tandis qu'un domestique se plaçait à côté de la porte, attendant les instructions de mon père. Celui-ci se passa la main sur le front avant de caresser sa natte, exactement comme il le faisait dans mon enfance.

— Madame Wu... commença-t-il. Il y a des années que je ne vous ai vue.

— Je ne sors plus guère de chez moi, répondit-elle. Les règles ont changé. Mais autrefois déjà, vous savez que j'évitais généralement le contact des hommes.

— Vous vous êtes montrée digne de votre mari sur ce plan.

— Ce sont la loyauté et l'amitié qui m'amènent aujourd'hui chez vous. Vous semblez avoir oublié que vous aviez promis jadis à mon défunt époux que nos deux familles seraient un jour réunies.

— Je ne l'ai pas oublié. Mais que pouvais-je faire ? Ma fille est morte...

— Cette nouvelle ne m'avait pas échappé, maître Chen. Cela fait vingt-trois ans que je vois mon fils souffrir de cette perte. (Elle se pencha et martela le bureau du doigt, en ajoutant :) Je vous ai envoyé une émissaire en toute confiance et vous me l'avez renvoyée, après lui avoir fait une offre démesurée.

Papa se cala négligemment dans son siège.

— Vous saviez fort bien ce qu'il convenait de faire, ajouta madame Wu. J'étais venue vous voir à plusieurs reprises autrefois pour conclure cette négociation.

Vraiment ? Comment cela avait-il pu m'échapper ?

— Ma fille vaut beaucoup plus que ce que vous m'offrez, dit papa. Si vous voulez que ce mariage ait lieu, il faudra en payer le prix.

Je poussai un soupir, comprenant que mon père me tenait toujours en très haute estime.

— Fort bien, dit madame Wu.

Elle fit la moue et ses yeux s'étrécirent. Je l'avais vue se mettre en colère contre Ze, mais les femmes n'ont pas le droit de manifester leur irritation devant les hommes.

— Sachez simplement que je ne partirai pas d'ici avant que nous n'ayons conclu un accord, reprit-elle. (Elle prit une profonde inspiration avant de poursuivre :) Si vous exigez une telle somme pour ce mariage, il va falloir que vous augmentiez aussi sa dot.

C'était visiblement la réplique que mon père attendait. La discussion s'engagea, chacun renchérissant de son côté. Ils semblaient l'un et l'autre parfaitement rompus à ce genre de transaction – ce qui était un peu étonnant et impliquait qu'ils avaient déjà eu cette conversation dans le passé. Mais si cette découverte me surprenait, elle n'était pas sans me ravir…

Alors qu'ils semblaient sur le point de parvenir à un accord, mon père émit brusquement une nouvelle exigence :

— Il faut que vous me fassiez livrer vingt oies dans un délai de dix jours, dit-il. Sans cela, je m'opposerai à ce mariage.

Ce n'était pas une demande exorbitante, mais madame Wu voulut obtenir quelque chose en échange.

— Je crois me souvenir que votre fille devait jadis venir chez nous en compagnie de sa propre servante. Même à présent, il va bien falloir que quelqu'un s'occupe d'elle, ne serait-ce qu'à travers sa tablette.

Mon père esquissa un sourire.

— J'attendais que vous abordiez cette question, dit-il.

Il fit un geste à l'intention du domestique planté près de la porte. Celui-ci s'éclipsa et revint quelques instants plus tard en compagnie d'une femme qui s'agenouilla et s'inclina devant madame Wu, en frappant le sol du front. Lorsqu'elle releva la tête, je reconnus son visage, malgré les ravages du temps. C'était Branche de Saule.

— Cette servante a récemment réintégré notre maison, reprit mon père. J'avais commis une erreur en la vendant, il y a de nombreuses années. Il est désormais clair à mes yeux que son destin était de rester au service de ma fille.

— Elle est âgée, dit madame Wu. Que vais-je faire d'elle ?

— Branche de Saule a trente-neuf ans. Elle a eu trois fils, qui sont restés auprès de son ancien propriétaire. La femme de ce dernier souhaitait des garçons et ma domestique leur en a donné. Sa beauté est sans doute un peu passée, concéda-t-il, mais elle pourra toujours vous tenir lieu de concubine, le cas échéant. Je vous garantis qu'elle peut encore vous donner des petits-fils.

— Contre vingt oies ? lança madame Wu.

Mon père acquiesça.

Un sourire traversa le visage de l'entremetteuse. Elle allait retirer un coquet bénéfice de cette transaction. Branche de Saule rampa sur le sol et vint poser le front sur les chaussons de madame Wu.

— J'accepte votre offre, dit cette dernière, mais à une condition. Je voudrais que vous répondiez à cette question : pourquoi n'avez-vous pas envisagé de faire célébrer plus tôt ce mariage fantôme ? Une jeune femme est morte à cause de votre refus d'accéder à la proposition que je vous avais faite autrefois. Aujourd'hui, c'est la vie de celle qui porte mon petit-fils qui se trouve menacée. Il était pourtant facile d'éviter tous ces drames. Les mariages fantômes sont monnaie courante. Et cela nous aurait évité bien des ennuis...

— Mais cela n'aurait pas apaisé mon cœur, avoua papa. Je ne pouvais pas laisser partir Pivoine. Sa présence m'a manqué, pendant toutes ces années.

En conservant sa tablette au sein de la famille Chen, j'avais l'impression d'être encore lié à elle.

Pourtant, je n'avais jamais été auprès de lui... Le regard de mon père se brouilla.

— Les années se sont écoulées, dit-il, et j'espérais toujours percevoir sa présence, mais cela n'a jamais été le cas. Aujourd'hui, en voyant que vous m'aviez envoyé cette entremetteuse, j'ai compris qu'il était temps de laisser partir ma fille. Pivoine aurait dû épouser votre fils. Et maintenant... c'est étrange, mais j'ai l'impression de la sentir enfin auprès de moi.

Madame Wu le considéra d'un air désapprobateur.

— Vous auriez dû agir au mieux des intérêts de votre fille, dit-elle, et vous ne l'avez pas fait. Vingt-trois ans, cela représente beaucoup de temps, maître Chen... Oui, beaucoup de temps...

Sur ces mots, elle se leva et quitta la pièce d'une démarche ondulante. Quant à moi, je restai sur place, afin de me préparer à la cérémonie qui m'attendait.

Les mariages fantômes ne sont pas aussi sophistiqués et ne durent pas aussi longtemps que lorsque les deux époux sont en vie. Papa s'occupa de l'envoi des biens, de la nourriture et de l'argent correspondant au montant de ma dot. Madame Wu lui adressa en retour tout ce qui avait été convenu entre eux, pour le prix de mon mariage. Quant à moi, je m'étais coiffée et habillée de mon mieux, avec mes vêtements en lambeaux. J'aurais voulu pouvoir arborer des chaussons neufs, mais je n'en avais pas reçu une seule paire depuis que j'avais quitté la Terrasse des Âmes Perdues.

Le seul véritable problème consistait à remettre la main sur ma tablette ancestrale. Celle-ci devait tenir mon rôle, pendant le mariage, et en son absence la cérémonie ne pouvait avoir lieu. Mais elle avait disparu depuis si longtemps que nul ne savait plus où elle était cachée. Une seule personne à vrai dire en avait connaissance : la vieille Shao, qui avait été au service de ma famille pendant des lustres, d'abord en tant que nourrice, puis comme *amah*. Il y avait belle lurette qu'on ne l'employait plus comme nourrice – et même en tant qu'*amah*, elle n'était plus bonne à grand-chose. Elle avait perdu toutes ses dents, les trois-quarts de ses cheveux et une bonne partie de sa mémoire. Elle était trop vieille pour être vendue, trop insignifiante pour se retirer du monde – et parfaitement incapable de dire où se trouvait ma tablette.

— Cela fait des années que j'ai jeté cette horreur à la poubelle, commença-t-elle par dire. (Une heure plus tard, elle s'était rétractée.) Elle se trouve dans le hall des ancêtres, à côté de celle de sa mère. (Deux heures plus tard, l'histoire avait encore changé.) Je l'ai enterrée sous le prunier, comme dans *Le Pavillon des Pivoines*. C'était là que Pivoine aurait voulu qu'on la mette.

Trois jours plus tard, après que plusieurs domestiques, Bao et mon père lui-même eurent supplié Shao de leur dire où se trouvait cette tablette, usant tour à tour de la douceur et des menaces, la vieille *amah* fondit en larmes et leur avoua qu'elle n'en avait pas la moindre idée.

— Je ne sais plus où je l'ai mise, leur dit-elle. Cessez donc de me tourmenter avec cet affreux objet !

Si elle ne se rappelait plus où elle avait caché ma tablette, comment allait-elle se souvenir que c'était par sa faute que celle-ci n'avait jamais été inscrite ? J'étais presque arrivée au bout de mes peines : je n'allais pas laisser l'affaire capoter au dernier moment sous prétexte qu'une vieille *amah* avait perdu la mémoire et ne se rappelait plus avoir relégué jadis « cet affreux objet » au fond d'une remise, sur une étagère poussiéreuse, derrière une jarre de navets qui macéraient dans du vinaigre…

Je me rendis dans la chambre de Shao. Nous étions en milieu d'après-midi et elle faisait sa sieste. Je m'approchai de son lit et la considérai un instant. Mais lorsque je voulus l'empoigner pour la tirer de son sommeil, mes bras refusèrent de m'obéir. Même maintenant, alors que j'étais à deux doigts de pouvoir enfin mettre un terme à cette situation, il m'était impossible d'intervenir directement pour que le texte de ma tablette soit inscrit. Je renouvelai ma tentative à plusieurs reprises – mais en vain.

Je sentis alors une main se poser sur mon épaule.

— Laisse-nous faire, dit une voix.

Je me retournai et aperçus ma mère et ma grand-mère.

— Vous êtes venues jusqu'ici ! m'exclamai-je. Mais comment avez-vous fait ?

— Tu es la chair de ma chair, répondit maman, issue de ce qu'il y a de plus profondément enfoui en moi. Comment aurais-je pu me contenter d'assister depuis là-haut au mariage de ma fille ?

— Nous avons demandé la permission aux bureaucrates de l'au-delà, expliqua grand-mère. Ils nous ont exceptionnellement autorisées à nous rendre sur terre.

De nouvelles perles jaillirent aussitôt dans mon cœur.

Nous attendîmes que Shao se réveille. Puis ma mère et ma grand-mère se placèrent à ses côtés, l'empoignèrent par les coudes et la conduisirent jusqu'à la remise, où Shao finit par retrouver ma tablette. Maman et grand-mère la relâchèrent alors et allèrent se placer à l'écart. La vieille *amah* épousseta la tablette. Elle n'y voyait plus grand-chose mais allait forcément s'apercevoir que le texte n'avait pas été inscrit et le signaler aussitôt à mon père. Voyant que les choses ne se passaient pas ainsi, je me tournai vers maman et grand-mère.

— Aidez-moi, les suppliai-je. Faites en sorte qu'elle le remarque.

— C'est impossible, me dit maman d'un air navré. Notre mission s'arrête ici, nous ne sommes pas autorisées à intervenir davantage.

Shao emporta la tablette dans mon ancienne chambre. Sur le sol gisait une poupée de taille humaine – fabriquée par les domestiques avec du tissu, de la paille, du bois et du papier – qui devait tenir mon rôle pendant la cérémonie. Elle était étalée sur le dos, le ventre encore ouvert. Branche de Saule venait de dessiner grossièrement deux yeux, un nez et une bouche sur un carton qu'elle colla à l'emplacement du visage, à l'aide de riz gluant. Shao s'agenouilla et glissa ma tablette dans le ventre de la poupée, d'un geste si rapide que Branche de Saule ne le remarqua pas. La vieille *amah* saisit ensuite une aiguille, du fil et recousit la marionnette. Une fois ce travail achevé, elle se releva et alla ouvrir un coffre : à l'intérieur se trouvait ma tenue de mariage, qu'on avait dû entreposer là autrefois, avec le reste de mes affaires.

— Tu l'avais gardée ? demandai-je à ma mère.

— Bien sûr, répondit-elle. Je n'avais pas perdu l'espoir que la situation se normalise un jour.

— Et nous t'avons aussi apporté des cadeaux, ajouta grand-mère.

Elle fouilla dans les replis de sa robe et en sortit des bandages et des chaussons neufs. Maman m'offrit de son côté une tunique et une jupe. Tandis qu'elles m'aidaient à m'habiller, les servantes faisaient de même avec la poupée : elles lui enfilèrent des sous-vêtements, un caraco, puis la jupe de soie rouge où étaient brodés avec soin de minuscules motifs en forme de fleurs et de nuages, mêlés aux symboles du bonheur. Elles lui mirent ensuite sa tunique, dont elles fermèrent soigneusement les attaches. Puis elles s'attaquèrent aux pieds, en mousseline fourrée de paille, serrant les bandages de manière à pouvoir leur passer mes chaussons de mariage en soie écarlate. Ce travail achevé, elles redressèrent la poupée et l'adossèrent au mur, disposèrent sa parure et recouvrirent son visage d'un voile rouge. Si le texte de ma tablette avait été correctement inscrit, rien ne se serait plus opposé à ce que j'investisse la marionnette.

Les servantes quittèrent la pièce. Je m'agenouillai à côté de la poupée, effleurant du doigt la soie et les feuilles d'or de sa parure. J'aurais dû être heureuse, mais je ne l'étais pas. Au moment où ma situation était sur le point de se rétablir, le texte de ma tablette n'avait toujours pas été inscrit et la cérémonie perdait du même coup toute signification.

— Je connais toute l'histoire à présent, me dit maman. Tu ne peux savoir à quel point je suis désolée – d'avoir éprouvé trop de peine pour inscrire le texte de ta tablette, d'avoir laissé Shao l'emporter et de n'avoir jamais interrogé ton père à ce sujet. J'étais convaincue qu'il l'avait emportée avec lui à la capitale.

— Mais ce n'était pas le cas...

— Il ne m'en a rien dit. Je ne lui ai pas posé la question, et tu t'es toi-même abstenue de m'en parler après ma mort. Ce n'est qu'une fois arrivée sur la Terrasse des Âmes Perdues que j'ai appris la vérité. Pourquoi ne m'as-tu rien dit ?

— Je ne savais pas comment m'y prendre, répondis-je. Tu étais un peu désemparée. Et puis, c'était Shao qui...

— Ce n'est pas elle qu'il faut blâmer, m'interrompit maman en chassant cette idée d'un geste de la main. Nous nous sentions tellement coupables, ton père et moi, que nous avions perdu tout sens des responsabilités. Ton père s'estimait coupable de t'avoir mis en tête les idées qui avaient entraîné ta perte, en te parlant sans arrêt du mal d'amour, de Xiaoqing et de Liniang. S'il ne t'avait pas poussée à lire, à réfléchir, à écrire...

— Mais c'est tout cela qui m'a formée ! m'exclamai-je. Et qui a fait de moi celle que je suis.

— Parfaitement, intervint grand-mère.

— Taisez-vous ! lui lança maman (ce qui n'était guère poli). Vous avez semé assez de trouble dans le cœur de cette petite !

Grand-mère serra les dents et détourna les yeux.

— J'en suis désolée, dit-elle. J'ignorais que...

Maman tira sa belle-mère par la manche, pour l'empêcher d'en dire plus.

— Pivoine, poursuivit maman, si tu m'avais écoutée jadis, tu ne serais jamais devenue celle dont je suis si fière aujourd'hui. Toutes les mères se font du souci pour leurs filles – mais moi, cette crainte me paralysait. J'avais des hantises affreuses à ton sujet. Mais le pire, au bout du compte, ce ne fut pas l'épreuve que j'avais endurée jadis : ce fut de t'avoir perdue. Et pourtant, quand je vois aujourd'hui tout ce que tu as accompli, l'épanouissement que t'a apporté ton amour pour Ren... Quand j'avais écrit ce poème, sur un mur de Yangzhou, j'étais mue par la peur et le désespoir : je ne pensais plus à tout ce qui avait été une source de bonheur dans ma vie. Nous avions voulu être entendues, ta grand-mère et moi, comme tant de femmes avant nous. Nous étions sorties dans le monde et les choses s'étaient mises à changer. Mais la seule fois où l'on a vraiment entendu ma voix, à travers ce douloureux poème, c'était la mort que j'appelais... Toi, tu as connu un destin différent : après ta mort, tu es devenue une femme admirable. Et puis, tu avais ce projet...

Je ne pus réprimer un geste de surprise. Maman avait jadis brûlé mes livres et désapprouvait le culte que je vouais au *Pavillon des Pivoines*.

— Il y a tant de choses dont tu ne m'as pas parlé, Pivoine… (Ma mère poussa un soupir de tristesse.) Et nous avons perdu tellement de temps…

C'était la vérité, et jamais nous ne pourrions le rattraper. Je serrai les dents et ravalai des larmes de regret. Maman me tapota la main pour me consoler.

— Quand j'étais encore en vie, dit-elle, j'ai entendu parler du commentaire que Ren avait consacré au *Pavillon des Pivoines*. En le lisant, j'ai cru entendre ta voix. Je savais que c'était impossible, aussi ai-je mis cela sur le compte de la douleur maternelle. C'est seulement en retrouvant ta grand-mère sur la Terrasse des Âmes Perdues que j'ai appris la vérité.

— Allons, la poussa grand-mère, dis-lui donc la vraie raison de notre venue.

Maman prit une profonde inspiration.

— Il faut que tu achèves ton projet, me dit-elle. Ce que tu as conçu excède largement l'inscription tracée sur un mur par une femme acculée au désespoir. Ton père et moi, ta grand-mère, l'ensemble de ta famille, tout le monde sera fier de toi – aussi bien ceux qui vivent ici, dans le royaume terrestre, que les générations d'ancêtres qui veillent sur toi.

Je réfléchis à ce que ma mère venait de dire. Pour avoir voulu qu'on l'entende, ma grand-mère n'avait récolté qu'une réputation usurpée de martyre. Ma mère avait souhaité la même chose et s'était égarée en chemin. À mon tour j'avais voulu être entendue – mais par un seul homme. Ren me l'avait demandé, dans le pavillon de la Contemplation lunaire – il avait *désiré* que je parle et m'en avait offert la possibilité, alors que toute la société autour de moi – y compris mon père et ma mère – aurait préféré que je reste muette.

— Mais, répondis-je, comment pourrais-je m'y remettre après tout ce qui…

— J'ai failli mourir pour écrire mon poème, m'interrompit ma mère. Et toi, tu es morte pour de bon en composant ce commentaire. Il aura fallu que je ne sais plus combien d'hommes me passent sur le corps pour que je finisse par inscrire ces mots sur un mur. Et je t'ai vue dépérir de mes propres yeux, tandis que les mots que tu traçais détruisaient inexorablement ton *qi*. Longtemps je me suis demandé si ce n'était pas ce sacrifice qu'on exigeait de nous... Ce n'est qu'après t'avoir vue t'occuper de Yi, ces dernières années, que j'ai compris que l'écriture ne requérait pas un tel sacrifice. Peut-être s'agit-il d'un simple don, qui nous permet de vivre nos émotions par le biais du pinceau, de l'encre et du papier. J'avais écrit, poussée par la tristesse et la haine. Tu as écrit sous l'empire du désir, de l'amour et du bonheur. Nous avons payé un lourd tribut l'une et l'autre pour avoir laissé parler notre âme, pour avoir libéré notre cœur et tenté de créer quelque chose. Mais cela en valait la peine – tu ne trouves pas, ma fille ?

Je n'eus pas le loisir de répondre. J'entendis des éclats de rire dans le couloir et la porte s'ouvrit brusquement, livrant passage à mes quatre tantes et à mes cousines – Fleur de Genêt, Lotus et Orchidée – accompagnées de leurs filles. Mon père leur avait demandé de venir afin que les choses se déroulent comme s'il s'agissait d'un vrai mariage. Elles apportèrent deux ou trois retouches à la poupée, ajustant les plis de sa jupe, lissant la soie de sa tunique et rajoutant quelques plumes de martin-pêcheur à celles qui ornaient déjà sa coiffure.

— Vite ! lança grand-mère tandis que retentissaient les cymbales et les tambours. Dépêche-toi !

— Mais ma tablette...

— Tu verras cela plus tard. Pour l'instant, profite autant que possible de ton mariage, car il ne se reproduira pas – même s'il ne ressemble pas à celui dont tu rêvais jadis, seule dans ton lit...

Elle sourit d'un air entendu, avant de frapper dans ses mains.

— Allez, dépêche-toi ! répéta-t-elle.

Je me souvenais parfaitement de ce que j'étais censée faire. Je m'inclinai trois fois devant ma mère, puis devant grand-mère, en les remerciant de ce qu'elles avaient fait pour moi. Elles m'embrassèrent et me conduisirent auprès de la poupée. Le texte de ma tablette n'étant pas inscrit, je ne pouvais pas me glisser à l'intérieur : je me contentai donc de me lover autour d'elle.

Grand-mère avait raison : il fallait que je profite de cette occasion – ce qui ne s'avéra pas très difficile... Mes tantes me complimentèrent pour ma beauté. Mes cousines s'excusèrent de l'attitude qu'elles avaient eue jadis à mon égard. Leurs filles regrettèrent de n'avoir pas pu me connaître. Ma deuxième et ma quatrième tantes me soulevèrent ensuite et m'installèrent sur une chaise, avant de me faire quitter la chambre. Maman et grand-mère se joignirent à la procession et toutes les femmes de la famille Chen traversèrent les couloirs, longèrent les pavillons et le bassin, puis rejoignirent le hall des ancêtres. Au-dessus de l'autel, à côté des rouleaux représentant mes grands-parents, était désormais accroché un portrait de ma mère au temps de sa jeunesse, les cheveux relevés en chignon, la peau diaphane, les lèvres pleines et le sourire radieux. Elle devait avoir cette allure lorsqu'elle avait épousé mon père.

Sur la table de l'autel, les divers ingrédients avaient été disposés dans un désordre volontaire, pour indiquer qu'il ne s'agissait pas d'un mariage ordinaire. Sept bâtonnets d'encens se consumaient dans chacun des trois braseros. Les mains de papa tremblèrent lorsqu'il remplit les neuf coupes de vin à l'intention des dieux et des déesses, puis les trois qui étaient destinées à mes ancêtres. Il posa à côté cinq pêches et onze melons.

Ma chaise fut ensuite soulevée et je fus conduite jusqu'au portail de l'entrée, construit pour résister au feu. J'avais si longtemps désiré en franchir le seuil pour me rendre dans la demeure de mon mari – et cela arrivait enfin... Respectant une tradition propre aux mariages fantômes, Branche de Saule brandit au-dessus de ma tête un panier servant à vanner le riz, afin qu'on ne puisse pas me voir depuis le ciel. On m'installa ensuite dans un palanquin vert, et non pas rouge. Des porteurs m'emmenèrent. Nous longeâmes le lac et remontâmes le mont Wushan jusqu'au domicile de mon mari. La porte du palanquin s'ouvrit : on m'en extirpa, avant de m'installer sur une nouvelle chaise. Maman et grand-mère se tenaient sur les marches, à côté de madame Wu, qui m'accueillit selon la tradition. Elle se tourna ensuite vers mon père pour le remercier. En général, lors des mariages fantômes, les parents sont tellement soulagés de voir cette horrible poupée quitter leur maison qu'ils restent chez eux pour fêter son départ de leur côté. Mais mon père avait tenu à m'accompagner et son palanquin avait suivi le mien, afin de faire savoir à tout Hangzhou que le mariage de sa fille – issue de l'une des familles les plus riches et les plus respectées de la région – avait enfin été célébré. Tandis que je franchissais le seuil de la demeure des Wu, les perles qui s'étaient accumulées dans mon cœur débordèrent et mon bonheur se répandit à travers toute la propriété.

La procession des vivants et des morts gagna le hall des ancêtres de la famille Wu, où les ombres que projetaient les grands cierges rouges s'étiraient sur les murs. Ren nous y attendait et en l'apercevant je fus submergée par une intense émotion. Il portait les vêtements de mariage que j'avais brodés pour lui jadis. À mes yeux de fantôme, il représentait la beauté humaine incarnée. Une seule chose le distinguait des mariés ordinaires : ses gants noirs, rappelant à l'assistance que cette cérémonie – aussi joyeuse fût-elle, en ce qui me concernait – était liée au monde invisible et aux ténèbres.

La cérémonie eut lieu. Les domestiques soulevèrent ma chaise et l'inclinèrent, pour que je puisse saluer mes nouveaux ancêtres en même temps que mon époux. Ce geste accompli, j'avais officiellement quitté ma famille natale pour être unie à celle de mon mari. Un plantureux banquet fut ensuite servi, pour lequel on n'avait pas lésiné sur la dépense. Mes oncles et mes tantes – ainsi que leurs filles, leurs maris et leurs enfants – arrivèrent à leur tour et remplirent bientôt les tables. Toujours aussi bedonnant, Bao s'assit en compagnie de son épouse et de leurs fils, aussi rondouillards que leur père. Même les concubines de la famille Chen étaient présentes, bien qu'on les eût reléguées à une table à part, dans le fond de la salle. Mais elles papotaient ensemble, heureuses d'avoir pu profiter d'une telle excursion. On m'avait réservé la place d'honneur, où j'étais assise entre mon père et mon mari.

— Autrefois, certains membres de ma famille m'ont reproché de marier ma fille à un homme dont le statut social était inférieur au mien, dit mon père à Ren après qu'on eut déposé sur la table le dernier des treize plats prévus. Et il est vrai que nos fortunes et nos positions respectives n'étaient pas identiques. Mais j'aimais et respectais ton père. C'était un homme bon. En vous regardant grandir tous les deux, Pivoine et toi, je savais que vous étiez assortis à la perfection. Elle aurait été très heureuse avec toi.

— Et j'aurais été très heureux avec elle, répondit Ren. (Il leva sa coupe, but une gorgée et ajouta :) Maintenant, elle sera pour toujours à mes côtés.

— Prends soin d'elle.

— Je n'y manquerai pas.

Après le banquet, on nous conduisit jusqu'à la chambre nuptiale, Ren et moi. La poupée qui me représentait fut étendue sur le lit, puis toute l'assemblée quitta la pièce. Un peu nerveuse, j'allai rejoindre ce mannequin inerte sur le lit et regardai Ren, qui avait entrepris de se dévêtir. Il considéra pendant un bon moment le visage dessiné à traits grossiers. Puis il vint s'allonger à son tour sur le lit.

— Je n'ai jamais cessé de penser à toi, murmura-t-il. Et jamais cessé de t'aimer. Tu es l'épouse de mon cœur.

Puis il tendit les bras et serra la poupée contre lui.

Le lendemain matin, Branche de Saule frappa doucement à la porte. Déjà levé et assis près de la fenêtre, Ren lui dit d'entrer. Elle pénétra dans la chambre, suivie par ma mère et ma grand-mère, et posa sur la table un plateau contenant du thé, deux tasses et un couteau. Après avoir servi le thé, elle se dirigea vers le lit et entreprit de déboutonner la tunique de la mariée.

Ren se leva aussitôt.

— Que faites-vous ? lança-t-il.

— Je suis venue chercher la tablette de ma petite demoiselle, répondit respectueusement Branche de Saule. Il faut maintenant qu'elle prenne place sur l'autel ancestral de votre famille.

Ren traversa la pièce et lui prit le couteau des mains.

— Je ne veux pas qu'on l'abîme, dit-il en regardant la poupée. J'ai attendu longtemps pour épouser Pivoine. Et je la garderai auprès de moi, telle qu'elle est aujourd'hui. Préparez une chambre pour elle. C'est là que nous l'honorerons à l'avenir.

J'étais touchée par son idée, mais les choses ne pouvaient pas se passer ainsi… Je me tournai vers maman et grand-mère.

— Et ma tablette ? leur demandai-je.

Elles eurent un geste d'impuissance et leurs contours ne tardèrent pas à s'estomper, avant de disparaître. Ce fut ainsi que se termina mon mariage – et mon heure de bonheur suprême.

Comme Yi l'avait prédit, ce mariage fantôme apaisa les craintes qui régnaient dans la maison et chacun retourna à ses occupations habituelles, en laissant croître le bébé en paix. Ren fit préparer une très jolie chambre donnant sur le jardin, où fut installée la poupée qui me représentait, et confia à Branche de Saule le soin de s'occuper d'elle. Il venait me voir tous les jours, restant parfois une heure ou deux à mes côtés, à lire et à écrire. Yi respecta la tradition en me traitant comme la première épouse en titre, faisant des offrandes et récitant des prières à mon intention. Pourtant, au fond de moi, je me morfondais en silence. J'aimais cette famille et le mariage fantôme que j'avais appelé de mes vœux avait enfin eu lieu : mais tant que le texte de ma tablette n'était pas inscrit je demeurais un fantôme errant, même si je disposais des vêtements neufs, des bandages et des chaussons que m'avaient offerts ma mère et ma grand-mère. Et j'évitais de songer à la requête que celles-ci m'avaient faite, concernant la reprise de mon projet, tant que Yi n'avait pas mis son enfant au monde.

Le dernier mois de grossesse arriva. Yi s'était abstenue de se laver les cheveux pendant vingt-huit jours, comme le voulait la tradition. J'avais veillé à ce qu'elle se repose, ne monte aucun escalier et mange légèrement. Lorsque le moment fatidique approcha, madame Wu fit célébrer une cérémonie spéciale, destinée à se concilier les bonnes grâces des démons qui cherchent à s'emparer de la vie des femmes en couches. Elle disposa sur une table de la nourriture, de l'encens, des bougies, des fleurs, des faux billets et deux crabes vivants. Des formules de protection furent psalmodiées. Une fois la cérémonie terminée, madame Wu demanda à Branche de Saule de jeter les crabes dans la rue, afin qu'ils partent au loin, en emportant les démons avec eux. La cendre de l'encens fut recueillie dans du papier et placée au-dessus du lit de Yi, où elle allait rester pendant les trente jours qui suivraient la naissance de l'enfant, pour éviter de terminer ses jours aux confins du Lac de Sang. Malgré toutes ces précautions, l'accouchement ne s'avéra pas facile.

— Un esprit malfaisant empêche l'enfant de venir au monde, déclara la sage-femme. Il s'agit d'un démon particulier – qui est peut-être venu réclamer une dette impayée dans une vie antérieure.

Je quittai la pièce, craignant qu'il s'agisse de moi, mais en entendant les cris de Yi empirer, je me hâtai de regagner la chambre et elle se calma aussitôt. Tandis que la sage-femme lui épongeait le front, je regardai autour de moi. Je ne voyais rien d'anormal, mais je percevais une présence maléfique, invisible et hors d'atteinte.

Yi s'affaiblissait. Lorsqu'elle se mit à appeler sa mère, Ren alla chercher le devin. Après avoir évalué la situation – le lit en désordre, le sang qui maculait les cuisses de Yi, la sage-femme à court d'idées... – celui-ci ordonna de dresser un nouvel autel. Il inscrivit trois charmes sur des bandes de papier jaune, larges de sept centimètres et d'un mètre de long. Il suspendit la première au-dessus de la porte, pour écarter les mauvais esprits, plaça la deuxième autour du cou de Yi et fit brûler la troisième, dont il mélangea ensuite les cendres dans un peu d'eau. Il fit boire cette décoction à Yi, puis brûla des faux billets et psalmodia des exorcismes en martelant la table, pendant plus d'une demi-heure.

Mais le bébé souffrait toujours. Quelque chose l'entravait, qu'aucun d'entre nous n'arrivait à percevoir – et moins encore à dissiper.

Le devin finit par déclarer :

— L'enfant s'est accroché aux entrailles de sa mère. Un esprit maléfique cherche à s'emparer de sa vie.

Il avait tenu le même discours jadis, au chevet de Ze, et je compris qu'il fallait que j'intervienne, quitte à tenter une démarche aussi périlleuse que radicale. J'ordonnai au devin de poursuivre ses incantations, à madame Wu de masser le ventre de Yi avec de l'eau tiède et à Branche de Saule de soutenir la jeune femme, en se plaçant derrière elle. Quant à la sage-femme, elle devait maintenir ouvert l'orifice par lequel allait arriver l'enfant. Cela fait, je me glissai à l'intérieur et remontai dans les profondeurs de ses entrailles, jusqu'à me trouver nez à nez avec le fils de Ren. Le cordon s'était en effet enroulé autour de son cou et l'étranglait un peu plus à chaque nouvelle contraction. Je saisis l'une de ses extrémités et parvins à le desserrer un peu : le bébé réagit en gigotant dans tous les sens. L'endroit n'avait rien de chaleureux ni d'hospitalier, il régnait au contraire un froid glacial. Je me glissai sous le cordon et réussis à alléger la pression qu'il exerçait sur le cou du bébé, puis saisis l'autre extrémité et tirai de toutes mes forces, parvenant afin à le dégager. Nous nous dirigeâmes ensuite de concert vers la sortie. J'absorbai la violence des contractions, pour qu'elles épargnent le fils de Ren – et celui-ci finit par atterrir dans les mains de la sage-femme. Mais notre joie fut de courte durée.

En effet, après avoir poussé son premier cri et avoir été posé sur le ventre de sa mère, le corps du bébé était devenu tout bleu et bizarrement léthargique. Il ne faisait aucun doute à mes yeux qu'il avait subi des influx défavorables et je craignais que cela ne s'avère irrémédiable. Je n'étais pas la seule à me faire du souci. Madame Wu, Branche de Saule et la sage-femme aidaient le devin à accomplir de nouveaux rites protecteurs. Madame Wu alla chercher un pantalon de son fils et le suspendit à l'extrémité du lit. Puis elle s'assit à la table, traça sur une feuille de papier rouge quatre caractères qui signifiaient : *toutes les influences néfastes doivent se cacher dans ce vêtement*, avant de glisser le papier dans le pantalon.

Cela fait, madame Wu et la sage-femme lièrent les pieds et les mains du nourrisson avec une cordelette rouge à laquelle avait été fixée une pièce de monnaie. Celle-ci tenait lieu de talisman, tandis que le fait d'être ligoté empêcherait l'enfant de se montrer désobéissant, tant dans cette existence que dans celles qui l'attendaient par la suite. Branche de Saule saisit la bande de papier enroulée autour du cou de Yi et la plia pour en faire un petit chapeau, qu'elle plaça sur la tête du bébé afin que la protection se transmette de la mère à l'enfant. Pendant ce temps, le devin avait repris la bande qu'il avait suspendue au-dessus de la porte et l'avait brûlée, avant de mélanger ses cendres dans de l'eau. Trois jours plus tard, cette décoction servit à faire la première toilette du nourrisson. Lorsqu'il eut été purifié de la sorte, sa teinte bleutée s'estompa enfin, mais sa respiration restait toujours aussi ténue. Le fils de Ren avait besoin d'autres talismans et je m'assurai qu'ils avaient été correctement réunis, dans une pochette que l'on suspendit ensuite au-dessus de la porte, à l'extérieur de la chambre : il y avait là des poils recueillis dans les recoins des pièces, qui l'empêcheraient d'avoir peur de l'aboiement des chiens ou du miaulement des chats ; du charbon, destiné à le rendre intrépide ; des oignons, qui développeraient sa vivacité d'esprit ; et des pelures d'orange, qui lui apporteraient fortune et gloire.

La mère et l'enfant passèrent le seuil fatidique des quatre premières semaines. Une grande fête fut organisée, au terme de ce premier mois. Il y avait des œufs couvés et des gâteaux sucrés en abondance. Les femmes vinrent pousser des « Oh ! » et des « Ah ! » au-dessus du berceau de l'enfant. Les hommes congratulèrent Ren en vidant des coupes de vin et en lui donnant de grandes claques dans le dos. Un banquet fut servi, puis les femmes se retirèrent dans les appartements intérieurs, autour de Yi et du bébé, s'échangeant les dernières nouvelles et les détails de la visite que l'empereur Kangxi venait de faire à Hangzhou.

— Il voulait impressionner tout le monde avec son prétendu amour des arts, se plaignit Li Shu, mais chaque pas qu'il a fait au cours de ce voyage a coûté une once d'argent au peuple de notre région. L'itinéraire qu'il a emprunté avait été pavé de jaune, aux couleurs impériales. Et il a fallu sculpter des dragons sur les balustrades de tous les édifices qu'il a visités.

— L'empereur avait organisé un grand spectacle, ajouta Hong Zhize. (J'étais heureuse de voir que la fille de Hong Sheng était devenue une belle jeune fille, doublée d'une poétesse accomplie.) Il a lui-même galopé sur son destrier en décochant des flèches qui ont toutes atteint leur cible. Même lorsque le cheval ruait, l'empereur réussissait son tir. Cela a donné des idées à mon mari. Le soir même, ses flèches ont elles aussi atteint leur but…

Encouragées par cette confidence, d'autres femmes avouèrent que les exploits de l'empereur avaient également stimulé leurs maris.

— Il ne faudra pas s'étonner si nous avons d'autres naissances à célébrer d'ici neuf mois, ajouta l'une d'elles.

Sa déclaration fut saluée par un éclat de rire général. Li Shu leva la main, pour ramener le calme. Elle se pencha, baissa la voix et confia :

— L'empereur a dit que cela marquait le début d'une ère de prospérité, mais je suis un peu inquiète. Il est tout à fait hostile au *Pavillon des Pivoines*, prétendant que cet opéra incite les jeunes filles à la débauche et met beaucoup trop en valeur le *qing*. Les censeurs n'ont pas manqué de saisir ce prétexte et empuantissent à nouveau les rues en y déversant leur fumier moralisateur.

Les femmes essayèrent de se rassurer mutuellement, mais leurs voix trahissaient leur trouble et leurs inquiétudes. Ce qui caractérisait au début les propos d'un ou deux maris isolés était en train de devenir une véritable politique impériale.

— Personne ne nous empêchera de lire *Le Pavillon des Pivoines*, ni quoi que ce soit d'autre, déclara Li Shu avec une véhémence dont chacun sentait bien qu'elle était un peu forcée.

— Mais jusqu'à quand ? demanda Yi d'une voix attristée. Je n'ai pas encore eu le loisir d'en prendre connaissance.

— Tu le liras.

C'était Ren qui venait de prononcer ces mots, sur le seuil de la pièce. Il s'avança, saisit son fils et le souleva un instant, avant de le poser dans le creux de ses bras.

— Tu as consacré de longues heures à l'étude pour parvenir à déchiffrer et à comprendre les choses qui me sont chères, dit-il à sa femme. Et aujourd'hui, tu m'as donné un fils. Comment refuserais-je de partager avec toi des choses qui ont tant de valeur à mes yeux ?

La salle des Nuages

Les paroles de Ren avaient ravivé le désir qui demeurait en moi d'achever un jour mon projet, mais je n'étais pas tout à fait prête – et Yi l'était encore moins. Plus de vingt-trois années s'étaient écoulées depuis que j'avais assisté à la représentation de cet opéra. Durant ce temps, j'estimais avoir réussi à maîtriser mes pulsions et mes pouvoirs les plus dangereux, mais avec l'arrivée du bébé, je ne voulais pas prendre le moindre risque. Quant à Yi, elle avait besoin de poursuivre ses études avant d'apprécier toutes les nuances du *Pavillon des Pivoines*. Je mis Li Shu, Ren et sa mère à contribution, pour m'aider à former ma « sœur épouse ». Deux autres années s'écoulèrent ainsi, au cours desquelles je m'occupai de la famille Wu, sans le moindre incident notable. Au bout de tout ce temps, j'autorisai enfin Ren à confier à Yi le volume sur lequel nous avions jadis travaillé, Ze et moi.

Chaque matin, après s'être habillée, Yi se rendait au jardin pour cueillir une pivoine. Elle faisait ensuite halte à la cuisine, pour y prendre une pêche, un bol de cerises ou une tranche de melon. Après avoir donné ses instructions à la cuisinière, elle allait porter ses offrandes dans le hall des ancêtres. Elle commençait par allumer de l'encens et présentait ses respects aux ancêtres des Wu. Puis elle déposait le fruit qu'elle avait choisi devant la tablette de Ze. Une fois ces devoirs accomplis, elle se rendait dans la chambre où était installée la poupée qui me représentait et plaçait dans un vase la pivoine qu'elle avait cueillie. Elle s'adressait à ma tablette ancestrale, restée dans le ventre de la poupée, et lui parlait des espoirs qu'elle nourrissait pour son fils et du soutien dont elle avait besoin, tant de la part de son mari que de sa belle-mère : aussi espérait-elle qu'ils continueraient l'un et l'autre à jouir d'une bonne santé.

Nous nous rendions ensuite dans l'un des kiosques du jardin, où Yi ouvrait *Le Pavillon des Pivoines* et étudiait les divers commentaires relatifs à l'amour qui avaient été inscrits dans les marges de l'ouvrage. Elle lisait jusque tard dans l'après-midi. Ses cheveux dénoués lui tombaient dans le dos, sa robe flottait autour d'elle, ses lèvres esquissaient parfois une moue, à la lecture de tel ou tel passage. D'autres fois, elle s'attardait sur un vers, fermait les yeux et demeurait parfaitement immobile, pour mieux s'imprégner de son sens et de sa profondeur. Lorsque j'avais vu l'opéra, je me souvenais que l'actrice qui tenait le rôle de Liniang adoptait la même attitude : son immobilité aidait les spectateurs à découvrir en eux leurs émotions les plus enfouies. Tout cela était peut-être du domaine du rêve – mais sans ce dernier, qu'est-ce qui nous donnerait l'espoir, la force et le désir de vivre ?

Parfois, je poussais Yi à interrompre un moment sa lecture pour se mettre en quête de Ren, de madame Wu ou de Li Shu. Je l'incitais à les interroger sur l'opéra, sachant que plus elle en apprendrait à ce sujet, plus grande serait son ouverture d'esprit. Je voulais notamment qu'elle se renseigne sur les femmes qui avaient écrit d'autres commentaires de ce genre : mais lorsqu'elle apprit que leurs écrits s'étaient perdus ou avaient été détruits, sa perplexité ne fit que croître.

— Comment se fait-il, demanda-t-elle un jour à Li Shu, que tant de pensées et de réflexions dues aux femmes aient connu le même sort que des fleurs balayées par le vent, qui disparaissent sans laisser de traces ?

Sa question me surprit – justement parce qu'elle témoignait du chemin qu'elle avait parcouru.

La curiosité de Yi ne la poussait jamais à se montrer indiscrète, arrogante ni oublieuse de ses devoirs en tant qu'épouse, que belle-fille et que mère. Cet opéra l'intéressait, mais je veillais à ce que cela ne tourne pas à l'obsession. À travers elle, j'en appris beaucoup plus sur l'amour et la vie que du temps où j'étais encore de ce monde, ou lorsque j'avais guidé ma première « sœur épouse ». Ma conception adolescente de l'amour romantique – ou, plus tard, de l'amour sexuel – était décidément derrière moi. Yi m'apprit à comprendre et à apprécier l'amour qui vient du cœur.

Je l'avais vue sourire d'un air indulgent lorsque Ren avait déclaré qu'il n'avait pas peur des fantômes, dans le but d'apaiser les craintes de son épouse pendant sa grossesse. Par la suite, elle l'avait regardé avec tendresse jouer avec leur fils, lui construire des cerfs-volants ou lui apprendre à se comporter en homme responsable, le jour où sa mère serait devenue veuve. Et elle l'avait félicité pour ses réussites, aussi modestes soient-elles. Ren n'était ni le grand poète que j'avais imaginé jadis, ni le lettré médiocre que Ze cherchait à humilier. C'était un homme, tout simplement, avec ses qualités et ses défauts. À travers Yi, je comprenais que l'amour qui vient du cœur consiste à aimer quelqu'un en dépit et en raison de ses limites.

Un jour, après des mois de lecture et de réflexion, Yi se dirigea vers le prunier où j'avais élu domicile.

Elle versa une libation sur les racines de l'arbre et déclara :

— Cet arbre est le symbole de Du Liniang et je viens lui offrir mon cœur. Que cela puisse me rapprocher de mes deux « sœurs épouses ».

Dans la pièce, Liniang répondait à un geste du même ordre par une pluie de pétales. J'étais trop circonspecte pour me livrer à une telle exhibition, mais l'offrande de Yi me prouvait qu'elle était prête à se mettre à écrire. Je la guidai le long du couloir, jusqu'à la salle des Nuages. La pièce était de taille modeste, mais absolument ravissante. Les murs étaient peints de la couleur du ciel, les fenêtres munies de vitres bleutées. Des iris blancs disposés dans un vase en porcelaine trônaient sur un bureau d'une sobre élégance. Yi s'assit, munie de notre exemplaire du *Pavillon des Pivoines*, prépara de l'encre et saisit son pinceau. Je me penchai pardessus son épaule : elle s'était arrêtée sur la scène où le fantôme de Liniang vient séduire Mengmei. Elle écrivit :

> Le caractère de Liniang transparaît dans la mélancolie qui l'habite quand elle s'approche du lettré. Sa condition est celle d'un fantôme, mais sa nature est chaste.

Je jure que ce n'était pas moi qui lui avais dicté ces mots. Elle les avait composés spontanément, mais ils reflétaient l'opinion que j'avais fini par me forger. Ce qu'elle écrivit ensuite me convainquit que ses préoccupations étaient bien différentes de celles que j'avais pu nourrir lorsque j'étais alitée, des années plus tôt :

> Une mère doit faire preuve de la plus extrême prudence lorsque sa fille commence à songer au jeu des nuages et de la pluie.

Elle pensait à ses rêves d'adolescence et aux réalités plus immédiates de sa vie d'adulte.

> Liniang fait preuve de modestie – voire d'une certaine timidité – quand elle affirme qu'« un fantôme sans substance peut céder à la passion ; mais qu'une femme doit scrupuleusement respecter les rites ». Elle n'est en rien licencieuse. C'est une femme réelle, qui a envie d'être aimée comme une épouse.

Comme ces mots faisaient écho à mes propres pensées ! J'étais morte très jeune, mais au fil de mes errances j'avais fini par comprendre la spécificité du statut d'épouse – et ce qui la distingue de la jeune fille qui rêve, enfermée dans sa chambre.

Tan Ze avait imité mon style calligraphique, en rédigeant ses commentaires. Comment aurait-elle pu faire autrement, alors que c'était moi qui guidais sa main, le plus souvent ? J'avais espéré qu'en découvrant cette écriture – semblable à la mienne au point de s'y confondre – Ren comprendrait que j'en étais l'unique auteur. Mais je ne me souciais plus de ce genre de choses, à présent. Je voulais que Yi éprouve de la fierté en réalisant ce travail.

Elle rédigea encore quelques phrases et les signa de son nom. Ça alors ! Je n'avais jamais rien signé, pour ma part, et n'aurais sûrement pas laissé Ze se permettre une pareille fantaisie…

Au fil des mois suivants, Yi se rendit quotidiennement dans la salle des Nuages pour ajouter de nouveaux commentaires dans les marges du livre. Et peu à peu, une sorte de dialogue s'instaura entre nous. Je lui chuchotais à l'oreille – et elle écrivait :

> Le chant plaintif des oiseaux et des insectes, le chuintement du vent balayant des bourrasques de

pluie. L'ombre spectrale qu'on déchiffre dans les mots et entre les lignes d'un texte.

Après avoir précisément formulé ma pensée, Yi trempait à nouveau son pinceau dans l'encre et ajoutait ses propres réflexions :

> Lire de tels propos, seule par une nuit sombre, est un peu inquiétant.

Elle faisait appel à sa propre expérience lorsqu'elle écrivait :

> De nos jours, de nombreux mariages sont reportés parce que les gens se montrent pointilleux et veulent récupérer des dots exorbitantes. Quand cela changera-t-il ?

Comment ne voyait-elle pas que c'était l'amour – et non pas l'argent, le statut social ou les relations familiales – qui devait fonder le mariage, alors qu'elle en était elle-même l'illustration ?

Parfois, ses mots me faisaient penser à des fleurs, jaillies au fil du pinceau :

> C'est à cause d'un rêve que Mengmei a changé son nom et que Liniang est tombée malade. Chacun d'eux avait sa passion, son rêve propre. Mais ils ont pris l'un et l'autre leur rêve au sérieux – et comme une donnée objective. Un fantôme est semblable à un rêve – et un rêve n'est guère plus qu'un fantôme.

Quand je lisais une assertion pareille, j'oubliais mes années d'obsession et j'étais fière de l'intuition et de l'opiniâtreté de Yi.

Elle réagissait souvent à certains propos que Ze ou moi avions notés, des années plus tôt. Il m'arrivait d'ailleurs de reconnaître la voix de Ze dans certains passages, avec autant de présence et d'intensité que si elle s'était trouvée dans la pièce. Au bout de tout ce temps, je m'apercevais qu'elle avait beaucoup plus contribué à notre ouvrage que je ne l'avais cru sur le moment. Yi n'était nullement encline à nous suivre dans les méandres de notre mal d'amour, mais j'avais parfois l'impression qu'elle nous invoquait : et nous lui répondions par le biais des pensées qu'elle pouvait lire, inscrites autrefois sur ces pages.

Je me réjouissais des talents dont Yi faisait preuve et l'aidais de mon mieux. Le soir, lorsqu'elle veillait pour lire, j'augmentais la lueur de la flamme pour qu'elle ne se fatigue pas les yeux. Lorsque ceux-ci lui faisaient mal, je lui suggérais de se préparer une tasse de thé vert et de frotter la décoction sur ses paupières, pour soulager sa fatigue. Et je la récompensais pour chaque passage dont elle démêlait le sens, chaque pastiche qu'elle identifiait, chaque moment d'émotion que je partageais avec elle, à travers sa lecture. Je surveillais son fils lorsqu'il se promenait dans le jardin, l'empêchais de tomber sur les rochers, de se faire piquer par les insectes ou de s'éloigner par mégarde, après avoir franchi le portail. Je prévenais les esprits des eaux pour qu'ils s'abstiennent de l'attirer à eux et de le faire tomber dans le bassin – et ceux des arbres, pour qu'ils évitent de le faire trébucher contre leurs racines.

J'avais d'ailleurs peu à peu étendu ma protection à l'ensemble de la propriété. Du vivant de Ze, je n'avais pratiquement pas quitté la chambre conjugale : la demeure des Wu ne présentait guère d'attrait à mes yeux, comparée à la propriété de la famille Chen. Mais ce qui avait tant de charme pour moi à cette époque, dans ma maison natale, était lié à la richesse – et à la distance que les maîtres sont obligés de maintenir envers leurs innombrables domestiques, pour préserver un minimum d'intimité et éviter les cancans, les flatteries et la lutte que chacun doit mener pour maintenir ou améliorer sa position. Ici, au contraire, nous étions dans la demeure d'un véritable artiste – et d'une femme qui écrivait. Au fil du temps, Yi avait fait de la salle des Nuages une sorte de sanctuaire où elle pouvait s'isoler des contraintes de la vie quotidienne, écrire au calme et inviter son mari à partager avec elle de paisibles soirées. Je faisais de mon mieux pour rendre la pièce plus agréable encore, en laissant passer le parfum des jasmins à travers la fenêtre, en soufflant sur les vitres bleutées pour en accroître la fraîcheur et en caressant des doigts les pétales des fleurs qui abondaient dans le jardin, afin que leurs contours viennent découper sur les murs de la pièce leurs ombres frémissantes.

Je faisais en sorte que la nature réponde à mes désirs, pour me permettre d'exprimer mes sentiments à travers elle. Au printemps, j'espérais que l'abondante floraison des pivoines, par ses effluves et sa beauté, évoquerait mon souvenir à l'ensemble de la famille Wu ; en hiver, que la neige qui recouvrait les arbres leur rappellerait que j'étais morte à cette époque ; qu'en sentant la brise légère agiter les saules, Ren se souviendrait qu'il m'avait promis de tenir à jamais pour moi le rôle de Liu Mengmei ; et qu'en voyant les beaux fruits que donnait à présent le prunier, chacun comprendrait les raisons de ce miracle. Tels étaient les cadeaux que je faisais à Ren, à Yi et à leur fils. Car chaque libation versée doit être honorée et payée de retour.

Un jour, alors que Yi aérait certains livres dans la bibliothèque de Ren, des feuilles jaunies s'échappèrent de l'un des volumes. Yi les ramassa, les défroissa et lut à haute voix : « *Des années durant, en attendant le jour de mon mariage, j'ai appris à broder des fleurs et des papillons...* »

J'avais écrit ce texte quelques jours avant ma mort et l'avais caché avec mes autres poèmes dans la bibliothèque de mon père. Bao était venu les vendre à Ren alors que Ze était mourante.

Yi lut également les autres feuillets, déjà rongés par le temps. Elle pleurait en silence et je songeais à tout ce qui s'était passé depuis ma mort. Ces pages qui menaçaient de tomber en poussière me rappelèrent que mon corps devait lui aussi être en train de disparaître, quelque part dans les profondeurs du sol.

Yi emporta les poèmes et les lut à plusieurs reprises, assise à sa table de travail. Le soir même, elle les montra à Ren.

— Je crois que je comprends mieux ma « sœur épouse » à présent, lui confia-t-elle. En lisant ces mots, j'ai eu l'impression de pénétrer son cœur, bien qu'il manque plusieurs passages.

Ren, qui avait d'autres soucis en tête lorsque mon frère adoptif était venu lui vendre ces poèmes, entreprit de les lire sérieusement, pour la première fois. Ils étaient pourtant bien immatures, mais je vis ses yeux s'embuer tandis qu'il repensait à moi.

— Tu te serais bien entendue avec elle, dit-il à Yi.

C'était la première fois qu'il reconnaissait implicitement que nous nous étions réellement rencontrés. Mon cœur nageait dans le bonheur.

Le lendemain, Yi recopia mes poèmes sur des feuilles vierges, complétant avec des vers de son cru les passages que le temps avait altérés : de cette façon, nous ne formions plus qu'un.

Tandis qu'elle était plongée dans ce travail, un livre tomba brusquement d'une étagère, nous faisant sursauter toutes les deux. L'ouvrage s'ouvrit en heurtant le sol et quelques pages s'en échappèrent. Yi les ramassa : il s'agissait de la « véritable » histoire du commentaire, que j'avais obligé Ze à écrire et qu'elle avait arrachée du volume, avant de la dissimuler ici. Ces pages avaient mieux résisté au temps et n'étaient pas trop abîmées : on aurait dit qu'elles avaient été rédigées la veille. Lorsque Yi les montra à Ren, la douleur l'étreignit et des larmes lui montèrent aux yeux : mes poèmes furent du même coup vite oubliés.

Je compris à cet instant-là qu'il fallait absolument que mon projet soit publié. Qu'il s'agisse des femmes dont les écrits avaient été recueillis deux millénaires plus tôt, de celles dont mes parents avaient réuni les ouvrages dans leur bibliothèque ou des poétesses du cercle de la Bananeraie – toutes étaient honorées et avaient échappé à l'oubli parce que leurs œuvres avaient été imprimées. Je glissai cette idée à Yi et attendis la suite.

Quelques jours plus tard, elle rassembla ses bijoux de mariage et les enveloppa dans une écharpe en soie. Puis elle alla trouver Ren dans la bibliothèque, posa son écharpe sur la table et attendit qu'il relève les yeux. Lorsque ce fut le cas, Ren remarqua aussitôt son air préoccupé. Un peu inquiet, il lui demanda ce qu'il pouvait faire pour elle.

— Ma « sœur épouse » en titre, Tong, a écrit le commentaire relatif à la première partie de cet opéra. Et Ze, ma deuxième « sœur épouse », en a rédigé la fin. Tu as obtenu une certaine notoriété grâce à leur œuvre. Je sais que tu en as toujours nié la paternité, mais leurs noms sont demeurés inconnus du public. Si nous ne révélons pas au grand jour l'existence de mes « sœurs épouses », ne risquent-elles pas de se sentir délaissées et d'éprouver quelque amertume dans l'au-delà ?

— Que me suggères-tu de faire ? lui demanda Ren avec circonspection.

— Autorise-moi à publier l'ensemble du commentaire, accompagné de mes propres révisions.

Ren ne se montra pas aussi enthousiaste que je l'avais espéré.

— L'entreprise s'avérera coûteuse, dit-il.

— C'est pourquoi je suis prête à mettre au clou mes bijoux de mariage pour payer l'imprimeur, répondit Yi en dépliant l'écharpe et en révélant un certain nombre de bagues, de colliers, de bracelets et de boucles d'oreilles.

— Que comptes-tu faire de tout ça ? demanda Ren.

— Les déposer chez un prêteur sur gages.

Ce n'était guère un endroit fréquentable, pour une jeune femme de sa condition – mais je l'accompagnerais pour la guider. Et la protéger.

Ren se pinçait le menton d'un air songeur.

— Cela ne suffira pas, finit-il par dire.

— Dans ce cas, je mettrai en gages mes autres présents de mariage.

Ren essaya de la détourner de ce projet, avec toute la fermeté qu'exigeait son rôle d'époux.

— Je ne voudrais pas qu'on t'accuse – pas plus que mes autres épouses – d'être en quête de gloire et de notoriété. Le talent des femmes ne doit pas sortir des appartements intérieurs.

De tels propos ne lui ressemblaient guère. Ils n'eurent d'ailleurs pas le moindre effet.

— Cela m'est égal qu'on m'accuse de rechercher la gloire, rétorqua Yi, du moment que cela est contraire à la vérité. Je veux faire ce geste pour mes « sœurs épouses » : leur talent ne mérite-t-il pas d'être reconnu ?

— Mais elles n'ont jamais cherché la célébrité ! s'exclama Ren. Pivoine n'a pas laissé la moindre ligne indiquant qu'elle souhaitait que ses pages soient montrées à des étrangers. Quant à Ze, l'idée qu'on puisse connaître un jour son existence ne l'a jamais effleurée. Elle savait très bien la place qui lui revenait en tant qu'épouse, ajouta-t-il en essayant de se ressaisir.

— Comme elles doivent le regretter aujourd'hui...

Ren et Yi débattirent de la sorte un bon moment. Yi écoutait patiemment son mari, mais ne modifiait pas sa position d'un pouce. Elle faisait preuve d'une telle détermination qu'il finit par lui avouer ce qui le tracassait vraiment.

— Pivoine et Ze ont connu l'une et l'autre une fin tragique, après avoir rédigé ces commentaires. Si jamais il t'arrivait malheur...

— Tu te fais trop de souci pour moi, rétorqua Yi. Tu devrais savoir à présent que je suis plus forte que je n'en ai l'air.

— N'empêche que cela m'inquiète.

Je comprenais son attitude et le sort de Yi me préoccupait également, mais j'avais besoin – tout comme elle – que cette publication se fasse. Depuis le temps que je la connaissais, jamais elle n'avait exigé quoi que ce soit pour elle.

— Je t'en prie, insista-t-elle. Accepte...

Ren saisit les mains de son épouse et la regarda dans les yeux. Au bout d'un moment, il finit par lui dire :

— J'accepte, mais à deux conditions : que tu te nourrisses et que tu dormes correctement. Si jamais tu commençais à t'affaiblir, il faudrait t'interrompre sur-le-champ.

Yi acquiesça et se mit aussitôt au travail. Elle recopia dans un nouvel exemplaire du *Pavillon des Pivoines* l'ensemble des commentaires que nous avions rédigés dans l'édition de Shaoxi, Ze et moi. Cette copie était destinée aux imprimeurs. Je m'insinuai moi-même dans son pinceau et guidai les mouvements de sa main, à mesure qu'elle traçait ses caractères sur les pages.

Le travail s'acheva un beau soir, au début de l'hiver. Yi invita Ren à venir la rejoindre dans la salle des Nuages, pour célébrer l'événement. Malgré le feu allumé dans le brasero, le froid persistait dans la pièce. À l'extérieur, les tiges des bambous claquaient dans l'air gelé et une neige fine s'était mise à tomber. Yi alluma une chandelle et fit chauffer du vin. Les deux époux comparèrent ensuite le nouvel exemplaire à l'ancien. Le travail avait été exécuté avec une grande méticulosité, mais je surveillais Ren, non sans une certaine appréhension, tandis qu'il tournait les pages, s'arrêtant parfois pour lire l'une ou l'autre de mes formulations. Je le vis sourire à deux ou trois reprises. Se rappelait-il la conversation que nous avions eue, dans le pavillon de la Contemplation lunaire ? À un moment donné, ses yeux s'embuèrent. Songeait-il à tout ce que j'avais vécu jadis, seule dans mon lit, rongée par le désir ?

Il inspira profondément, releva la tête et poussa un soupir. Ses doigts étaient restés posés sur les derniers mots que j'avais tracés de mon vivant : *Lorsque les gens sont en vie, ils s'aiment. Lorsqu'ils meurent, ils s'aiment encore*... Il se tourna vers Yi et lui dit :

— Je suis fier du travail que tu as accompli.

En voyant ses doigts effleurer les mots que j'avais composés jadis, je compris qu'il m'avait entendue. J'étais enfin récompensée et une immense joie envahit mon cœur.

En contemplant Ren et Yi, je m'aperçus qu'ils étaient heureux, eux aussi. Et même un peu excités...

Quelques heures plus tard, Yi déclara :

— J'ai l'impression qu'il a neigé.

Elle marcha jusqu'à la fenêtre. Ren s'empara du nouveau volume et la rejoignit. Ensemble, ils ouvrirent la fenêtre. Une épaisse couche de neige recouvrait les branches des arbres et renvoyait des reflets scintillants, comme du jade blanc. Ren poussa un cri de joie, saisit son épouse par la main et l'entraîna à l'extérieur : ils coururent et dansèrent un moment sous les bourrasques de neige, avant de s'écrouler au sol en s'esclaffant. Je me joignis à leurs rires, heureuse de les voir si insouciants.

Mais quelque chose attira brusquement mon attention. Je me retournai et vis à travers la fenêtre une étincelle jaillir d'une chandelle et tomber sur l'ancien exemplaire du *Pavillon des Pivoines.*

Non ! Je me précipitai dans la salle des Nuages, mais il était trop tard. Les pages avaient pris feu et la fumée envahissait la pièce. Les deux époux revinrent en courant. Ren saisit la jarre de vin et la déversa sur le feu, ce qui ne fit qu'aggraver les choses. Je contemplais la scène horrifiée, ne sachant que faire. Yi s'empara d'une couverture et réussit enfin à étouffer les flammes.

L'obscurité retomba dans la pièce. Ren et Yi étaient restés au sol, abattus par la détresse et l'effort qu'ils venaient de fournir. Ren serrait contre lui son épouse secouée de sanglots. Je vins me placer à leurs côtés et me lovai autour de Ren : j'avais besoin moi aussi de son réconfort et de sa protection. Nous demeurâmes ainsi plusieurs minutes, couchés au sol. Puis, lentement, Ren se redressa et marcha à tâtons dans la pièce ; il retrouva la chandelle et l'alluma. La table en bois laqué avait beaucoup souffert. Le vin s'était répandu sur le sol dans toutes les directions. Dans l'air planaient des relents d'alcool, de fumée et de papier brûlé.

— Se peut-il que mes deux « sœurs épouses » s'opposent à ce que leur œuvre chemine dans le monde des hommes ? demanda Yi d'une voix tremblante. Sont-elles à l'origine de cet incendie ? Ou faut-il soupçonner quelque créature démoniaque, poussée par la jalousie à détruire leur travail ?

Les deux époux se dévisageaient, désemparés. Pour la première fois depuis leur mariage, j'allai me réfugier dans les hauteurs de la pièce et me blottis contre une poutre, en tremblant de détresse. J'avais senti l'espoir envahir mon être et j'étais à nouveau brisée de douleur.

Ren aida Yi à se relever et à s'asseoir sur une chaise.

— Attends-moi un instant, dit-il avant de quitter la pièce.

Il revint presque aussitôt, en tenant quelque chose à la main. J'abandonnai ma poutre pour voir de quoi il s'agissait : c'était l'exemplaire dans lequel Yi avait recopié nos commentaires et qui était destiné à l'imprimeur.

— Je l'avais abandonné en apercevant les flammes, précisa-t-il.

Yi s'approcha de lui et nous le regardâmes avec anxiété ôter la neige qui s'était déposée sur la couverture, avant d'ouvrir le volume pour s'assurer qu'il n'avait pas été endommagé. Nous poussâmes un soupir de soulagement, Yi et moi, en constatant qu'il était en parfait état.

— Peut-être cet incendie n'est-il pas un mauvais présage, au bout du compte, déclara Ren. L'édition originale, annotée de la main de Pivoine, avait disparu elle aussi dans les flammes, voici de nombreuses années. Et aujourd'hui, c'est au tour de celle que j'avais offerte à Ze... Comprends-tu ce que cela signifie ? Vous voilà aujourd'hui réunies toutes les trois dans un seul et même volume. (Il prit une profonde inspiration et ajouta :) Vous avez toutes tellement travaillé... Rien n'empêchera désormais ces pages d'être publiées. J'y veillerai personnellement.

Les larmes d'un fantôme errant se mêlèrent à celles de sa « sœur épouse ».

Le lendemain matin, Yi demanda à un domestique de creuser une fosse au pied du prunier. Elle rassembla les cendres et les restes calcinés de l'ancienne édition, les enveloppa dans un damas de soie sauvage et les enterra sous l'arbre, comme pour me rappeler ce qui venait de se passer – et la prudence avec laquelle nous devions désormais procéder.

Je m'étais dit que ce serait une bonne idée si quelques personnes pouvaient lire notre commentaire, avant qu'il ne commence à circuler de manière plus officielle. Les lectrices en qui j'avais le plus confiance – et les seules à vrai dire que je connaissais personnellement – étaient les poétesses du cercle de la Bananeraie. Je quittai un jour la propriété, descendis jusqu'au lac et allai les retrouver, pour la première fois depuis seize ans. Elles étaient beaucoup plus célèbres à présent que du temps où j'étais venue me joindre à elles, au cours de mon exil, et l'intérêt qu'elles portaient aux écrits des autres femmes n'avait fait que croître, lui aussi. Je n'eus donc guère de mal à éveiller leur intérêt en leur glissant à l'oreille qu'une jeune femme, sur le mont Wushan, avait réalisé une œuvre unique et souhaitait la publier. Cela piqua leur curiosité : quelques jours plus tard, Yi reçut un carton l'invitant à se joindre à leur cercle, pour une promenade en bateau.

Yi n'avait jamais fait une seule excursion de sa vie, ni rencontré des femmes d'une telle notoriété ! Elle appréhendait beaucoup la rencontre. Ren, quant à lui, se montrait optimiste. Et moi, j'étais un peu tendue... Je fis de mon mieux pour que Yi reçoive l'accueil le plus favorable. Je l'aidai à choisir sa tenue, d'une sobriété discrète, et m'agrippai à ses épaules au moment du départ.

Avant qu'elle ne monte à bord du palanquin qui devait nous conduire jusqu'au lac, Ren lui lança :

— Ne sois donc pas nerveuse. Elles vont te trouver charmante.

Ce fut effectivement le cas.

Yi raconta aux poétesses de quelle manière elle avait été amenée à se consacrer à ce travail. Elle leur lut les poèmes que j'avais écrits jadis et leur montra l'exemplaire du *Pavillon des Pivoines* dans les marges duquel elle avait reporté l'ensemble de nos commentaires.

— C'est étrange, mais nous avons toutes l'impression de connaître Chen Tong, déclara Gu Yurei.

— Comme si nous avions entendu sa voix autrefois, ajouta Lin Yining.

Dans leur bateau, les femmes pleurèrent en pensant à moi – pauvre jeune fille en proie au mal d'amour, qui ignorait que la mort l'attendait.

— Accepteriez-vous d'écrire quelque chose que je puisse joindre aux dernières pages ? leur demanda Yi.

Gu Yurei sourit et répondit :

— Je composerais volontiers un colophon pour votre ouvrage.

— Moi de même, ajouta Lin Yining.

J'étais aux anges.

Nous leur rendîmes visite à plusieurs reprises, Yi et moi, afin qu'elles prennent connaissance de tout ce que j'avais écrit en compagnie de mes « sœurs épouses ». Elles en débattirent ensuite entre elles. Je n'intervins nullement dans ces discussions, car leur interprétation devait rester personnelle. Finalement, le jour arriva où elles sortirent leurs pinceaux, de l'encre et du papier.

Gu Yurei regarda l'autre rive, où les lotus étaient en fleur, à l'extrémité du lac. Elle écrivit ensuite :

> Dans les appartements des femmes, de nombreuses lectrices – à l'image de Xiaoqing – ont fini par avoir une connaissance approfondie du *Pavillon des Pivoines*. Je regrette qu'aucune de leurs réflexions ne soit parvenue jusqu'à nous. Nous disposons aujourd'hui du commentaire croisé des trois épouses

de la famille Wu. Leur étude de la pièce est si complète que tout s'y trouve expliqué, y compris le sens qui se cache entre les lignes. N'est-ce pas une bénédiction ? Tant de femmes ont espéré connaître un jour une communauté à leur image. Ces trois épouses ont eu la chance extrême de la rencontrer à travers leur écriture.

J'allai voir du côté de Lin Yining et la vis écrire :

Tang Xianzu lui-même n'aurait pu rédiger un meilleur commentaire à sa pièce.

En réponse à tous ceux qui estimaient que Liniang se comportait mal et constituait un mauvais exemple pour les jeunes femmes, elle ajouta :

Grâce à l'œuvre des trois épouses, le nom de Liniang est enfin défendu – et son subtil héritage se perpétuera longtemps.

Concernant ceux qui voyaient les choses autrement, elle ne mâchait pas ses mots :

Ces lourdauds ne méritent même pas qu'on leur adresse la parole.

Elle ne se montrait guère plus indulgente envers ceux qui souhaitaient confiner à nouveau les femmes dans leurs appartements, où nul ne risquait de les entendre.

Nous avons ici l'exemple de trois épouses – aussi talentueuses l'une que l'autre – qui se sont succédé pour composer un commentaire d'une telle importance qu'à compter d'aujourd'hui ceux qui voudront aborder l'étude de la sagesse ou maîtriser les théories littéraires devront commencer par lire leur ouvrage. Cette vaste entreprise leur survivra pour l'éternité.

Vous imaginez ce que je ressentais en lisant ça !

Dans les semaines qui suivirent, nous allâmes montrer notre exemplaire du *Pavillon des Pivoines* à d'autres femmes, telles que Li Shu et Hong Zhize. Elles voulurent elles aussi y ajouter leur propre commentaire. Li Shu confessa qu'elle avait pleuré en le lisant. Hong Zhize se souvenait d'un jour de son enfance où, assise sur les genoux de son père, elle avait entendu Ren avouer qu'il n'était pas l'auteur de la première version et défendre ses deux épouses contre les critiques qu'on leur adressait. Elle ajoutait :

Je regrette d'être née trop tard pour avoir pu connaître ces deux femmes.

Maintenant que nous leur rendions visite, Yi et moi, je me rendais compte du courage dont ces femmes lettrées faisaient preuve, en soutenant notre projet. Le monde avait changé. La plupart des hommes considéraient à présent l'écriture à la fois comme une menace et une activité indigne pour les femmes. Peu de familles se glorifiaient encore de compter en leur sein des femmes qui avaient publié des livres. Non seulement nous persistions à vouloir publier notre œuvre, Yi et moi, mais nous entraînions d'autres femmes avec nous, prêtes à nous défendre.

Nous trouvâmes un artiste prêt à se charger des bois gravés qui allaient illustrer l'ouvrage. Yi demanda à Ren de composer une préface, ainsi qu'un texte – sous forme dialoguée – où il rapporterait la genèse et la réalisation du projet, tel qu'il en avait été le témoin. Toutes les phrases qu'il rédigea à cette occasion me prouvèrent qu'il m'aimait encore. Yi recopia ensuite mes poèmes dans les marges du texte de Ren :

> Je suis si touché par ces strophes que je les reproduis ici, en espérant que de futurs lecteurs, sachant apprécier la poésie des femmes, profiteront des subtils effluves qu'elles dégagent encore.

En procédant ainsi, Yi me plaçait à tout jamais auprès de mon mari et me faisait un si grand et si généreux cadeau que je doutais de pouvoir lui rendre un jour la pareille.

Il y avait longtemps désormais que Ren partageait notre passion pour ce projet. Il nous accompagna bientôt dans les démarches que nous entreprîmes auprès de différents maîtres graveurs. À vrai dire, nous nous serions fort bien débrouillées sans lui – mais quelle joie c'était pour nous trois de cheminer ensemble !

— Je veux des caractères en bois d'une grande finesse pour la composition du texte, expliqua Yi au cinquième graveur que nous allâmes trouver.

L'artisan nous montra une série de caractères flambant neufs, mais ils étaient très chers. Je chuchotai à l'oreille de Yi, qui acquiesça et lui dit :

— N'en auriez-vous pas d'occasion, dont nous pourrions nous resservir ?

Le maître graveur jaugea Yi du regard et nous entraîna dans son arrière-boutique.

— Ces caractères en bois sont quasiment neufs, nous dit-il.

— Très bien, dit Yi après les avoir examinés. Nous économiserons ainsi de l'argent, sans rien sacrifier à la qualité. (C'était moi qui lui avais soufflé cette réplique, mais elle ajouta de son propre chef :) Je pense aussi à plus long terme. Je compte faire imprimer plusieurs milliers d'exemplaires.

— Madame, répondit le maître graveur sans chercher à masquer sa condescendance, vous n'en vendrez probablement pas *un seul*...

— Je suis sûre que nous aurons au contraire de nombreux lecteurs, lui répondit-elle sèchement. Et que nous le réimprimerons souvent.

L'artisan se tourna vers notre époux :

— Maître Wu, ces caractères peuvent servir à imprimer des travaux plus importants. Ne vaudrait-il pas mieux les réserver pour vos propres ouvrages ?

Mais Ren n'avait nullement la tête à son prochain recueil de poèmes ou de critique littéraire.

— Faites correctement votre travail et nous nous adresserons encore à vous pour l'édition suivante, lui dit-il. Sinon, nous ferons appel à une autre maison.

La négociation fut âpre, mais nous obtînmes finalement les caractères pour un prix raisonnable. Nous allâmes ensuite trouver un imprimeur, pour choisir avec lui les encres et le papier, et nous entendre sur la méthode à suivre. Tout ce qui avait été écrit dans les marges ou entre les lignes de la pièce devait figurer dans la partie supérieure de la page, au-dessus de l'opéra lui-même. Lorsque les caractères assemblés furent livrés, avec le texte complet, tout le monde fut mis à contribution pour vérifier qu'il n'y avait pas de coquilles. Puis l'ensemble fut adressé à l'imprimeur. Il n'y avait plus qu'à attendre.

Le vent d'est

« *Porté par le vent d'est, le temps du chagrin revient* », avait chanté Liniang – et il s'abattit en effet une nouvelle fois, sur la propriété de la famille Wu. Yi avait toujours été de constitution fragile et elle avait travaillé d'arrache-pied plusieurs mois durant. Je l'avais protégée du mieux que je pouvais et Ren avait veillé à ce qu'elle s'alimente correctement, mais la maladie finit par s'emparer d'elle. Elle se retira dans sa chambre, refusant la moindre visite. Elle perdit l'appétit, ce qui la fit maigrir et la vida de toute énergie. Très vite, elle n'eut plus la force ne serait-ce que de rester assise sur une chaise et elle dut s'aliter, les traits émaciés et le regard abattu. Nous étions au milieu de l'été et il régnait une chaleur accablante.

— Est-elle en proie au mal d'amour ? demanda Ren au docteur Zhao, venu une fois encore examiner la patiente.

— Elle a de la fièvre et une mauvaise toux, répondit le médecin d'un ton peu engageant. Peut-être a-t-elle une maladie des poumons. Il peut également s'agir d'une maladie du sang.

Yi avait bu l'infusion de mûres séchées qu'il lui avait recommandée, mais comme ses poumons étaient toujours aussi encombrés, il lui fit absorber une décoction destinée à chasser les poisons du *yin*.

Yi continuait pourtant de s'affaiblir. Je lui conseillais de puiser dans ses réserves et de s'appuyer sur la force intérieure qui l'avait soutenue durant toutes ces années, mais le médecin se montrait de plus en plus pessimiste.

— Votre épouse est victime d'une congestion de *qi*, déclara-t-il à Ren. L'oppression qu'elle ressent dans la poitrine la suffoque peu à peu et lui ôte tout appétit. Il faut intervenir au plus vite pour contrer cette attaque. Un accès de colère, en décuplant son *qi*, parviendrait peut-être à le chasser, au point de résorber la congestion.

Le docteur Zhao avait déjà employé cette méthode avec moi, des années plus tôt, et elle avait lamentablement échoué. Aussi assistai-je à la scène avec une certaine irritation. On tira Yi de son lit. On lui hurla dans les oreilles qu'elle était une mauvaise épouse doublée d'une mère indigne et qu'elle faisait preuve de cruauté à l'égard des domestiques. Ses jambes étaient inertes et ses pieds glissaient sur le sol tandis qu'on la tirait dans tous les sens, dans l'espoir de déclencher en elle une explosion de colère. Mais elle en était incapable – et sa bonté était bien trop grande. Lorsqu'elle se mit à vomir du sang, on s'empressa de la ramener dans son lit.

— Je ne peux pas la perdre, se lamentait Ren. Notre destin était de vieillir ensemble et de partager la même tombe.

— Vous êtes d'une nature sentimentale, ce qui vous fait oublier les réalités concrètes, rétorqua le docteur Zhao. Souvenez-vous, maître Wu, que rien n'est permanent dans ce monde – si ce n'est justement l'impermanence.

— Mais elle n'a que vingt-trois ans, gémit Ren. J'espérais que nous serions comme deux oiseaux volant de concert, dans les années à venir.

— J'ai entendu dire que votre épouse s'était prise de passion pour *Le Pavillon des Pivoines*, dit le docteur Zhao. Est-ce la vérité ? (Ren lui ayant confirmé la chose, il poussa un soupir.) Cela fait des années que je suis confronté aux conséquences néfastes de cet opéra. Vous ne pouvez pas savoir le nombre de jeunes femmes que j'ai vues mourir, terrassées par le mal qui imprègne ces pages.

Toute la famille respecta le régime qu'il avait prescrit. Le devin revint brûler des charmes, dont on confia les cendres à Branche de Saule. Celle-ci les porta à la cuisinière, qui en versa une partie dans une infusion de navet, destinée à calmer la toux de Yi. L'autre fut mélangée à une bouillie de maïs dont les épis avaient été rongés par les charançons, ce qui était censé faire tomber sa fièvre. Madame Wu fit brûler de l'encens et multiplia les prières et les offrandes. Si l'on avait été en hiver, Ren se serait roulé dans la neige avant de regagner le lit conjugal et de serrer son épouse contre lui, afin de lui apporter un peu de fraîcheur. Mais nous étions en été et il se rabattit sur un autre expédient : il alla chercher un chien dans la rue et le plaça auprès de Yi, dans l'espoir que le mal dont souffrait la jeune femme se reporte sur lui. Mais aucune de ces recettes ne s'avéra efficace.

Curieusement, au cours des jours suivants, l'atmosphère de la pièce devint de plus en plus froide. Du givre s'était même formé le long des murs et sur les fenêtres. Ren, madame Wu et les domestiques étaient obligés de s'envelopper dans des couvertures pour ne pas avoir froid. Le brasero était allumé, mais le souffle de Ren dessinait de grosses nuées blanches, alors qu'une infime vapeur s'échappait au contraire des lèvres de Yi. Elle avait cessé de bouger. Elle n'ouvrait plus les yeux. Elle ne toussait même plus. Et pourtant, sa peau était brûlante.

Nous étions pourtant en été : comment pouvait-il faire un froid pareil ? On se méfie toujours des fantômes, lors des veillées funèbres, mais je savais que ma présence n'était pas en cause. Je vivais aux côtés de Yi depuis qu'elle avait six ans et, en dehors de son bandage, je ne lui avais jamais fait aucun mal ni causé la moindre peine. Au contraire, je l'avais protégée et aidée à regagner des forces. J'avais perdu toute espérance et sombrais dans le désespoir.

— J'aimerais pouvoir vous dire qu'une renarde protège votre épouse, dit le docteur Zhao d'un air résigné. Mais les fantômes se sont déjà rassemblés pour l'emmener. Ces esprits-là sont pleins de mélancolie et débordent de *qi* : je perçois leur présence dans le pouls irrégulier de votre femme. Je la distingue aussi dans la fièvre qui la consume : ils font bouillir son sang comme si elle avait déjà rejoint l'un des enfers. Ces palpitations incertaines et cet embrasement de *qi* sont les signes patents d'une attaque imminente de ces créatures surnaturelles. (Il inclina respectueusement la tête avant d'ajouter :) Tout ce que nous pouvons faire, c'est attendre.

Des miroirs et un van furent accrochés dans la pièce, ce qui entravait mes mouvements. Branche de Saule et madame Wu se relayaient pour balayer le sol et Ren donnait des coups d'épée de droite à gauche, afin d'effrayer les fantômes vengeurs qui attendaient, tapis dans l'ombre, pour venir s'emparer de Yi. Toute cette agitation m'obligeait à rester dans les hauteurs de la pièce : mais j'avais beau scruter de tous les côtés, je n'apercevais pas le moindre esprit malfaisant. En évitant le reflet des miroirs, les coups d'épée de Ren et le balai des femmes, je parvins tout de même à m'approcher du lit où Yi était étendue. Je posai la main sur son front : il était plus brûlant qu'un lit de braises. Je m'allongeai auprès d'elle et baissai les barrières protectrices dont je m'entourais depuis des années, dans l'espoir que la fraîcheur qui émanait de moi apaiserait sa fièvre.

Je la serrai contre moi. Des larmes invisibles s'écoulaient de mes yeux et venaient rafraîchir son visage. Je l'avais élevée, j'avais bandé ses pieds, je l'avais soignée lorsqu'elle était malade, mariée et aidée à mettre son fils au monde – et elle m'avait honorée en retour, de bien des manières. J'étais fière de l'épouse dévouée et de la mère aimante qu'elle était devenue.

— Je t'aime, Yi, lui murmurai-je à l'oreille. Tu n'as pas seulement été une merveilleuse « sœur épouse » : tu m'as sauvée, en faisant en sorte que ma parole soit entendue.

J'hésitai car mon cœur saignait, étreint par la douleur qui est liée à l'amour maternel, mais je lui avouai tout de même la vérité qui m'habitait :

— Tu as été la joie de ma vie. Je t'ai aimée comme si tu étais ma fille.

— *Aaah !*

Le cri qui venait de s'élever, triomphal et cruel, n'avait strictement rien d'humain.

Je fis volte-face, en ayant soin d'éviter les coups d'épée que Ren assenait toujours, et j'aperçus alors Tan Ze. Les années qu'elle avait passées aux abords du Lac de Sang l'avaient rendue hideuse. En voyant mon regard ébahi, elle éclata d'un rire sardonique. Branche de Saule, Ren et sa mère se figèrent aussitôt et le corps de Yi se mit à trembler, avant d'être secoué par la toux.

Pendant un instant, la stupéfaction et l'inquiétude que je ressentais pour les êtres qui m'étaient chers m'empêchèrent de réagir.

— Comment es-tu arrivée jusqu'ici ? dis-je enfin.

C'était une question idiote, mais j'étais bouleversée et je me demandais ce qu'il convenait de faire.

Ze ne répondit pas, mais j'avais déjà compris ce qui s'était passé. Son père connaissait parfaitement les rites et c'était un homme puissant. Il avait dû demander à des prêtres de prier pour sa fille et leur confier de grosses sommes d'argent pour soudoyer les bureaucrates infernaux, chargés de l'administration du Lac de Sang. Une fois libérée, elle aurait pu choisir le statut d'ancêtre, mais elle avait apparemment décidé de suivre une autre voie.

D'un coup d'épée, Ren trancha tout à coup un morceau de ma robe. Yi poussa un gémissement.

Je sentis la colère monter en moi.

— Tu as été un boulet pour moi, toute ma vie durant, lançai-je. Après ma mort, tu m'as encore causé bien des ennuis. Pourquoi reviens-tu aujourd'hui ?

— Je *t'ai* causé des *ennuis* ?

La voix de Ze était aussi gracieuse que le grincement d'une porte aux gonds rouillés.

— Je suis désolée d'avoir provoqué ta mort, avouai-je. Je ne savais pas ce que je faisais. Mais je ne puis endosser tous les torts. Tu as épousé Ren. Tu savais très bien ce qui risquait de se passer.

— Il m'était destiné ! Je l'avais remarqué, le soir de la représentation, et je t'avais dit que mon choix s'était porté sur lui. (Elle désigna Yi.) Lorsque celle-ci nous aura quittés, il sera de nouveau à moi.

La plupart des événements de ces derniers mois s'éclairaient brusquement. Ze devait se trouver dans les parages depuis déjà un certain temps. Lorsque Yi avait découvert mes poèmes, ce devait être elle qui avait fait tomber de l'étagère le livre contenant les pages qu'elle avait arrachées jadis – détournant ainsi l'attention de Ren pour la ramener sur elle. Elle avait dû pousser Yi à commenter plus particulièrement les passages dont elle était l'auteur. La température glaciale qui régnait le jour où notre volume avait péri dans les flammes devait également être son œuvre : je ne l'avais pas compris sur le moment, parce que j'étais trop émue par le spectacle qu'offraient Ren et Yi, en dansant sous la neige. Sans parler du froid qui s'était ensuite installé dans la chambre de Yi, de sa maladie – et des ennuis qu'elle avait eus auparavant, en mettant son fils au monde. Était-ce Ze qui s'était glissée dans ses entrailles pour tenter d'étrangler l'enfant avec son cordon ? Et qui avait lutté jusqu'au bout, y compris lorsque j'avais entrepris de le libérer ?

Je me demandai où elle avait bien pu se cacher, pendant tout ce temps... Dans un vase ? Sous le lit ? Dans les poumons ou le ventre de Yi ? Dans la poche du médecin ? L'un des chaussons de Branche de Saule ? Dans la décoction de cendres et de maïs rongé par les charançons que nous avions fait boire à Yi ? Elle aurait pu trouver refuge n'importe où sans que je le soupçonne un seul instant, tout simplement parce que je ne la cherchais pas.

Ze profita de ma distraction pour descendre se poser sur la poitrine de Yi.

— Tu te rappelles ? grinça-t-elle. Toi aussi, tu t'étais couchée sur moi...

— Non ! m'écriai-je.

Je plongeai à mon tour, agrippai Ze par les épaules et la ramenai dans les hauteurs de la pièce.

Branche de Saule posa son balai et se boucha les oreilles. Ren fit tournoyer son épée, qui heurta la jambe de Ze. Une gerbe de sang spectral gicla à travers la pièce.

— Ren t'aimait, me dit Ze sur un ton de reproche. Vous ne vous étiez jamais rencontrés et pourtant il t'aimait...

Devais-je lui révéler la vérité ? Cela avait-il beaucoup d'importance à présent ?

— Tu étais constamment présente dans son esprit, poursuivit-elle impitoyablement. Tu incarnais pour lui un rêve qui aurait pu se réaliser. J'étais donc bien obligée de t'imiter. J'avais entendu parler de ton mal d'amour, de la manière dont tu avais cessé de te nourrir...

— Mais tu n'aurais jamais dû faire ça ! m'exclamai-je. C'était une erreur fatale.

Tandis que je parlais, un souvenir d'une tout autre nature me revint à l'esprit. J'avais toujours pris le docteur Zhao pour le dernier des imbéciles, mais c'était lui qui avait raison, depuis le début : Ze était rongée par la jalousie. Il aurait dû la forcer à boire son fameux bouillon... Cela me rappela un vers de l'opéra : *Seules les méchantes femmes sont jalouses – seules celles qui sont jalouses sont méchantes*.

— Je m'en souviens très bien, poursuivit Ze. Tu m'avertissais de ce qui allait m'arriver si je cessais de manger. Et je dépérissais pour te ressembler...

— Mais pourquoi ?

— Ren était *à moi* !

Ze s'écarta et planta ses ongles dans l'une des poutres, d'où elle se laissa pendre comme la créature hideuse qu'elle était devenue.

— Je l'avais vu la première, ajouta-t-elle.

Ren s'était agenouillé au chevet de Yi. Il avait pris sa main et pleurait en silence. D'ici peu, l'esprit de ma « sœur épouse » allait prendre son envol à travers le ciel. Je compris brusquement le sacrifice que ma mère avait accepté de faire pour que mon père soit épargné : j'aurais donné n'importe quoi pour sauver la fille de mon cœur.

— Ne punis pas une malheureuse épouse qui ne t'a rien fait, dis-je. Venge-toi plutôt sur moi.

Je m'approchai de Ze, en espérant qu'elle oublierait Yi pour s'occuper de moi. Elle desserra l'emprise de ses griffes et exhala un souffle fétide qui m'atteignit en plein visage.

— N'est-ce pas la meilleure façon de me venger ? ricana-t-elle.

Je perçus soudain dans sa voix la petite fille égoïste – ou plus exactement, trop peu sûre d'elle – qui ne laissait à personne le temps de placer un mot, par crainte qu'on cesse de s'intéresser à elle.

— Je suis désolée de t'avoir laissée dépérir, essayai-je encore, sans grand espoir.

— Tu n'écoutes donc pas ce que je te dis, croassa-t-elle. Tu ne m'as pas tuée. C'est moi qui ai volontairement cessé de m'alimenter : pour une fois, j'avais le contrôle de ma destinée. Je voulais faire mourir cette chose que tu avais introduite en moi.

Ces propos me causèrent un tel choc que je reculai.

— Tu as tué ton bébé ? m'exclamai-je. (Voyant un sourire narquois éclairer son visage, j'ajoutai :) Mais il ne t'avait rien fait !

— Mon geste m'a valu de connaître les délices du Lac de Sang, reconnut-elle. Mais cela en valait la peine. Je te haïssais et je t'ai accusée en sachant que c'était le meilleur moyen de te faire du mal. Tu m'as crue, comme une idiote, et regarde ce que tu es devenue... Aussi pitoyable et démunie qu'un humain !

— Ce n'est donc pas moi qui t'ai tuée ?

Elle voulut encore une fois rire de ma bêtise, mais c'était désormais la tristesse qui imprégnait sa voix :

— Tu ne m'as pas tuée. Tu n'aurais même pas su comment t'y prendre.

Le chagrin, le regret, la culpabilité qui m'avaient habitée pendant toutes ces années se détachèrent de moi comme une vieille peau, avant de s'envoler dans l'air glacial qui nous environnait.

— Je n'ai jamais eu peur de toi, poursuivit-elle, sans se rendre compte du soulagement que me procuraient ses paroles. C'était ton *souvenir* qui me hantait. Tu étais un fantôme dans le cœur de mon mari.

Pour la première fois depuis que je connaissais Ze, une partie de moi eut pitié d'elle. Elle avait tout obtenu, et n'avait rien possédé. Et elle n'avait jamais su ressentir la bonté qui émanait de son mari, de son père ou de ses « sœurs épouses ».

— Toi aussi, tu as été un fantôme dans son cœur, dis-je en m'approchant à nouveau. Il ne nous a abandonnées ni l'une ni l'autre, parce qu'il nous aimait toutes les deux. L'amour qu'il a pour Yi est le simple prolongement de cette histoire. Vois comme il la regarde… À travers elle, il est en train de se représenter mon visage, lorsque j'ai succombé au mal d'amour, seule dans mon lit – et il revoit aussi le tien, juste avant que la mort t'emporte.

Mais Ze se moquait bien de ce genre de considérations. Et ce n'était pas moi qui allais l'obliger à regarder en face ce qu'elle refusait de voir. Nous avions toutes les deux connu un destin tragique, parce que nous étions des filles. Toutes les deux, nous nous étions battues, prisonnières d'un monde aux yeux duquel nous n'avions qu'une valeur marchande. Et nous étions, toutes les deux, des créatures pathétiques. Je n'avais pas tué Ze – comme j'en étais soulagée ! – et j'étais convaincue qu'elle ne souhaitait pas vraiment la mort de Yi.

— Regarde Ren, lui dis-je. Veux-tu vraiment lui faire à nouveau autant de mal ?

Ses épaules s'affaissèrent.

— J'ai laissé croire que notre mari était l'auteur du commentaire sur *Le Pavillon des Pivoines* parce que je voulais qu'il m'aime, reconnut-elle.

— Mais il t'aimait ! Si tu avais vu à quel point il était malheureux, après ta mort…

Mais elle ne m'écoutait pas.

— Je croyais pouvoir triompher de toi, par-delà la mort, reprit-elle. Mon mari et notre nouvelle « sœur épouse » m'ont fait des offrandes, mais cette famille a toujours été d'une telle insignifiance et d'une telle… (Je savais déjà quel mot elle allait employer.) … d'une telle médiocrité. Heureusement, l'argent de mon père m'a permis d'échapper au Lac de Sang. Mais une fois libre, qu'ai-je découvert ? Qu'une nouvelle épouse était venue prendre ma place !

— Mais regarde ce qu'elle a fait pour toi – et pour nous deux, répliquai-je. Elle a entendu notre message. Tu étais aussi présente que moi dans les annotations du *Pavillon des Pivoines*. Et tu as aidé Yi à recopier la deuxième partie, ne le nie pas... (Je me rapprochai de Ze.) Notre « sœur épouse » a permis à Ren de comprendre qu'il pouvait nous aimer toutes les trois – différemment, mais de manière complémentaire. Et notre œuvre commune va être publiée... N'est-ce pas un miracle ? Notre souvenir va ainsi se transmettre et sera à jamais honoré.

Ze se mit à pleurer. En même temps que ses larmes, c'était l'horreur des années passées dans le Lac de Sang qui s'éloignait d'elle – tout comme se dissipaient sa colère, son amertume, son égoïsme et sa rancune. Ces sentiments l'avaient accompagnée jusque dans la mort : ils avaient fait écran à la terrible impression de malheur dans laquelle elle avait vécu. Mais à présent, ce sentiment d'échec, mêlé de solitude et de tristesse, l'abandonnait peu à peu et cédait la place à la vraie nature de Ze : celle de la petite fille qui vivait dans ses rêves et attendait d'être aimée.

J'invoquai le soutien de ma mère et de ma grand-mère, avant de prendre Ze par l'épaule. Sans lui laisser le temps de discuter, je l'entraînai avec moi, évitant les coups de balai de Branche de Saule, le reflet des miroirs et le van qui était toujours suspendu dans la pièce. Nous nous retrouvâmes à l'extérieur, Ze et moi : je relâchai alors mon étreinte. Pendant quelques secondes, elle flotta au-dessus de moi. Puis elle tourna son regard vers le ciel et disparut lentement.

Je regagnai la chambre et constatai avec une immense joie que les poumons de Yi s'étaient libérés. Elle respirait à nouveau normalement et Ren la regardait revenir à la vie, avec des sanglots de bonheur.

Une lueur

Le Commentaire des trois épouses fut publié à la fin de l'hiver, dans la trente-deuxième année du règne de l'empereur Kangxi – qui aurait été la quarante-cinquième de mon existence terrestre, si j'avais encore été de ce monde. L'ouvrage rencontra aussitôt un succès foudroyant. À mon grand étonnement – et pour mon plus grand plaisir – mon nom et celui de mes « sœurs épouses » devinrent célèbres du jour au lendemain, à travers tout le pays. Les collectionneurs dans le genre de mon père recherchaient l'ouvrage, en raison de son caractère singulier. Toutes les bibliothèques dignes de ce nom souhaitaient l'avoir dans leurs rayons. Toutes les familles de la haute société en possédaient un exemplaire : les femmes le relisaient sans cesse et versaient des larmes en songeant à ma solitude et à l'intensité de mes sentiments. Mais elles pleuraient aussi sur les pages qu'elles avaient elles-mêmes écrites et qui, égarées ou vouées aux flammes, avaient disparu à jamais. À moins qu'elles n'aient soupiré en évoquant celles qu'elles s'étaient abstenues de composer, pour chanter l'amour printanier et la nostalgie de l'automne.

Leurs maris, leurs frères et leurs fils ne tardèrent pas à les imiter et à lire l'ouvrage, eux aussi – même s'ils l'interprétaient d'une tout autre manière. L'idée que l'œuvre d'un homme ait fasciné des femmes au point de leur faire perdre l'appétit et de se laisser dépérir – jusqu'à en mourir – flattait évidemment la vanité masculine, ainsi qu'un sentiment de puissance et de virilité bien mis à mal ces derniers temps.

Lorsque le Nouvel An arriva, Yi se joignit au reste de la famille pour nettoyer la maison, faire des offrandes et honorer les dettes, mais je voyais bien qu'elle avait l'esprit ailleurs. Sitôt ces devoirs accomplis, elle s'éclipsa et se rendit à l'autre bout de la propriété, pour rejoindre la chambre où avait été installée la poupée qui me représentait. Elle pénétra dans la pièce, hésita un instant et fouilla dans sa jupe, d'où elle extirpa un couteau – objet dont il est interdit de se servir pendant les jours qui précèdent le Nouvel An. Elle s'agenouilla auprès de la poupée et je la vis avec angoisse décoller son visage de carton. Elle lui ôta ensuite ses vêtements, dont elle fit une petite pile, et lui ouvrit le ventre en découpant soigneusement le tissu.

J'étais en proie à une vive émotion, car j'ignorais pourquoi elle saccageait ainsi ma marionnette. Ren allait être furieux, s'il découvrait son geste ; d'un autre côté, si elle en retirait ma tablette ancestrale, elle allait s'apercevoir que le texte n'y avait pas été inscrit. J'allai me placer auprès d'elle, envahie par un brusque élan d'espoir. Yi glissa la main dans le ventre de la poupée et en sortit la tablette. Mais elle n'y jeta même pas un regard : elle essuya la paille qui la recouvrait et l'emporta hors de la pièce, ainsi que le visage en papier.

Elle longea le couloir et gagna le jardin, dirigeant ses pas vers le prunier au pied duquel je vivais. Elle posa la tablette sur le sol et alla chercher une table basse dans sa chambre. Elle repartit aussitôt et revint au bout de quelques minutes avec un exemplaire imprimé du *Commentaire des trois épouses*, un vase et divers ingrédients. Elle installa ma tablette et le visage en papier sur la table, alluma des bougies et disposa à titre d'offrandes quelques fruits, un peu de vin et le livre qu'elle était allée chercher. Puis elle accomplit le rite à mon intention.

C'était du moins ce que je croyais : qu'elle me rendait le culte destiné aux ancêtres.

Ren apparut dans l'embrasure d'un balcon et aperçut sa femme, plongée dans ses suppliques.

— Que fais-tu donc ? lui lança-t-il.

— C'est le Nouvel An, répondit-elle. Nous avons fait des offrandes à tous les membres de ta famille, mais je voulais remercier Liniang. Elle m'a tellement inspirée... comme elle l'avait déjà fait pour tes autres épouses.

Ren se mit à rire, amusé par sa naïveté.

— On ne rend pas un culte à un personnage imaginaire, lui dit-il.

Yi s'insurgea.

— L'esprit du cosmos est partout. Une simple pierre peut abriter un esprit. Ne parlons pas d'un arbre...

— Mais Tang Xianzu lui-même a déclaré que Liniang n'avait jamais existé. Pourquoi veux-tu lui faire des offrandes ?

— Comment pouvons-nous être sûrs, toi et moi, qu'elle n'a pas vécu pour de bon ?

C'était la veille du Nouvel An – période au cours de laquelle il faut éviter les disputes, qui risquent d'indisposer les ancêtres. Aussi Ren abandonna-t-il la partie.

— Tu as raison, dit-il, et c'est moi qui ai tort. Maintenant, pourquoi ne viendrais-tu pas prendre le thé avec moi ? J'aimerais te lire ce que j'ai écrit aujourd'hui.

Il était trop loin pour distinguer ce qui figurait sur ma tablette ou les traits représentés sur le carton. Et il ne demanda pas à Yi où elle avait pris ces objets censés incarner Liniang.

Un peu plus tard, Yi vint récupérer ce qu'elle avait déposé au pied du prunier. Je la regardai avec tristesse remettre ma tablette dans le ventre de la poupée, recoudre et rhabiller celle-ci, puis replacer le carton sur son visage. Je devais refréner ma déception, mais j'étais bel et bien effondrée… une fois de plus.

Il était temps que Yi apprenne qui j'étais. C'était moi qui l'avais aidée, et non Liniang. Je me souvenais de ce qu'avait écrit ma « sœur épouse », quelque part dans les marges de l'opéra : *Un fantôme est semblable à un rêve – et un rêve n'est guère plus qu'un fantôme.* Cette réflexion me convainquit que le seul moyen de l'approcher sans éveiller ses craintes était de la rencontrer en rêve.

Cette nuit-là, sitôt Yi endormie, je m'introduisis dans le jardin de ses rêves, que je reconnus sur-le-champ, car c'était celui de Liniang. Des fleurs éclosaient de toutes parts autour de moi. Je marchais jusqu'au pavillon des Pivoines et attendis. Lorsque Yi arriva et que je m'avançai devant elle, elle ne blêmit pas et ne se mit pas à pousser des hurlements. Je devais lui apparaître comme une créature d'une beauté surnaturelle.

— Es-tu Liniang ? me demanda-t-elle.

Je lui souris, mais avant que j'aie pu lui répondre une nouvelle silhouette apparut : il s'agissait de Ren. Nous ne nous étions plus rencontrés de la sorte depuis les premiers jours qui avaient suivi ma mort. Nous nous dévisageâmes, incapables de parler, étreints par l'émotion. On aurait dit que le temps s'était suspendu. L'amour que j'éprouvais pour lui imprégnait l'atmosphère – mais Yi était à nos côtés et je n'osais pas parler devant elle. Ren regarda ma « sœur épouse » avant de reposer les yeux sur moi.

Lui aussi hésitait à prendre la parole, mais son regard était rempli d'amour.

Je cueillis une branche de prunier et la lui tendis. Me souvenant du rêve de Liniang, je la fis tournoyer au-dessus de ma tête, ce qui provoqua la chute de tous les pétales du jardin, qui tombèrent comme des flocons de neige sur Ren et Yi. Je décidai de revenir le lendemain dans le rêve de Yi. Cela me laisserait le temps de me préparer : et si Ren se montrait à nouveau, je parviendrais alors à lui parler.

Dans le royaume terrestre, Ren se réveilla. À ses côtés, Yi respirait de manière saccadée. Il lui secoua l'épaule.

— Réveille-toi !

Yi ouvrit les yeux. Avant que Ren ait pu dire quoi que ce soit, elle lui raconta son rêve.

— Je t'avais bien dit que Liniang existait, ajouta-t-elle, tout heureuse.

— J'ai fait le même rêve que toi, dit Ren, mais il ne s'agissait pas de Liniang. (Il saisit ses mains et lui demanda d'une voix pressante :) Où as-tu trouvé la tablette dont tu t'es servie hier pour ta cérémonie ?

Yi secoua la tête et chercha à se dégager, mais il resserra son étreinte.

— Dis-le-moi, insista-t-il. Je ne me fâcherai pas.

— Je ne l'ai pas prise sur l'autel des ancêtres, avoua-t-elle d'une voix faible. Il ne s'agissait pas d'une de tes tantes, ni...

— Yi, je t'en prie, dis-moi la vérité !

— Je voulais utiliser la tablette de celle qui, pour moi, incarnait le mieux le mal d'amour de Liniang. (Voyant qu'il la dévisageait avec anxiété, Yi se mordit les lèvres, avant d'ajouter :) J'ai pris la tablette de Pivoine, mais je l'ai ensuite remise à sa place. Ne sois pas en colère contre moi.

— C'est Pivoine que tu as vue dans ton rêve, dit-il en jaillissant du lit et en saisissant une tunique. Tu l'as invoquée et elle t'a répondu.

— Mon époux…

— Je te dis que c'était elle. Mais jamais elle n'aurait pu apparaître de la sorte si elle avait un statut d'ancêtre. Ce qui signifie qu'elle…

Yi voulut se lever à son tour.

— Reste ici ! lui ordonna-t-il.

Sans ajouter un mot, il quitta la chambre conjugale et se précipita dans le couloir qui menait à la pièce où était installée ma poupée. Il s'agenouilla auprès d'elle et posa la main à l'emplacement de son cœur. Il demeura ainsi un long moment. Puis, avec autant de lenteur qu'un époux lors de sa nuit de noces, il défit les boutons qui fermaient ma tunique de mariée, en fixant le visage de la poupée. Je ne le quittai pas non plus des yeux. Il avait un peu vieilli, ses cheveux grisonnaient sur ses tempes désormais sillonnées de rides. Mais pour moi, il était toujours aussi beau. Ses mains avaient conservé leur finesse et leur élégance. Je l'aimais pour le bonheur qu'il m'avait apporté, du temps où je vivais encore dans la propriété de la famille Chen, ainsi que pour l'amour et la loyauté dont il avait fait preuve à l'égard de Ze et de Yi.

Lorsque le corps en mousseline apparut au grand jour, Ren s'assit sur ses talons et scruta la pièce, sans y trouver ce qu'il cherchait. Il fouilla ensuite dans ses poches, tout aussi vainement. Il prit alors une profonde inspiration, se pencha et éventra de ses mains le corps de la poupée. Il en retira ma tablette et la tint un instant devant lui. Puis il humecta son pouce et nettoya la crasse qui s'y était accumulée. Quand il se rendit compte que le texte n'y figurait pas, il serra la tablette contre sa poitrine, en hochant la tête d'un air incrédule. Je m'agenouillai devant lui. Cela faisait vingt-neuf ans que je souffrais et supportais la misérable condition des fantômes errants. Et je voyais défiler ces années dans son regard, pendant qu'il essayait de se représenter le calvaire qu'avait été mon existence.

Il se leva, emporta la tablette avec lui dans sa bibliothèque et appela Branche de Saule.

— Va dire à la cuisinière d'égorger un coq, lui lança-t-il avec rudesse. Et dès qu'elle aura recueilli son sang, amène-le-moi.

Branche de Saule ne lui posa pas la moindre question. Au moment où elle passa près de moi, en quittant la pièce, je me mis à pleurer – de gratitude et de soulagement. Cela faisait si longtemps que j'attendais cet instant : j'avais fini par croire qu'il n'arriverait jamais.

Branche de Saule revint dix minutes plus tard avec un bol de sang chaud. Ren le lui prit des mains et la renvoya. Puis il regagna sa table, y posa le bol et s'inclina devant ma tablette. Tandis qu'il accomplissait ces gestes, quelque chose se mit à remuer en moi et une senteur céleste se répandit brusquement dans la pièce. Des larmes remplirent les yeux de Ren, qui plongea son pinceau dans le sang. Sa main ne trembla pas lorsqu'il saisit ma tablette et inscrivit son texte – comme Mengmei l'avait fait, manifestant ainsi son amour pour Liniang.

Je cessai sur-le-champ d'être un fantôme errant. L'âme qui était restée ancrée à ma forme spectrale se scinda en deux. La première moitié alla occuper la place qui lui revenait, à l'intérieur de la tablette : de là, j'allais pouvoir veiller aux destinées de ma famille. La seconde se trouva de nouveau libre de poursuivre son voyage vers l'au-delà. Je venais de renaître – non pas à la vie, mais à mon statut officiel de première épouse de Ren. J'avais retrouvé la place qui me revenait au sein de la société, de ma famille et du cosmos en son entier.

Une lueur m'environna – et l'ensemble de la propriété s'en trouva illuminé, d'un bonheur aussi intense que le mien. Puis je m'élevai lentement dans les nues, pour achever le voyage au terme duquel j'allais enfin acquérir mon statut d'ancêtre. Je me retournai pour contempler Ren une dernière fois. De longues années devaient encore s'écouler, avant que mon poète ne me rejoigne dans les plaines de l'au-delà. D'ici là, je continuerais de vivre pour lui à travers mes écrits.

Note de l'auteur

En 2000, j'écrivis un article pour le magazine Vogue, à propos d'une série de représentations intégrales du *Pavillon des Pivoines* qui se montaient alors, au Lincoln Center. C'est en recherchant de la documentation pour ce reportage que je tombai sur l'histoire des jeunes filles victimes du mal d'amour. Le sujet m'intrigua et j'y repensai par la suite, bien après avoir terminé cet article. On prétend toujours que les femmes n'écrivaient pas, autrefois, et qu'il n'y avait parmi elles ni plasticiennes, ni historiennes, ni *chefs* – au sens gastronomique du terme – alors qu'un certain nombre d'entre elles ont forcément exercé ces différents métiers. La vérité, c'est que les traces de leurs activités ont le plus souvent disparu – soit qu'elles aient été reléguées dans l'oubli, soit qu'on les ait délibérément occultées. Aussi, à mes moments perdus, je poursuivis mon enquête au sujet de ces jeunes femmes et découvris que leur histoire s'inscrivait dans un contexte beaucoup plus large.

Au milieu du XVIIe siècle, il se publiait en Chine plus de textes écrits par des femmes dans le delta du Yangzi Jiang que dans le reste du monde, à la même époque. Je veux dire que *des milliers* de femmes étaient alors publiées, même si la plupart vivaient recluses, les pieds bandés, au sein de riches familles. Il s'agissait parfois d'un unique poème, écrit par une mère, à laquelle ses fils rendaient hommage ou dont ils célébraient le souvenir à travers cette publication. Mais il y avait aussi des femmes qui s'adressaient à un plus large public et qui étaient même devenues des écrivains professionnels, faisant vivre leur famille grâce à la vente de leurs ouvrages. Comment se faisait-il que tant de femmes aient connu un destin aussi singulier et que nul n'en ait jamais entendu parler ? Ce fut alors que je découvris *Le Commentaire des trois épouses* – le premier texte de ce genre à avoir été écrit par des femmes, où que ce soit dans le monde. Ma curiosité initiale se mua bientôt en passion dévorante.

Plusieurs éléments se combinent dans le présent ouvrage : l'opéra de Tang Xianzu, l'histoire des jeunes filles en proie au mal d'amour, celle du *Commentaire des trois épouses* et des bouleversements sociaux qui rendirent son écriture possible. Ces données sont complexes et s'enchevêtrent par moments, je demande donc un peu de patience au lecteur qui souhaite me suivre dans ces différents méandres.

Tang Xianzu a situé l'intrigue du *Pavillon des Pivoines* sous la dynastie des Song (960-1127) : il se référait en fait à la dynastie des Ming (1368-1644), une période de grande effervescence artistique, mais marquée par la corruption et les bouleversements politiques.

En 1598, après avoir achevé la rédaction de cet opéra, Tang devint l'un des plus farouches défenseurs du *qing* – un état d'esprit caractérisé par la profondeur des émotions et l'amour sentimental. Comme tous les bons écrivains, il parlait de ce qu'il connaissait, mais cela ne signifiait pas que le gouvernement en place souhaitait forcément entendre ses propos. Presque aussitôt, divers groupes de pression demandèrent l'interdiction de l'opéra, jugé politiquement dangereux et d'une trop grande lascivité. De nouvelles versions plus ou moins édulcorées se succédèrent, jusqu'à ce qu'un maigre choix de huit scènes (sur les cinquante-cinq que comportait initialement la pièce) puisse enfin être monté. L'ouvrage devait subir de pires traitements par la suite : il connut des versions abrégées, « corrigées », voire entièrement réécrites, en fonction de l'évolution de la société.

En 1780, pendant le règne de Qianlong, l'opposition que soulevait cet opéra atteignit son paroxysme et il fut inscrit sur une liste noire, en raison de son caractère « impie ». Il fallut néanmoins attendre 1868 pour que l'empereur Tongzhi prononce la première proscription officielle, condamnant *Le Pavillon des Pivoines* pour sa débauche et stipulant que tous les exemplaires devaient en être brûlés et les représentations interdites.

La censure dont l'opéra avait jadis été victime s'est poursuivie jusqu'à nos jours. Les représentations organisées par le Lincoln Center furent suspendues un certain temps, avant que la première ait eu lieu : le gouvernement chinois, ayant découvert le contenu des scènes restaurées, empêcha les acteurs, les décors et les costumes de sortir du pays – démontrant une fois de plus que, si les choses changent parfois, elles ont surtout tendance à rester identiques.

Outre une liaison sexuellement consommée en dehors du mariage et la critique du gouvernement de l'époque, pourquoi cet opéra s'est-il avéré aussi dérangeant ? *Le Pavillon des Pivoines* a été la première œuvre de fiction, dans l'histoire de la Chine, au sein de laquelle une héroïne – âgée de seize ans – choisit son destin, ce qui était alors plus choquant qu'émouvant. Le sujet captivait les femmes, autorisées à lire la pièce mais non à la voir représentée, à de rares exceptions près. On a comparé les passions suscitées par cet opéra à celles que déclencha la publication du *Werther* de Goethe dans l'Europe du XVIIIe siècle – ou, plus récemment, à celle de *Autant en emporte le vent* aux États-Unis. En Chine, à l'époque, les jeunes filles de treize à seize ans, issues de familles aisées et promises à un mariage qu'on avait de longue date arrangé pour elles, étaient particulièrement réceptives à cette histoire. S'appuyant sur le principe que la vie imite l'art, elles prenaient modèle sur Liniang : elles cessaient de s'alimenter, se laissaient dépérir et finissaient par mourir – avec l'espoir que, par-delà la tombe, elles seraient d'une manière ou d'une autre en mesure de choisir leur destin, comme l'avait fait le fantôme de Liniang.

Nul ne sait au juste ce qui provoquait la mort de ces jeunes filles, mais il est vraisemblable que leur refus de s'alimenter y ait été pour quelque chose. Nous avons tendance à considérer l'anorexie comme un phénomène moderne, alors que c'est loin d'être le cas. Qu'il s'agisse des mystiques du Moyen Âge, de ces jeunes filles dans la Chine du XVIIe siècle ou des adolescentes d'aujourd'hui, les femmes ont toujours éprouvé le besoin de revendiquer ne serait-ce qu'une infime part d'autonomie. Comme l'ont montré les travaux de Rudolph Bell, les jeunes femmes qui se laissent dépérir transposent en quelque sorte à l'intérieur de leur corps le conflit qui les oppose au monde extérieur – au sein duquel elles n'ont aucun contrôle sur leur destin – afin de conjurer à la fois leur avenir et leurs pulsions charnelles. Nombre de ces adolescentes emportées par le mal d'amour écrivirent des poèmes qui furent publiés après leur mort – comme Xiaoqing et Yu Niang, qui apparaissent dans les pages de ce roman.

Mais qu'il s'agisse d'elles ou des membres du cercle poétique de la Bananeraie, toutes ces femmes qui écrivaient n'ont pas surgi brusquement du néant, pour y retourner ensuite. La Chine a connu un changement de dynastie au milieu de XVIIe siècle, lorsque les Ming se sont effondrés et que les envahisseurs mandchous, venus du nord, ont établi la dynastie des Qing. Pendant près de trente ans, le pays fut en proie au chaos. L'ancien régime était corrompu, la guerre avait été sanglante. (À Yangzhou, où était morte la grand-mère de Pivoine, on prétend que plus de huit mille personnes furent exécutées.) Beaucoup de gens avaient perdu leur foyer. Les hommes étaient humiliés, on les obligeait à se raser le crâne pour afficher leur soumission au nouvel empereur. Sous l'égide du nouveau régime, le système mandarinal déclina et certains lettrés qui possédaient jadis du prestige, du pouvoir et des richesses se retrouvèrent au bas de l'échelle sociale. Nombre de ceux qui avaient occupé les plus hautes fonctions quittèrent le gouvernement et la carrière mandarinale pour se retirer dans leur domaine, buvant du thé et faisant brûler de l'encens, écrivant de la poésie et collectionnant des minéraux.

Quant aux femmes – dont le statut social était déjà nettement inférieur – elles connurent des tourments bien pires. Certaines furent vendues « au poids, comme du poisson » et valaient encore moins que du sel. Beaucoup d'autres, comme la véritable Xiaoqing – ou Branche de Saule, dans ce roman – devinrent des « chevaux d'appoint » et furent vendues comme concubines. Mais d'autres connurent un destin plus étrange et nettement plus enviable. Avec tous les soucis auxquels ils devaient faire face, les hommes se montraient moins sourcilleux. Ils laissaient les portes de leurs maisons ouvertes, et certaines femmes, qui avaient jusqu'alors vécu recluses, en profitèrent pour mettre le nez dehors. Elles devinrent écrivains ou peintres professionnelles, historiennes, aventurières... D'autres se réunirent pour lire, écrire de la poésie et débattre de leurs idées. Les membres du cercle de la Bananeraie, qui étaient cinq au départ – et sept par la suite – faisaient ainsi de nombreuses excursions : elles écrivaient sur les paysages qu'elles découvraient au cours de leurs voyages, ainsi que sur leurs propres expériences, sans perdre leur statut de femmes vertueuses, nobles et raffinées. Leur succès n'aurait jamais pu avoir lieu sans le développement de l'éducation dans les appartements des femmes, une certaine opulence économique, l'existence des techniques d'impression de masse – et le fait que la plupart des hommes avaient alors bien d'autres sujets de préoccupation.

Mais ces femmes n'écrivaient pas uniquement pour célébrer la grandeur du monde ou la langueur des jours heureux. Certaines, comme la mère de Pivoine, laissèrent sur les murs des poèmes qui acquirent une relative notoriété auprès des lettrés, tant en raison de leur tristesse que de leur aura un peu malsaine, attendu les circonstances macabres de leur composition. Comme les écrits des jeunes filles emportées par le mal d'amour, ces textes témoignaient d'une sorte de romantisme combinant les idéaux du *qing* et la fascination vaguement morbide qu'exerce une femme qui se laisse dépérir, en proie à la fièvre et la maladie, et meurt comme une martyre dans une chambre vide, rongée par le désir de l'homme qu'elle aime.

Chen Tong, Tan Ze et Qian Yi ont réellement existé. (Chen Tong avait dû changer de prénom, parce que sa future belle-mère portait le même : ce prénom d'origine n'est pas parvenu jusqu'à nous.) J'ai essayé de raconter leur histoire le plus fidèlement possible – au point que j'étais parfois embarrassée par des concours de circonstances bien opportuns, ou des faits qui paraissaient trop fabuleux pour être vrais. Qian Yi, par exemple, se sert d'une tablette ancestrale pour célébrer une cérémonie au pied d'un prunier, afin d'honorer la mémoire du personnage fictif de Du Liniang – qui vient de lui apparaître en rêve, ainsi qu'à Wu Ren. Mais à ma connaissance, Chen Tong n'avait jamais rencontré l'homme qu'elle devait épouser, pas plus qu'elle n'était revenue sur terre sous la forme d'un fantôme errant.

Si Wu Ren voulait que le talent de ses trois épouses soit reconnu, il s'était également montré soucieux de les protéger. Ainsi lit-on sur la couverture de l'ouvrage : *Commentaire du Pavillon des Pivoines, par les trois épouses de Wu Wushan* (Wushan était l'un de ses noms de plume). Les noms de Tan Ze, de Qian Yi et de Chen Tong ne figurent qu'à l'intérieur, sur la page de titre, et dans les annexes de l'ouvrage.

Le livre connut un grand succès, sitôt publié, et eut de nombreux lecteurs. Toutefois, au bout d'un certain temps, le vent tourna et l'éloge céda la place à une critique souvent cinglante. On reprochait à Wu Ren de s'être comporté comme un nigaud, prêt à tout pour vanter les mérites de ses différentes épouses, au point d'en perdre le sens de la bienséance. Les moralistes, qui combattaient depuis des années *Le Pavillon des Pivoines*, demandaient l'interdiction de l'opéra – tant à travers les admonestations familiales que les consignes religieuses et les décrets officiels. Ils proposaient de brûler tous les exemplaires de la pièce, ainsi que les travaux qui lui avaient été consacrés, à l'image du *Commentaire*. C'était le meilleur moyen selon eux de couper court une fois pour toutes à ses propos licencieux. La lecture de ce genre d'ouvrages, disaient-ils, ne pouvait qu'encourager les femmes, insouciantes et écervelées par nature, à adopter des mœurs dissolues. Ils rappelaient en outre que seule une femme ignorante pouvait être tenue pour une bonne épouse. Les moralistes conseillaient aux hommes de rappeler à leurs mères, à leurs filles, à leurs sœurs et à leurs épouses que les Quatre Vertus ne mentionnent nulle part « l'écriture » ou le culte du « moi ». On reprochait en fait aux femmes tout ce qui les avait inspirées et poussées à écrire, à peindre ou à faire des excursions. Le retour au rite ne pouvait signifier qu'une chose : le retour au silence.

Par la suite, les débats se déplacèrent et s'attaquèrent au *Commentaire des trois épouses*. Comment trois femmes – qui avaient de surcroît épousé le même homme – pouvaient-elles avoir une telle intelligence des choses de l'amour ? Comment avaient-elles eu l'idée d'entreprendre un travail qui exigeait des connaissances aussi étendues ? Comment avaient-elles réussi à se procurer l'ensemble des éditions de l'opéra, en vue de les comparer ? Pourquoi les manuscrits originaux rédigés par Chen Tong et Tan Ze avaient-ils péri dans les flammes ? Cette coïncidence était décidément opportune, puisqu'on ne pouvait plus comparer leurs styles respectifs. Dans les annexes, Qian Yi racontait qu'elle avait fait une offrande sous un prunier aux deux épouses qui l'avaient précédée. Son mari et elle faisaient également allusion à un rêve, au cours duquel ils avaient rencontré Liniang. Les deux époux étaient-ils donc aussi incapables l'un que l'autre de distinguer la fiction de la réalité, les morts des vivants, le rêve de l'état éveillé ? Tout cela tendait en fait à une seule et même conclusion : c'était Wu Ren lui-même qui avait écrit *Le Commentaire*. À preuve, la réponse qu'il avait faite un jour : « Laissons croire ceux qui croient. Laissons douter ceux qui doutent. »

Entre-temps, l'ordre avait été rétabli à travers le royaume. L'empereur avait proclamé plusieurs édits, visant tous à reprendre le contrôle de la société. Le jeu des nuages et de la pluie ne devait avoir lieu qu'entre une épouse et son mari – et il devait être régi par le *li*, non par le *qing*. Les journaux intimes tenus par des femmes étaient désormais interdits, afin que les jeunes filles ne puissent savoir à l'avance ce qui les attendait, lors de leur nuit de noces. L'empereur recommandait également aux pères de famille d'exercer pleinement leur autorité sur leur progéniture féminine : si jamais une fille s'était comportée de telle sorte que la honte ne pouvait manquer de rejaillir sur ses ancêtres, son père avait le droit de la tailler en pièces. Les femmes furent ainsi invitées à regagner leurs appartements intérieurs, dont les portes se refermèrent sur elles. Elles ne devaient se rouvrir qu'après la chute de la dynastie des Qing et la proclamation de la République en Chine, en 1912.

En mai 2005, dix jours avant de partir pour Hangzhou afin d'y poursuivre mes recherches sur les « trois épouses », je reçus un appel du magazine *More*, me demandant si j'accepterais d'écrire un article au sujet de la Chine. La coïncidence était parfaite. Outre Hangzhou, je me rendis dans plusieurs villes d'eau du delta du Yangzi Jiang – dont la plupart semblaient avoir été figées dans un temps immobile, plus d'un siècle auparavant – et visitai divers sites auxquels il est fait allusion dans ce roman : les temples de Longjing et les campagnes environnantes, ainsi que la ville de Suzhou, où j'allai chercher l'inspiration dans les jardins immenses que recèlent certaines propriétés.

Le but de cet article était de découvrir la jeune femme en proie au mal d'amour qui sommeillait en moi. Je dois reconnaître que la tâche ne fut pas trop difficile, car je suis d'une nature assez exaltée. Mais cette perspective m'obligea à descendre plus profondément en moi et à examiner mes propres sentiments, concernant l'écriture et le désir qu'ont les femmes d'être entendues – que ce soit par leurs maris, leurs enfants ou leurs employeurs. Toutes les femmes sur terre – mais les hommes sont comme elles, de ce point de vue – espèrent connaître un jour une passion qui les transforme, qui transcende leur vie quotidienne et leur donne le courage de résister à toutes les déconvenues de l'existence : les rêves inaboutis, les déboires qui les attendent dans la sphère professionnelle ou privée, les histoires d'amour brisées…

Remerciements

Ce livre est un roman historique et je n'aurais pas été en mesure de l'écrire sans les remarquables travaux de très nombreux chercheurs. Concernant le contexte et le cadre historique, j'aimerais remercier George E. Bird, Frederick Douglas Cloud, Sara Grimes et George Kates pour les guides et les récits de voyage qu'ils ont consacrés à Hangzhou et à d'autres régions de la Chine. Pour la documentation relative aux rites funéraires chinois, aux croyances concernant l'au-delà, aux trois parties de l'âme, aux pouvoirs des esprits et aux mariages fantômes (qui sont encore pratiqués de nos jours), je voudrais citer les travaux de Myron C. Cohen, David K. Jordan, Susan Naquin, Stuart E. Thompson, James L. Watson, Arthur P. Wolf et Anthony C. Yu. Même s'ils sont parfois un peu paternalistes, les récits de Justus Doolittle et de John Nevius – qui ont tous les deux voyagé en Chine au XIXe siècle – sont riches en renseignements relatifs aux mœurs et aux coutumes chinoises. Le livre de V. R. Burkhardt : *Chinese Creeds and Customs* reste d'une grande utilité, sur le même sujet, et celui de Matthew H. Sommer : *Sex, Law and Society in Late Imperial China* expose de manière exhaustive les règles qui présidaient au comportement sexuel ainsi qu'au statut des hommes et des femmes sous la dynastie des Qing.

Lynn A. Struve a exhumé, classé et traduit de nombreuses « autobiographies » (ou récits à la première personne) rédigées pendant la période de transition qu'a connue la Chine, entre la dynastie des Ming et celle des Qing. Deux de ces récits ont servi de toile de fond à l'histoire de la famille Chen, dans le présent roman. Le premier est dû à Liu Sanxiu, qui fut capturée et vendue à plusieurs reprises, avant de devenir une princesse mandchoue. Le second est la relation terrifiante, due à un certain Wang Xiuchu, des massacres perpétrés par les Mandchous lors de la prise de Yangzhou. Il expose en particulier la différence entre le fait de se sacrifier volontairement pour sauver sa famille et celui d'être arbitrairement désignée pour un tel sacrifice, sous prétexte qu'on a moins de valeur en tant que femme. (Dans le roman, j'ai ramené à cinq les dix journées que dura le massacre.)

Au cours des dernières années, les recherches universitaires sur la condition des femmes en Chine se sont développées de manière spectaculaire. Je dois beaucoup aux travaux de Patricia Buckley Ebrey (sur la vie des femmes au temps des Song), de Susan Mann (sur la vie et l'éducation des femmes au XVIIIe siècle), de Maureen Robertson (sur la poésie lyrique féminine en Chine à la fin de l'ère impériale), d'Ann Waltner (sur la visionnaire T'An-Yang-Tzu) et d'Ellen Widmer (sur l'héritage littéraire de Xiaoqing). J'ai découvert récemment dans un numéro du *Shangai Tattler*, non sans une certaine surprise, la liste des vingt critères requis pour être considérée comme une épouse idéale. Bien qu'elles aient été rédigées en 2005, j'ai utilisé une partie de ces propositions dans mon roman, en les replaçant dans le contexte du XVIIe siècle. Les lecteurs qui souhaiteraient en savoir plus sur la technique du bandage se reporteront avec intérêt sur l'ouvrage classique de Beverley Jackson : *Splendid Slippers*, ainsi que sur ceux de Dorothy Ko : *Cinderella's Slippers* et *Every Step a Lotus*. La connaissance du Dr Ko sur la vie des Chinoises au XVIIe siècle – et en particulier sur l'histoire des « trois épouses » – est tout à fait impressionnante.

La version anglaise du *Pavillon des Pivoines* qu'a jadis procurée Cyril Birch est désormais un classique et je remercie Indiana University Press de m'avoir autorisée à citer des extraits de sa superbe traduction. Alors que j'achevais la rédaction de ce roman, j'ai eu la chance de pouvoir assister en Californie à une représentation de l'opéra, longue de neuf heures et produite par Kenneth Pai. Pour une approche plus scolaire de l'œuvre, je me suis appuyée sur les travaux de Tina Lu et de Catherine Swatek.

Judith Zeitlin, de l'Université de Chicago, a été en quelque sorte la marraine de ce projet. Nous avions d'abord échangé plusieurs e-mails tout à fait passionnants, à propos du *Commentaire des trois épouses*. Elle m'avait notamment conseillé de lire les articles qu'elle avait consacrés aux fantômes féminins chinois, à l'écriture des esprits, aux trois épouses, ainsi qu'à l'art de l'autoportrait comme reflet de l'âme. J'ai eu la chance de rencontrer ensuite le Dr Zeitlin à Chicago et de passer avec elle une soirée inoubliable, au cours de laquelle nous avons parlé des fantômes, du mal d'amour et de l'écriture des femmes. Peu après, je recevais un paquet par la poste : Judith Zeitlin m'avait envoyé la photocopie d'une édition originale du *Commentaire*, appartenant à un collectionneur privé. Le Dr Zeitlin n'a jamais hésité à me faire partager ses connaissances, ni à me soutenir dans mes requêtes auprès de certains de ses confrères.

Les traductions varient énormément, d'un auteur à l'autre... Pour les poèmes composés par Chen Tong sur son lit de mort, les commentaires réellement dus aux trois épouses, le récit de Wu Ren concernant leur composition, celui que fait Qian Yi à propos de sa rencontre en rêve avec Liniang, les colophons élogieux et l'ensemble des annexes accompagnant *Le Commentaire des trois épouses*, je me suis servie des traductions de Dorothy Ko, Judith Zeitlin, Jingmei Chen – ainsi que de celles réunies par Wilt Edema et Beata Grant dans *The Red Brush*, leur impressionnante et superbe compilation (de plus de 900 pages) consacrée aux écrits des femmes dans la Chine impériale.

En plus des données relatives au *Pavillon des Pivoines*, je suis également redevable aux chercheurs cités ci-dessus pour leurs traductions de nombreux autres écrits féminins datant de la même période. J'ai essayé de rendre hommage aux voix de ces femmes en utilisant des fragments de leurs poèmes, sur le modèle de Tang Xianzu, qui avait inséré dans son opéra des pastiches de nombreux écrivains. *Le Pavillon des Pivoines* est une œuvre de fiction : toutes les modifications apportées à l'histoire réelle des trois épouses et les erreurs qu'elles peuvent éventuellement comporter sont donc miennes – mais j'espère avoir réussi à capter l'esprit de leur singulière aventure.

Merci aux éditeurs de Vogue et de More, dont les propositions ont joué un rôle décisif dans la réalisation de ce projet. La photographe Jessica Antola et son assistante Jennifer Witcher ont été de merveilleuses compagnes de voyage et m'ont suivie pratiquement partout, au cours de mes recherches en Chine. Wang Jian et Tony Tong se sont avérés des guides et des interprètes précieux, et Paul Moore m'a une fois encore facilité la tâche, malgré la complexité de mon itinéraire. J'aimerais remercier tout particulièrement l'écrivain Anchee Min, grâce à laquelle j'ai pu rencontrer Mao Wei-tiao, l'une des plus célèbres chanteuses d'opéra *kunqu*. Madame

Mao m'a montré, à travers un étrange mélange de mouvement et d'immobilité, la profondeur et la beauté de l'opéra chinois.

Mes remerciements vont aussi à Aimee Liu, pour ses connaissances en matière d'anorexie ; à Buf Meyer, pour ses réflexions stimulantes sur les émotions ancestrales ; à Janet Baker, pour sa révision du manuscrit ; à Chris Chandler, pour sa patience infinie et à Amanda Strick, pour son amour de la littérature chinoise – et la femme qu'elle est.

Je remercie aussi Gina Centrello, Bob Loomis, Jane von Mehren, Benjamin Dreyer, Barbara Fillon, Karen Fink, Vincent La Scala *et tout le monde en fait* chez Random House, pour avoir fait preuve d'une telle gentillesse à mon égard. J'ai la chance immense, depuis des années, d'avoir Sandy Dijkstra comme agent : elle est tout simplement la meilleure. Dans ses bureaux, Taryn Fagerness, Elise Capron, Elisabeth James et Kelly Sonnack n'ont pas ménagé leurs peines pour défendre mon travail.

Je remercie enfin, comme il se doit, l'ensemble de ma famille : mes fils Christopher et Alexander, qui m'ont toujours soutenue ; ma mère, Carolyn See, qui a su croire en moi et m'a encouragée à persister dans la voie qui était la mienne ; ma sœur Clara Sturak, pour sa bonté et sa gentillesse ; et mon mari, Richard Kendall, qui pose toujours des questions pertinentes, a des idées formidables et supporte courageusement mes longues absences. Ce dernier signe pour lui, dans le présent et pour l'éternité.

8938

Composition
NORD COMPO

Achevé d'imprimer en Espagne
par ROSES
le 16 mars 2009.

Dépôt légal mars 2009.
EAN 9782290014011

EDITIONS J'AI LU
87, quai Panhard-et-Levassor, 75013 Paris

Diffusion France et étranger : Flammarion